**Arcángeles**

Doce historias de revolucionarios herejes del siglo XX

*Paco Ignacio Taibo II*

**EDICIONES B**
GRUPO ZETA

Barcelona • Bogotá • Buenos Aires • Caracas • Madrid • México D.F. • Montevideo • Quito • Santiago de Chile

**Arcángeles**

Doce historias de revolucionarios herejes del siglo XX

*Paco Ignacio Taibo II*

*Este libro está anclado en mi memoria tribal y dedicado por tanto a Ignacio Lavilla, Benito Taibo, Adolfo Maojo y Marino Saiz, nuestros abuelos, los patriarcas de la tribu, los que nos enseñaron todo. Siento que ya no estén aquí.*

1.ª edición: agosto 2008

© 2008 Paco Ignacio Taibo II
©Ediciones B México, S.A. de C.V. 2008
Bradley 52, Colonia Anzures. 11590, México, D.F.
*www.edicionesb.com*
*www.edicionesb.com.mx*

ISBN: 978-970-710-321-4

Impreso por Quebecor World.

*Salimos de la nada, entramos en el dominio de la voluntad.*

VÍCTOR SERGE

*Una revolución al fin y al cabo se hace con lo que se tiene a mano. Hombres viejos para construir jóvenes sociedades. Si tienen algo mejor que nosotros, avisen.*

JESÚS IBÁÑEZ

# NOTA DEL AUTOR

Resulta muy difícil lidiar con personajes como los de este libro sin tener que pasar por el profundo miedo de que la literatura pueda dañarlos, debilitarlos, reblandecerlos en el mito. Así las historias han sido contadas con la timidez narrativa del historiador que de vez en cuando era sacudido un poco por la audacia apesadumbrada del escritor. Sobrará tiempo para arrepentirse.

La unidad entre los personajes reunidos está más allá de sus propuestas ideológicas, aunque todos ellos se encuentran en el amplio espacio de la izquierda y en el camino sin retorno de la revolución: Friedrich Adler fue un socialdemócrata que llegó al magnicidio por razones morales, y Librado Rivera un anarcosindicalista cuasi-gandhiano que creía en el poder de la palabra escrita y en las virtudes de la intransigencia; Larisa Reisner y Ioffé fueron marxistas bolcheviques formados en la izquierda socialdemócrata de principio de siglo; Sebastián San Vicente, en cambio, fue un impenitente bakuninista, en las tradiciones del anarcosindicalismo más ortodoxo; P'eng P'ai fue un marxista chino (con lo que esto ya tiene y pueda tener de variante) y además un convencido agrarista; nunca he podido saber lo que fue Piero Malaboca fuera de lo que se trataba de un internacionalista rojo y deslenguado; pero Diego Rivera y David Alfaro Siqueiros fueron una especie de comunistas caseros, irreverentes marxistas a ratos, ortodoxos en otros y siempre revolucionarios pintores; Buenaventura Durruti y Francisco Ascaso fueron anarquistas de acción con una fuerte vertiente obrerista, y Juan R. Escudero un socialdemócrata, firme creyente en el valor de voto y en las formas jurídicas, pero sobre todo en el valor de la moral y el ejemplo; Max Hölz fue un comunista revolucionario partidario de la acción directa, al que los comunistas llamaban anarquista y los anarquistas censuraban por bolchevique; Raúl Díaz Argüelles fue un guevarista en la plena tradición de la convulsión Latinoamericana de los años sesenta. Esta es, por tanto, una historia de historias más allá de las sectas.

Todos ellos buscaron la revolución y fueron al infierno varias veces para encontrarla. Al reunirse forman parte de la única izquierda que reconozco como precedente, aquella que hace suyos todos los proyectos populares, todas las propuestas, todas las derrotas. Están reunidos en su terquedad, en su fidelidad al intento de transformar radicalmente el planeta, en su maravillosa terquedad.

Todos ellos han vivido una etapa de sombra tras su muerte o los epílogos a sus grandes etapas de lucha: la izquierda marxista borró su pasado anarquista en México, los muralistas se volvieron héroes culturales nacionales siempre con un pasado incómodo, Hölz fue un hombre de nadie, Díaz Argüelles un personaje secreto en una historia que no acaba de contarse, Adler un socialdemócrata heterodoxo, P'eng P'ai un estorbo a la hora de magnificar la biografía de Mao Tse-tung, Larisa una bolchevique censurada, etc. En este libro de guerra hay mucho trabajo contra el territorio de las sombras.

El libro se escribió a lo largo de quince años, de manera titubeante, sin tener claro qué historia se quería contar más allá de las historias que aquí se cuentan; queda excluida toda intención pedagógica, toda voluntad doctrinaria; a lo más, la vocación de recolectar de abuelos perdidos.

Tengo que agradecerle a Miguel Bonasso parte de la inspiración de este libro, cuando en una larga conversación nocturna dijo: Paco, hay que hacer el elogio de la derrota.»

A lo largo de la escritura, políticamente me he distanciado y acercado con frecuencia a los personajes; alejado del jacobinismo del terror de P'eng o del método para financiar la edición de enciclopedias asaltando oficinas de Durruti, acercado al electoralismo popular de las cañas de azúcar de Escudero, o a la narrativa de Larisa. Pero más allá de las distancias y proximidades temporales, he tratado de mantener las historias en su tiempo y a mí mismo como tímido heredero neutral.

No hay más homenaje que el recuerdo, no hay más culto real que la memoria crítica; no hay más amor que la complicidad en sus obsesiones. Todo es sueño, casi todo se vuelve pesadilla.

PIT II
1983-1998

# Las dos muertes de Juan R. Escudero

*Cuando descubrió que estaba en el infierno y no
en el paraíso, era demasiado tarde para huir,
y se dedicó a incendiarlo.*
MEHMET KARIM

*Con prestigio de magia vence Don Juan.*
JORGE GUILLÉN

## BAILAR DESCALZO

La música llega al jardín de las ventanas abiertas y la veranda; una orquesta pueblerina está tocando un vals en el salón. Una singular cadena de tradiciones reúne a la fiesta en casa de los comerciantes ricos con los pobres que escuchan, incluso las reglas no escritas de las costumbres hacen que la distancia sea de unos diez metros entre el porche y los mirones, acodados en los árboles, sentados bajo los mangos.

El invitado se acerca a la casona cruzando el jardín; viste un traje blanco de tres piezas y botas negras de montar sobre los pantalones. Al cruzar entre el centenar de pueblerinos que observan, saluda a uno aquí y allá: un lanchero, una sirvienta, un estibador y sus hijos. El vals sigue sonando. El invitado camina hacia la casa donde en el calor furibundo de la noche del trópico las mujeres y los jóvenes hijos de los ricos del pueblo bailan y sudan. Cuando está a punto de llegar a la casa, el joven invitado duda y se detiene. Durante un instante queda detenido entre el mundo del pueblo que mira y escucha y los ricos que bailan.

Luego, se decide y camina de regreso. Se detiene ante una gorda matrona que vende pescado en el mercado, se quita las botas y las deposita a su lado y le pide que baile con él. La mujer se ríe.

Bailan en el jardín con la música que llega de lejos, ambos descalzos, como todos los demás que los rodean. Bailan un poco torpes, el mismo vals que bailan en el interior de la casa.

Nunca pude saber qué vals era. La historia me la contó un viejo, que había sido uno de los niños que rodeaban a los bailarines, o que eso creía recordar, o que se la habían contado, o que se la había narrado alguien a quien a su vez se la habían contado; pero describía con precisión el traje blanco de Juan, los árboles en el jardín. Y en su memoria propia o generada en el pozo sin fondo de los mitos populares, resaltaba la historia de las botas:

«Y se quitó las pinches botas para bailar descalzo». De tal manera que la sabia memoria rescataba lo importante, no importaba que se hubiera perdido el nombre del vals.

El día en que me narraron esta historia Juan llevaba sesenta años de muerto, estábamos en Acapulco y sus restos eran trasladados a la Rotonda de los Hombres Ilustres. No me atrevía a usar la historia en la primera revisión del libro que había escrito con Rogelio Vizcaíno, tenía un tono hollywoodiano que la hacía poco creíble. Hoy la rescato mientras en el recuerdo colectivo de Juan, que hoy es también el mío, queda claro que no solo bailó con los pobres, sino que se quitó las botas para bailar descalzo.


## LOS PRIMEROS TREINTA

Al niño que nació el 27 de mayo de 1890 le pusieron Juan Ranulfo. El padre era un comerciante español que levantaba familia por segunda vez, Francisco Escudero y Espronceda, de cuarenta y cuatro años, nativo de Torrelavega, provincia de Santander; su madre, doña Irene Reguera, era de Ometepec, guerrero, y tenía catorce años menos que su marido, pero compensaba su menor edad con una peculiar fortaleza, una imagen de reciedumbre de la que no estaba excenta el que fumara puros.

Juan Ranulfo Escudero Reguera tuvo por padrinos a dos comerciantes gachupines amigos de la familia: Rufino de Orve y Ernesto Azaola. El lugar del hecho era el puerto de Acapulco, paraíso tropical mexicano dejado de la mano de Dios y férreamente atrapado por las manos de algunos hombres.

Juan R. creció en el seno de una familia acomodada que poseía terrenos en Río Grande y Las Palmeras, casas y un comercio de telas y abarrotes. Hijo de uno más de los «gachupines» (años más tarde el padre de Juan usaría una frase para distinguirse: «Tus enemigos son gachupines, yo soy español»), aquellos iberos de origen agrario y pocas luces intelectuales que habían llegado con el siglo a tierras nuevas para «hacer la América» a base de sudar abundantemente, jornada de catorce horas de mostrador, malicia primitiva en el negocio (comprar barato y no vender muy caro), explotación feroz de parientes y empleados, y cuyo sueño era enriquecerse y retornar para edificar en el pueblo de origen una iglesia que perpetuara su gloria y plantar una palmera en su mansión que recordara «la América»; personajes clásicos, racistas en casi todas las costumbres menos en las del sexo y el dinero.

Francisco Escudero, a pesar de ser comerciante, español y vivir en Acapulco, era un hombre honrado (como se verá más tarde, estas características no dejan de ser sorprendentes). Juan R. fue el primero de los hijos de ese matrimonio al que siguieron María, Fulgencio, Francisco y Felipe.

A partir de los siete años, Juan estudió en la Escuela Real, y se dice que fue importante en su formación el humanismo de un profesor suyo, Eduardo Mendoza.

Alejandro Martínez, biógrafo de Escudero, cuenta:

> […] acompañaba a sus amigos hasta sus hogares y era en ellos donde palpaba más la pobreza de sus moradores. Veía cómo casi todos dormían sobre petates en el suelo. Los niños mal vestidos, con una alimentación deficiente. Contempló cómo los enfermos se morían porque no tenían dinero para comprar las medicinas necesarias.

En plena adolescencia fue enviado por su padre a estudiar a Oakland, California; lo que no deja de ser inusitado en un mundo cuyas costumbres hacían que los primogénitos no estaban obligados a estudiar más que rudimentos de contabilidad para asumir rápidamente la continuidad del negocio familiar. Extrañamente, resultaba entonces más fácil para una familia acomodada enviar a sus hijos a estudiar a la costa oeste de los Estados Unidos que a la Ciudad de México, con la que no había comunicación por carretera. Escudero estudió en el Saint Mary´s College secundaria y el oficio de mecánico electricista.

Los historiadores que han seguido la trayectoria del personaje discrepan sobre las fechas de su estancia allá. Mientras unos lo hacen permanecer de 1907 a 1910, otros dicen que regresó a México en 1907 a causa de una enfermedad.

Es difícil saber si en aquellos años conoció personalmente a Ricardo Flores Magón, el hombre que organizaba con una singular propuesta anarquista y agrarista la revolución contra la dictadura de Porfirio Díaz y que realizaba desde el exilio una fuerte labor de propaganda.

Bien sea por su conocimiento directo del magonismo, o por una influencia indirecta de este, Juan R. regresó a Acapulco dispuesto a romper con su pasado de hijo de comerciante español y lo que esto implicaba en el puerto.

Poco después de su llegada construyó una lancha de motor a la que bautizó como La Adelina (en recuerdo de Adelina Loperetagui, una novia que había tenido) y se dedicó a organizar excursiones a la cercana isla de la Roqueta y labores en la descarga de los barcos. En contacto con pescadores y estibadores, comenzó un trabajo de organización que culminó hacia los primeros meses de 1913 con la fundación de la Liga de Trabajadores a Bordo de los barcos y tierra, que combatió por jornada de ocho horas, aumento de salario, descanso dominical, pago a la semana en moneda nacional y protección contra accidentes.

Juan además chocó contra los contratadores norteamericanos que reclutaban acapulqueños para la recolección de café en Chiapas ofreciendo salarios muy bajos. Exigió salario mínimo de tres pesos diarios, levantando un importante movimiento.

Su labor como organizador sindical lo enfrentó con el monopolio comercial y este utilizó al jefe militar de la zona, Silvestre Mariscal, quien expulsó a Escudero de Acapulco en 1915.

De 1915 a 1918 Juan R. vive la vida de un exiliado, dentro de su país pero fuera de su patria chica. De Acapulco viaja a Salina Cruz. Persigue durante meses una entrevista con Venustiano Carranza, el caudillo triunfante en la lucha de facciones en la que había desembocado la Revolución Mexicana. Juan había escrito un memorial en el que pedía:

Financiamiento para que fuera el sindicato el encargado de comercializar los alimentos de primera necesidad, y evitar que el monopolio gachupín matara de hambre a toda la población, incluido el ejercito; pedía la expropiación de terrenos para fundar una colonia obrera fuera de la ciudad y con parcelas de cultivo para que los obreros de ayudaran con la agricultura, terrenos pagaderos a cinco años y bajo algún título que los hiciera inenajenables , dado que hasta las casuchas que habitaban en el puerto eran propiedad de las casas comerciales españolas, y con facilidad los despojaban de ellas, pedía también un local social para la agrupación que además de oficina sirviera de escuela, teatro y cine instructivo.

Nunca obtendrá la entrevista.

De ahí se transporta a la capital de México, donde se reúne con su hermano Fulgencio. Trabaja como inspector de jardines, establece relaciones con los anarquistas y pasa las tardes en la Casa del Obrero Mundial. Parte después a Veracruz, y ahí sostiene correspondencia con Ricardo Flores Magón. Más tarde vive en Tehuantepec donde es secretario del juzgado. Ahí aprende los usos legales de la época y estudia detenidamente la recién promulgada Constitución de 1917. En agosto de 1918 regresa a Acapulco.

Ha sido la suya una peregrinación a la espera del retorno. Ha buscado infructuosamente el apoyo a su proyecto de los revolucionarios triunfantes y ha recibido la influencia de las organizaciones sindicales. El país ofrecía en aquellos años vertiginosos sobradas posibilidades vitales para el joven Escudero, pero este tiene una deuda que saldar. Cuando Juan R. vuelve al puerto aún no ha cumplido treinta años.

LOS DUEÑOS DEL PUERTO

Al iniciarse la segunda década del siglo XX, el sometimiento de los costeños al dominio y la explotación de los comerciantes españoles en Acapulco es casi absoluto. Tres grandes consorcios controlan y rigen la vida económica de la ciudad y de las costas del Pacífico cercanas al puerto: la casa comercial Alzuyeta y Compañía, fundada en 1821, paradójicamente año de la independencia nacional; B. Fernández Hermanos (La Ciudad de Oviedo), constituida en 1900. Sus propietarios son vascos en el caso de la primera, y asturianos (sin parentesco entre sí) en el caso de las dos siguientes. Los jefes de las casas eran Marcelino Miaja (B. Fernández y Cía.), Jesus Fernández (Fernández Hnos.) y Pascual Aranaga (Alzuyeta y Cía.).

A lo largo de un siglo, lo que en origen fueron grandes casas comerciales, que controlaban la venta de productos llevados a

Acapulco desde otras tierras y monopolizaban la exportación de productos agrícolas, llegaron a constituirse en un complejo sistema monopólico que sin poseer directamente la totalidad de los bienes de los costeños, controlaba férreamente la industria, el comercio, el comercio en menudeo, el transporte por tierra, el transporte marítimo, los movimientos portuarios, la compra y venta de productos agrícolas, la pesca y la mayor parte de los servicios, como bancos, seguros, telégrafos. Punto de partida para ejercer el poder sobre funcionarios públicos: alcaldes, empleados aduanales y jefes de la zona militar.

El control gachupín del puerto se veía acompañado por un tipo de dominio aberrante que apelaba a la violencia, el racismo, la asfixia económica, el fraude, la intriga y el crimen.

El principal punto de apoyo del monopolio se encontraba en el tremendo aislamiento del puerto. Por tierra, desde Chilpancingo, no había más que un triste camino de brecha, que se tardaba en recorrer una semana en recua de mulas, en medio de un calor agobiante y grandes peligros; por mar la comunicación se realizaba a través de líneas de paquebotes que hacían servicio regular entre Acapulco y Salina cruz o Manzanillo.

Las tres firmas, dueñas de la mayor parte del transporte por mulas, impidieron en incontables ocasiones la construcción de la carretera México-Acapulco, sobornando a los ingenieros y técnicos que el gobierno central había comisionado para informar sobre las posibilidades de construirla. Los barcos y las rutas de navegación estaban sujetos a los intereses de los consorcios que eran dueños de las pequeñas flotas. Habían destruido toda pequeña competencia con métodos tales como sobornar a los capitanes de embarcaciones mexicanas para que encallaran. En un lapso de veinte años se había construido su control exclusivo del transporte marítimo destruyendo físicamente los barcos de sus competidores, como en el caso de Humberto Vidales, a quien le fueron hundidos los navíos El Progreso, de nueve toneladas, y La Otilia, de seis.

Acapulco será entonces puerto sin muelle por decisión de los explotadores, únicos dueños de barcos y chalanas. El control total de la carga y descarga marítima les permite impedir que ingresen mercancías capaces de competir con su monopolio. La descarga de los barcos de pabellón extranjero que llegan a Acapulco, y de cuyas casas matrices los gachupines son representantes, se hará por medio de chalanas y estas se acercan a la playa donde se realiza una segunda descarga por trabajadores, asalariados de las tres casas, con el agua al cuello. Para consolidar su monopolio, retrasaban por un tiempo indefinido la descarga de productos ajenos, permitiendo que se deterioraran.

El informador del presidente Álvaro Obregón, Isaías L. Acosta, decía en un reporte años más tarde: «Si viene algún artículo de primera necesidad que esté escaso como maíz o harina primero saltan su carga, y hasta que han realizado una parte a buen precio, saltan la de otros.»

Los estibadores, que fueron el sector que primero organizó Juan Escudero, estaban sometidos a salarios de hambre; se pagaba igual el trabajo diurno que el nocturno, no había descanso dominical ni protección contra accidentes. Las casas intervenían también en el comercio al menudeo del puerto, financiando y endeudando a los pequeños comerciantes, a los que abastecían con sus productos. El control de los almacenes y las bodegas que tenían en Pie de la Cuesta les permitía determinar los precios del maíz, el frijol, la harina y la manteca. Solo se sustraían a esta situación los aliados menores del triple consorcio que mantenían con ellos relaciones de complicidad y servicio, como los hermanos Nebreda, el cónsul español Juan Rodríguez; el gachupín y boticario doctor Burrón; los hermanos San Millán, dueños del cine y cantina; el comerciante Antonio Pintos, socio menor de B. Fernández, y el impresor y ex alcalde Muñúzuri.

Asimismo, el consorcio era propietario de algunas panaderías, tiendas de abarrotes, la totalidad de los molinos de nixtamal, las carnicerías, algunas tiendas de telas, parte de las imprentas y papelerías y varias cantinas.

Este dominio del pequeño comercio se complementaba con una red de agentes en las zonas agrarias cercanas, que eran el instrumento para acaparar cosechas, comprar a la baja, colocar víveres encarecidos, cobrar deudas y enrolar jornaleros.

Las casas comerciales eran propietarias de haciendas como San Luis y Anexas, Aguas Blancas, El Mirador y La Testadura, y mantenían cordiales relaciones ccon otros latifundistas españoles como los hermanos Garay, Ramón Solís, Ramón Sierra Pando, los hermanos Guillén, los hermanos Nebreda y Pancho Galeana (que además manejaba la construcción de casas en el puerto).

Desde principios de siglo los comerciantes gachupines se extendieron del comercio al agro, comprando porciones enormes de tierra en la Costa Chica y la Costa Grande hasta llegar a constituirse en grandes latifundistas. Es esta una típica historia de crímenes y despojos en la que abundan los ejemplos, como el de la misteriosa muerte del rico de Copala, Macario Figueroa, o el sonado caso, en aquellos años, del robo de la hacienda de Francisco Rivera.

Si esta fue la relación que entablaron con los viejos propietarios, mucho más envenenada fue la que mantuvieron con los campesinos sin tierras, a los que no dejaron otra que trabajar como arrendatarios.

Alejandro Martínez cuenta:

> Como no podían pagar en metálico el derecho de arrendamiento, entregarían el finalizar la cosecha la mitad del producto. Los gachupines facilitaban la semilla, las viejas herramientas, los víveres y todo lo necesario para el cultivo; cargando el precio a cuenta de la futura cosecha. Con este despiadado sistema, al recoger el producto [...] al campesino le quedaba menos de la cuarta parte de lo recogido.

Los campesinos eran además obligados a sembrar lo que convenía a las casas comerciales, forzando, como lo hicieron en la hacienda El Arenal, a destruir la siembra de ajonjolí para sembrar algodón.

Los pescadores estaban también bajo el yugo gachupín: «Los cordeles, anzuelos, los comestibles de viaje y hasta las canoas» eran arrendados con el compromiso de vender al proveedor todo lo pescado. La distribución del pescado salado en rancherías y poblados daba salida a los productos del mar adquiridos con una mínima inversión.

Además, eran dueños de las seis fábricas de la región: El Ticui y Aguas Blancas, fábricas textiles que levantaron para aprovechar los cultivos forzados del algodón; La Especial, fábrica de jabón destinada a aprovechar las extensas cantidades de copra que habían monopolizado, y otras tres fábricas instaladas bajo el régimen de comandita, es decir, con dinero de españoles residentes en la península ibérica administrado por las tres casas dueñas de Acapulco.

En el interior de las casas comerciales la situación no era mejor: los empleados trabajaban doce horas diarias, laboraban festivos y domingos y ganaban cincuenta centavos diarios, el equivalente a la mitad del salario mínimo en zonas agrarias de otras partes del país.

En estos comportamientos dictados por las inflexibles leyes de la barbarie capitalista, hay también rasgos de una maldad a prueba de novela de Dickens. La voracidad de los gachupines los llevó a perseguir sangrientamente a competidores y viejos aliados. Así volvieron loca a la hija de su inveterado testaferro Cecilio Cárdenas, quien habiendo muerto intestado dejó tres casas a Vicenta, la cual no les vio ni los cimientos gracias a la mano negra del monopolio hispano. Lo mismo trataron de hacer con su ex socio Butrón, al que trastocaron en oro una deuda en billetes y pagó la devaluación del dinero que durante la revolución se hizo papel viejo, y no se tentaron el corazón para echar a la calle a la viuda de Victorio Salinas argumentando una deuda que ya había sido pagada.

Ilustrativa de estos comportamientos puede ser la historia de un pequeño comerciante que habiendo hecho camino en mula desde Michoacán con una carga de alambre de púas, trató de venderlo en el mercado libre, solo para encontrar que al negarse a venderlo a bajo precio a los gachupines, estos pusieron a la venta alambre almacenado a mitad de precio, con lo cual lo arruinaron.

El poder adquirido se transformaba en estilo, el dinero en despotismo, la fuerza monopólica en soberbia, racismo y usura enfermiza: lo mismo se negaban a cambiar giros telegráficos trastornando los sistemas de crédito al uso en la época, que manipulaban las compañías de seguros de las cuales eran representantes; que alteraban el calendario de fiestas patrias haciendo que el puerto celebrara el 8 de septiembre, día de la asturiana Virgen de Covadonga, en lugar del 16, día de la Independencia, y que promovieran el pro español Iturbide como prócer de la patria en lugar del cura Hidalgo. Mantenían el Colegio Guadalupano donde se impartían clases de religión y la marcha real española sustituía al himno nacional en las conmemoraciones.

Los testaferros de las tres casas, que a lo largo de esta historia serán conocidos como «progachupinistas», se alternaban en los puestos de mando municipal, de administración de la justicia y de la aduana. En el Ayuntamiento fueron nombrados sucesivamente por las casas comerciales el hacendado Nicolás Uruñuela, el tendero e impresor Muñúzuri, el socio de B. Fernández, Antonio Pintos, el doctor gachupín Butrón, el peruano H. Luz. Bajo control de los españoles estuvieron también los militares jefes de la plaza, más allá de qué facción dominara el país, lo mismo el coronel Mariscal, huertista, que el carrancista Villaseñor, que obregonistas Flores y Crispín Sámano. No hubo cambio revolucionario que resistiera las treinta talegas.

Para la administración de estos fondos negros, los Alzuyeta y los Fernández constituyeron el depósito bautizado como La Calavera, que sirvió para sufragar cohechos, pagar pistoleros, asimilar gastos de operaciones de *dumping*, mantener la nómina de funcionarios y financiar el combate contra oponentes menores como los comerciantes libaneses del puerto.

Su control de los cargos públicos era prácticamente total, pues además de designar a los alcaldes y regidores pagaban de sus nóminas a la policía del puerto.

Sociedad cercada, aislada; con un solo trayecto de movilidad: rumbo al abismo, hacía sentir sobre el costeño de cada día la opresión y el racismo, junto con la imposibilidad de progreso. El horizonte del llano era un horizonte clausurado, que enmarcaba una vida en la impotencia ante el poder y el privilegio. Para el pequeño comerciante no había perspectiva de cambio en una sociedad sometida a la arbitrariedad del monopolio; para el dependiente de comercio no había ascenso posible en una estructura comercial en la que los cargos de importancia eran ejercidos por gachupines protegidos de los amos, y las vacantes que se producían cuando estos retornaban a su tierra con una pequeña fortuna eran cubiertas por recién desembarcados cuya única carta de presentación era haber nacido en España. Para artesanos y trabajadores, para salariados del campo y pequeños propietarios agrícolas atrapados por el agiotismo, no había otro futuro que la rebelión.

El día en que Juan R. Escudero llega al puerto, a mediados de 1918, cuando la Revolución Mexicana prácticamente ha terminado, no sabe que su voluntad de transformar la sociedad de la que ha sido expulsado será instrumento de una fuerza social oculta y soterrada, pero no por ello menos violenta, de la que aún no conoce sus posibilidades y límites. El paraíso corrompido acapulqueño encontrará en Juan R. la voz que ocupará los espacios del silencio.

## ENTRE TOM MIX Y EL AYUNTAMIENTO ROJO

Los testimoniantes ayudados por los historiadores no han podido ponerse de acuerdo en qué película se exhibía, ni siquiera se han puesto de acuerdo en quiénes eran los actores estelares; unos atribuyen el lleno que había en el cine Salón Rojo aquella noche de enero de 1919, al amor e los costeños por el vaquero Tom Mix, los otros dan a Eddy Polo el poder del reclamo. Todos coinciden en que, aprovechando el intermedio, Escudero, que se había sentado en una platea, se puso de pie sorpresivamente y arengó a los presentes, llamándolos a organizarse contra los explotadores gachupines. Para la mala suerte de Juan, los propietarios del cine Salón Rojo eran los gachupines Maximino y Luciano San Millán, que sintiéndose aludidos llamaron a las fuerzas del orden. Mientras tanto, la concurrencia aplaudía al orador que, caliente los ánimos, había llamado a la organización de un partido político de los trabajadores.

Un primer retrato del personaje, surgido de las descripciones de los contemporáneos y de la única fotografía que conozco de Juan, lo muestra como un hombre alto para la media acapulqueña: un metro ochenta, bigote poblado de guías largas, grandes patillas, pelo rizado, de un color de piel claro amarillento a causa de una afección palúdica, y ojos brillantes, risa fácil, plática más fácil aún surgiendo de una voz metálica.

La intervención policiaca contra Escudero provocó que sus nuevos partidarios se lanzaran a protegerlo, y la función cinematográfica culminó en zafarrancho.

Perece ser que el mitin cinematográfico fue uno de los recursos de Juan Escudero en esta primera etapa de su trabajo de organización popular, y que varias veces fue sacado a culatazos del Salón Rojo por soldados del cuartel vecino, que proporcionaban servilmente las autoridades militares a los dueños económicos de

Acapulco. Orador sorpresivo y sin audiencia propia en esta etapa, Escudero aprovechó también un homenaje a Benito Juárez donde se había reunido buena parte de la población para insistir en su proyecto organizativo.

En el clima de tremendas tensiones clasistas del puerto en 1919, la arenga de Escudero tocó corazones, y el 7 de febrero de ese mismo año nació el Partido Obrero de Acapulco (POA).

Juan reunió para su arriesgada propuesta a un grupo de hombres que no tenían miedo, o que tenían menos miedo que los demás, que todo lo habían perdido que no tenían miedo a perderlo: sus hermanos Francisco y Felipe, los herreros Santiago Solano y Sergio Romero, el ebanista Mucio Tellecha, su hermano José, empleado, los hermanos Diego, estibadores; Ismael Otero, zapatero, el funcionario del juzgado y poeta Lamberto Chávez, el empleado Pablo Riestra, los hermanos Dorantes, Camerino Rosales, Crescenciano Ventura, Martiniano Díaz, E. Londe Benítez, Julio Barrera y Juan Pérez.

Como en todas las historias que han de transportarse al mito popular, el lugar de la reunión inicial del Partido Obrero de Acapulco ha sido situado en mil y una direcciones: se habla de la esquina de Galeana y Cinco de Mayo, donde por aquellos días vivía una novia y amante de Juan, Tacha Gómez.

La base social de la nueva agrupación estaba formada por los estibadores de la vieja Liga de Trabajadores a Bordo de los Barcos y Tierra que Escudero había formado en 1913 y que revivía al impulso de la agitación; pequeños comerciantes asfixiados por el monopolio de las casas comerciales españolas, como los hermanos Amadeo y Baldomero Vidales, cuyo padre había sido arruinado por los gachupines y que apoyaron económicamente al POA; treinta y dos empleados de las casas comerciales que sentían que no existía posibilidad de mejora y ascenso en una estructura donde los mejores puestos eran invariablemente cubiertos por españoles (que iban llegando al puerto, se convertían en hombres de confianza de sus paisanos, trabajaban como burros y se iban con un capital), artesanos independientes, empleados públicos de cargos menores en la administración y algunos pequeños propietarios agrícolas.

El programa inicial del POA recogía sus exigencias comunes y se mantenía prácticamente dentro de los límites de la recién promulgada y ya incumplida Constitución de 1917 (tradición, la del incumplimiento por parte del gobierno, que habría de prolongarse al menos ochenta años más, si el autor de esta historia conserva su memoria):

1. Pedir un pago justo por la jornada de trabajo.
2. Defender los derechos humanos.
3. Sanear las autoridades.
4. Participar en las elecciones.
5. Exigir la jornada de ocho horas de trabajo.
6. Propagar la educación.
7. Conseguir tierras para los campesinos.
8. Hacer las gestiones convenientes para que se abriera la carretera México-Acapulco.
9. Emprender una campaña enérgica contra las enfermedades.

Un programa así permitía, a la larga, unir prácticamente a todas las fuerzas sociales del puerto, a excepción de los dueños de las grandes casas comerciales y de sus subordinados: las autoridades civiles y militares de Acapulco. Juan R. Escudero fue nombrado presidente del partido y se comenzó el trabajo de organización.

Pocos meses más tarde nacía *Regeneración*, un pequeño periódico de dos hojas (cuatro a veces) que circulaba los domingos (en los momentos de tensión llegó a circular jueves y domingos) y desde el cual se atacaban violentamente los intereses de los grandes comerciantes e incluso sus personas. En una población que no rebasaba los seis mil habitantes, los efectos de *Regeneración* se dejaban sentir.

El periódico, que había tomado el nombre de su hermano mayor, el órgano magonista que Juan Escudero había conocido y admirado, se manufacturaba en una pequeña imprenta de segunda mano comprada por noventa dólares en Estados Unidos, porque ninguna otra imprenta del puerto, en manos de los grandes comerciantes, lo hubiera impreso. Entre los lemas que aparecían en su cabecera estaban: «Por la defensa de los derechos del pueblo», «Contra los abusos», «Labor pro-pueblo, labor pro-patria», «Por la verdad y justicia», y costaba dos centavos (luego se editó con cuatro páginas y subió a cinco centavos).

La fuerza de *Regeneración* estaba en la violencia de sus denuncias y en el frondoso estilo con el que se hacían, donde sobraba espacio para el insulto, la mentada de madre, la amenaza y la diatriba; pero su magia estaba en el equipo de colaboradores que Juan R. Escudero había encontrado, un grupo de niños, recién salidos de la primaria, que hacían que el semanario llegara hasta el último rincón de Acapulco.

Alejandro Gómez Maganda, uno de esos niños, recuerda:

> Entre los muchachos que con el colaborábamos, desde parar los tipos de imprenta para hacer el semanario, palanquear para su impresión, recibir gacetillas y vocearlo en las calles, estábamos: Jorge Joseph, Gustavo Cobos Camacho, Ventura Solís, Mario de la O, Juan Matadama y el autor. El portero de la casa era un fiel huérfano llamado Cleofas.
>
> *Regeneración*, pequeño en tamaño y formato, era sin embargo múltiple y gladiador. Descubría sucias maniobras, señalaba errores, marcaba a los prevaricadores, a los apóstatas y tránsfugas. Reclamaba justicia; atacaba a los malos militares y a los políticos que subastaban su influencia; orientando al pueblo para el trámite elemental de sus asuntos, y al darle a conocer sus derechos y obligaciones, rompía la inercia del conformismo suicida y los impulsaba a ir a las casillas electivas, para después exigir de pie el cumplimiento del voto.
>
> Nosotros nos desbandábamos como parvada incontenible, y solo se escuchaba el vibrante pregón: «¡*Regeneración* a cinco centavos!»
>
> El pueblo nos arrancaba materialmente los ejemplares de las manos y reía con la ironía del maestro, se entristecía con sus adversidades y exaltábase con su grito implacable de pelea: «*Regeneración* a cinco centavos!»

Apoyándose en tres ejes: el Partido Obrero de Acapulco, la Liga de Trabajadores a Bordo de los Barcos y Tierra, y *Regeneración*, el proyecto escuderista fue tomando poco a poco forma y se dieron los primeros choques entre el organizado movimiento popular y sus explotadores.

Escudero inició una campaña contra Emilia Miaja, administrador de la fábrica textil El Ticui y jefe de B. Fernández y Compañía, por el mal trato que daba a sus obreros. El despótico gerente llegó el extremo de arrojar ácido en la orilla del canal del que se surtía la fábrica para que no pudiera tomar agua de ahí la gente del pueblo. La campaña surtió efecto y Antonio Fernández Quiroz, uno de los dueños de la empresa, sustituyó a Miaja en la administración.

En el curso de 1919 Escudero organizó la huelga en la fábrica de jabón La Especial, en las cercanías de Acapulco. Se luchaba por aumento de salario diario de 75 centavos a 1.25 pesos. La huelga, en una empresa que era propiedad de las casas, duró siete días bajo enormes presiones. Las autoridades militares intentaron una intervención. La respuesta de los trabajadores fue: «Hagan lo que quieran, pero nadie se mueve hasta el 1.25». Al final de la semana los propietarios cedieron.

El partido iba ganado en fuerza y adhesión, y Escudero se multiplicaba. Traía en el bolsillo un ejemplar de la Constitución de 1917 y con él predicaba. Con un estilo bíblico llevaba la palabra de un lado a otro, interrumpiendo las tertulias, apareciéndose en las playas o a la salida de las barcas. Ahí se formaban grupos y se hacían amistades. El partido seguía creciendo lentamente y la cuota de veinticinco centavos por miembro iba llegando a las maltrechas arcas de la organización.

Fortalecida la base urbana, Juan se dirigió al campo. Su peregrinación lo llevó a recorrer a caballo ambas costas, llevando mensajes de denuncia y organización a los campesinos. Sus instrumentos eran los rudimentarios procedimientos legales de la época adquiridos en el juzgado de Tehuantepec. Gratuitamente asesoraba en demandas de propiedad de la tierra, derechos colectivos, juicios por despidos arbitrarios. Su labor hizo que fuera detenido muchas veces acusado de sedicioso, que se le impusieran multas y que fuera amenazado de muerte varias veces.

En 1920, en el acto de conmemoración del primero de mayo, el POA decidió entrar en la lucha electoral y postuló a Escudero como candidato a presidente municipal.

Juan R. Escudero se resistió a aceptar la nominación porque no quería que se pensara que había colaborado en la organización del POA con el fin de utilizarlo como plataforma para su lanzamiento político personal, pero fue presionado por el partido que lo reconocía como dirigente indiscutido y sabía que solo él podía recoger en votos el trabajo de denuncia, agitación y organización, que se había hecho en el último año. Tomás Béjar y Ángeles sustituyó a Escudero en la Presidencia del POA y S. Solano fue electo vicepresidente.

El inicio de la campaña electoral coincidió con el desarrollo nacional de la revuelta de Agua Prieta, el último acto armado en la historia de la Revolución Mexicana; el ajuste de cuentas final entre las posiciones centristas de los barones militares contra la derecha del presidente Carranza, todo ello con el sector más radical desactivado tras la muerte de Zapata y la derrota y aislamiento de Pancho Villa. A través de *Regeneración*, Escudero tomó el partido de Obregón y los militares del norte contra Carranza. Nuevamente la medida de la realidad la daba Acapulco, si los dueños de las casas eran carrancistas el POA sería lo contrario.

Tras el triunfo del obregonismo, el POA se alió con el Partido Liberal Constitucionalista Costeño (filial guerrerense del PLC obregonista) y apoyó la nominación de Rodolfo Neri como candidato a gobernador. En retribución, el PLC nominó y apoyó a Escudero como candidato a diputado de la legislatura guerrerense por el distrito de Acapulco y a otro Miembro del POA, Tomás Béjar y Ángeles, como suplente. Ese mismo día se realizó en Acapulco una manifestación de apoyo a Neri (un ex juez democrático que simpatizaba con el POA), quien saludó desde el balcón de su casa, anunciando su programa básico: instrucción pública, reducción de impuestos, fomentar la asociación obrera, dotación de ejidos para los pueblos y construcción de caminos.

Durante el mes de octubre el POA impulsó las candidaturas de Neri y Escudero, e inició a través de *Regeneración* una campaña antialcohólica y de divulgación de las leyes agrarias.

La candidatura del POA progresaba, pero las elecciones importantes desde el punto de vista del movimiento social eran las de la Presidencia municipal de Acapulco. Poco se podría hacer desde la legislación estatal. El combate en términos electorales estaba en destruir la administración progachupina y corrupta del puerto, punto de apoyo de las casas comerciales para su dominación.

Las elecciones celebradas en diciembre de 1920 estuvieron rodeadas de una gran tensión. La campaña del POA había tocado a numerosos trabajadores que antes no participaban en la lucha electoral, hartos y desentendidos del voto por las burlas y manejos del poder local, que imponía sus candidatos a través de sucesivas farsas electorales. El presidente municipal de Acapulco, Celestino Castillo, trató de imponer al candidato de las casas comerciales, Juan H. Luz, que había sido anteriormente presidente municipal, a pesar de ser peruano, lo que lo invalidaba para el cargo, y era enemigo personal de Escudero. Pero el milagro se produjo: los trabajadores iban a las urnas y con cara de malos augurios para el poder tradicional, votaban.

La Junta Computadora reunida en la casa de Matías Flores enfrentó el hecho de que los candidatos del POA habían triunfado y trató de escamotear la victoria (el alcalde era electo indirectamente por los regidores nombrados por voto universal) movilizando a policías y soldados. Esto provocó la respuesta popular para defender su triunfo.

De los pueblos de las cercanías, Texca, Palma Sola y La Providencia, los escuderistas habían llevado al puerto centenares de cañas de azúcar, con las que el pueblo se enfrentó a la presión de los militares. Organizados por el POA, los acapulqueños rodearon las casillas y el lugar donde estaba instalada la Junta Computadora y obligaron a que se reconociera la victoria del candidato de la oposición.

Pero el triunfo no era suficiente; entre el día de las elecciones y la toma del poder por el nuevo Ayuntamiento, maniobras y contramaniobras se desataron entre los testaferros de las casas comerciales y el POA. El 11 de diciembre Escudero estuvo a punto de ser detenido porque el gobernador dictó contra él una orden de aprehensión. Juan R. se amparó y evitó la detención, y el POA se comunicó telegráficamente con Obregón pidiendo garantías contra las autoridades militares de la zona. En su telegrama denunciaban a los comerciantes gachupines como el poder de hecho detrás de los intentos de «atropello.»

Obregón se limitó a transcribir el telegrama al gobernador de Guerrero y al jefe de operaciones militares de la zona y contestó al POA que no era facultad del gobierno central intervenir en asuntos electorales de los municipios.

El 15 de diciembre el presidente municipal Celestino Castillo aún en funciones, telegrafió al presidente Obregón el siguiente texto: «Tiénese confirmado de que por Costa Grande este estado han desembarcado armas y parque, por más investigaciones que he hecho no he podido descubrir dónde encuéntranse [...] Se relacionan con *bolsheviqui* Juan R. Escudero.»

«*Bolsheviqui*» era la palabra maldita. En aquellos años la prensa conservadora del DF asociaba la palabra con la «conspiración roja» originada en la URSS, y bajo ese nombre cabían comunistas, agitadores sindicales, anarquistas españoles o rusos, militares socialistas radicales, desertores izquierdistas del ejército estadounidense.

Culturalmente, la palabra *bolsheviqui* ingresaba a la información. Se estrenaban película como La garra *bolsheviqui*, había un equipo de béisbol de los redactores de prensa capitalinos llamado La Novena Soviet, y existía un periódico obrero llamado *El Soviet*; *Bolsheviquis* eran los comunistas del DF, los anarcocomunistas de Veracruz que habían organizado a las putas y a los sin casa, encabezados por Herón Proal, los militantes de las ligas de resistencia del Partido Socialista Yucateco encabezados por Carrilllo Puerto; e incluso para algunos periodistas desaforadamente reaccionarios; *bolsheviquis* eran militares constitucionalistas francamente moderados, como Calles, Múgica, Salvador Alvarado, Filiberto Villareal y Adalberto Tejeda.

La maniobra era tan burda que el propio Obregón contestó un día más tarde:

> Enterado su mensaje de ayer relativo armamento que sabe se embarca en ese puerto. Siendo el deseo de este gobierno de renovar el armamento del ejército, sería conveniente que aumentaran los desembarcos de armamentos y municiones en nuestras costas.

El mismo día 15 en que el presidente municipal había telegrafiado a Obregón, una partida de militares había rodeado y cateado la casa de Escudero sin encontrarlo, y varios miembros del POA habían sido detenidos.

El POA telegrafió nuevamente a Obregón pidiendo garantías y señalando que en caso de que se asesinara a Juan habría motín en Acapulco. Obregón nuevamente se desentendió del asunto repitiendo que no era facultad suya intervenir en problemas electorales.

En medio de esta guerra telegráfica y habiendo fracasado la maniobra de involucrar a Escudero en un complot militar, el Ayuntamiento acapulqueño tomó posesión el primero de enero de 1921. Eran regidores Ismael Otero, Gregorio Salinas, Plácido Ríos, Emigdio García, Jesús Leyva y Maurilio Serrano.

Escudero fue nombrado presidente municipal. La bandera roginegra del POA ondeó frente al Ayuntamiento ese día.

## POLÍTICA MUNICIPAL Y GUERRA DE CLASES

A los pocos días de haber tomado posesión, Juan volvió a chocar frontalmente contra los intereses de los comerciantes gachupines.

Según su versión, pasaba por las obras que construía el gachupín Pancho Galeana y se acercó a preguntar a los trabajadores qué horario tenían y cuánto ganaban. Sin duda estaba desplegando argumentos constitucionales sobre jornada máxima, cuando Pancho Galeana apareció por ahí (Escudero había tenido un serio enfrentamiento con Galeana al que había acusado en *Regeneración* de secuestrar a una niña) y ni tardo ni perezoso sacó la pistola al ver al «alcalde *bolsheviqui*» organizando a sus albañiles. No se atrevió a ir más allá, probablemente por la presencia de los obreros, pero acusó a Escudero de allanamiento de morada. Escudero se presentó en el juzgado, pidió un amparo y se enfrentó con el juez Peniche que, sobornado por los gachupines, se negó a concederlo. Escudero lo obligó a tramitar la demanda aunque eso le tomó varias horas de agria discusión.

El 30 de enero el coronel Novoa dirigió un pelotón de soldados rifle en mano en una redada contra la casa del dirigente popular; afortunadamente no pudieron localizarlo. Juan R. estaba acostumbrándose a salir por la parte de atrás de su hogar a las horas más insospechadas.

En esos días había tenido que interponer un nuevo amparo para evitar que se le detuviera por órdenes del gobernador, y había acusado de calumnias a este, el jefe de armas general Figueroa y al juez Ramón Peniche. En un telegrama a Obregón, que este respondió nuevamente desentendiéndose, Escudero los llamaba «servidores de los gachupines.»

Mientras tanto, Juan R. iniciaba una gestión municipal sorprendente. Según palabras de uno de sus más lúcidos biógrafos, Mario Gil:

> La comuna acapulqueña no existía en realidad; había sido hasta entonces un instrumento de dominio de los gachupines; no había normas ni bando de policía, ni policía (pues la que existía era un grupo armado y pagado por los españoles); los impuestos se fijaban caprichosamente; no había tesorería; los funcionarios del Ayuntamiento no percibían sueldos; en fin, era un verdadero caos organizado en beneficio de los amos del puerto. Fijó sueldos de cinco pesos a los regidores y de ocho al presidente municipal; nombro policía pagada por el Ayuntamiento; designó a su hermano Felipe tesorero municipal para lo cual exigió una fianza que garantizara sus manejos (la fianza la dio el padre de Escudero). Redujo los cobros que se hacían en el mercado, e impuso como impuesto máximo el de veinticinco centavos; creó las Juntas Municipales para evitar a los residentes de los pueblos el hacer viajes a la cabecera para tratar sus asuntos; emprendió una batida contra la insalubridad; exigió que todos los propietarios barrieran el frente de sus casas [...]

De los cuatro pesos de sueldo quincenal de Juan R., dos correspondían a gastos de representación, los cuales nunca quiso cobrar argumentando que su posición personal le permitía prescindir del sobresueldo.

Estas actividades estuvieron reglamentadas por un *Bando de Policía y Buen Gobierno* que se centraba en tres problemas: Servicio de Policía (prohibición para que los agentes tomaran alcohol bajo amenaza de expulsión, prohibición de que el comandante del cuerpo tuviera parientes en él, respeto a la ciudadanía, no permitir que los poderosos desacataran a la autoridad, obligación de que los agente supieran leer); Higiene Municipal (obligación para los propietarios de pintar sus casas, mantener limpios los frentes, recoger la basura, impedir que perros y marranos anduvieran sueltos), y Promoción de Formas de Organización Económica de Defensa Popular (cooperativas de producción y de consumo, estímulos a talleres que produzcan materiales baratos, gestiones para fundar colonias agrícolas). Al mismo tiempo, el Ayuntamiento se proponía atacar los dos problemas básicos del municipio: la educación, en colaboración con el poder federal; y el aislamiento, a través del apoyo a la construcción de la carretera que los uniera con Chilpancingo y así con la capital del país. Dos elementos resultaban claves para el desarrollo de esta política: la creación de un poder armado por primera vez independiente, e incluso antagónico a los intereses de los grandes comerciantes gachupines, representado por la policía, y el continuo trato cotidiano del alcalde con la gente del pueblo.

Juan R. tenía por costumbre recorrer todos los días las colonias populares discutiendo con los vecinos, haciéndoles recomendaciones, promoviendo la organización o la higiene, explicando las medidas adoptadas por el municipio y aplicando la ley en términos humanos e igualitarios.

Es muy conocida la anécdota de que cuando un perro mordió a la anciana Buenaga, Juan hizo detener a su propio padre, dueño del animal y además de obligarlo a cubrir los costos de la curación, le hizo pagar una multa de cien pesos, manteniendo encarcelado al viejo hasta que la multa se cubrió. Curiosamente la anécdota tiene una segunda versión, en la cual la multa a su padre fue de cincuenta pesos y fue aplicada por acumular desperdicios de coco frente a la puerta de su casa. El caso es que el viejo Escudero sufrió las vocaciones igualitarias de su hijo, y se estableció el rumor entre la población de que Juan haría cumplir la ley más allá de las personas.

Las elecciones para el Congreso Local representaron un nuevo punto de apoyo para la política y el poder del Partido Obrero de Acapulco; tanto Escudero como Béjar triunfaron en las elecciones para diputados, y Rodolfo E. Neri fue electo gobernador de Guerrero el primero de abril de 1921.

Sin embargo, esta nueva victoria no detuvo a la ofensiva se los comerciantes y sus aliados: las autoridades militares. El mismo día en que Neri tomaba en sus manos el gobierno del Estado, el mayor Nicandro Villaseñor, jefe accidental de las fuerzas militares del puerto, acusaba a Escudero de haberse presentado en el juzgado al frente de veinticinco hombres armados para devolver la afrenta que le habían hecho los jueces, y señalaba que la administración de Escudero vivía en el «abuso de autoridad». Escudero telegrafió a Obregón diciéndole que era una nueva calumnia, y que detrás de la acción de Villaseñor estaban los hermanos españoles Iris, pero de nada sirvió. El día 2 de abril el presidente de la República telegrafió al mayor Villaseñor lo siguiente:

> Sírvase usted notificar al presidente municipal ese, que si continúa violando preceptos legales e invadiendo facultades no correspón-denle, tendrá que intervenir justicia federal, para hacer respetar derechos tanto de extranjeros como demás autoridades, y que ya consígnase atentado cometido en oficina juzgado distrito al procurador general justicia de la nación.

El origen de esa pequeña guerra de papel se encontraba en un encuentro que tuvo su desenlace verbal violento entre Escudero y el juez, cuando este amenazó al presidente municipal con una pistola acusándolo de haberlo insultado en *Regeneración* y Juan R. tuvo que escaparse del juzgado, de acuerdo con sus costumbres, saltando por una ventana. En un telegrama del día 3, el propio Escudero explicaba a Neri que detrás del asunto estaba el gachupín Butrón, cuyos intereses estaban siendo afectados por la administración socialista del puerto.

Tratando de obtener el apoyo del gobierno regional, el POA dirigió un telegrama a Neri, pidiendo un juez especial para que se hiciera cargo del asunto. El día 3 de abril insistieron celebrando una manifestación de apoyo a Escudero y Neri, en la que participaron trescientas personas.

Dos días más tarde, el jefe de la guarnición, emborrachado por los comerciantes gachupines, detuvo dos minutos antes de las dos de la mañana a Juan R.; varios miembros del POA que fueron a preguntar por qué se le había detenido, también fueron encarcelados. El puerto se movilizó ante el temor de que fueran a matar al alcalde. Nuevamente se telegrafió al presidente Obregón, y este contestó que la detención se debía a órdenes del juez de distrito y que él no se inmiscuía.

Mientras tanto, Escudero fue sustituido por Tomás Béjar y Ángeles, que mantenía una actitud ambigua ante las presiones, tratando de deslindarse del radicalismo de Juan. Solano tomó la defensa del dirigente, señalando que:

Como miembros de esta corporación están obligados a defender no al c. Juan R. Escudero sino al c. presidente municipal que ha sufrido vejaciones sin límite, y al no tomar medidas específicas se hacen cómplices del atropello iniciado y los que se sucedan, de los que el pueblo tomará estrecha cuenta a sus representantes.

Escudero fue liberado meses más tarde (julio de 1921) , gracias a un amparo. Arsenio Leyva sustituyó a Béjar en la alcaldía, y Escudero pasó a la Secretaría del POA.

Durante su estancia en la cárcel, una buena noticia sacudió al puerto. El fin las autoridades del centro habían decidido iniciar las obras de construcción de la carretera Chilpancingo-Acapulco. Por iniciativa presidencial se otorgaba un crédito de setenta y cinco mil pesos para la realización de la obra.

Al salir de la prisión Juan trató de ganarse la vida montando un cine y teatro popular, donde cobraría entradas de veinticinco y cincuenta centavos a los espectadores, y para eso pidió permiso para usar la parte delantera del Palacio Municipal. Nunca podría llevar a cabo su proyecto.

A mediados del mes un par de ricos gachupines, los hermanos Jesús y Enrique Nebreda, dueños de las tierras de la orilla del río Papagayo, fueron muertos junto con L. Quezada y Venustiano Suástegui por las balas de una familia campesina. El conflicto tenía negros antecedentes: las violaciones de doncellas campesinas por parte de los asesinados, motivo por el que tenían un juicio pendiente, el robo de ganado de los pequeños propietarios de la zona por los Nebreda, que lo vendían a las casas Alzuyeta y Fernández Henos., y el asesinato de catorce campesinos por el general Martínez, instigado por los hermanos gachupines. Juan había formulado las demandas contra los Nebreda apoyando a los campesinos de la familia Guatemala (Florencio, Carmelo y Francisco), que ante la ausencia de justicia terminaron matando a tiros a los españoles.

El 28 de julio la colonia española publicó una carta en el periódico más importante de la capital, *El Universal*, y el diario se hizo eco al día siguiente en un editorial, acusando a Juan de instigar el asesinato y de haber disparado un revólver y haber gritado «¡Mueran los gachupines!», en un acto público.

Escudero se defendió de los cargos diciendo que eran absolutamente falsos, pero las presiones continuaron. El 5 de agosto, *El Universal* publicó una carta del gobernador Neri en la que decía que la muerte de los Nebreda se debía a sus bárbaros actos contra la población, pero al mismo tiempo señalaba que Escudero no era desde hacía meses presidente municipal y que el gobierno del Estado no se hacía solidario con su actuación.

Enfrentados a Obregón y sin el apoyo de Neri, el POA y Escudero se encontraban dependiendo exclusivamente de sus propias fuerzas.

Durante los meses de julio y agosto el Ayuntamiento escuderista fue bombardeado por demandas judiciales, en particular dirigidas contra el jefe de policía Francisco Escudero y actos de la corporación. Incluso se dictó orden de aprehensión contra la nueva compañera de Juan, Josefa Añorve. Detrás de estas acciones estaban Uruñuela, Sutter, González y los gachupinistas al servicio de las casas.

El 6 de agosto Villaseñor trató de detener nuevamente a Escudero, pero este, avisado por sus amigos en telégrafos de la orden enviada por el propio Obregón, se amparó nuevamente. Entre el 8 y el 11 de agosto otra guerra de telegramas se desarrolló, teniendo como destinatarios a Obregón, al propio Escudero y al mayor Villaseñor. Los empleados de telégrafos, que habían avisado al líder acapulqueño, fueron cesados por orden presidencial, y Obregón presionó para que el juez que había dado el amparo lo retirara; pero este se mantuvo firme. Juan, para romper la situación que se había creado, citó al Ayuntamiento y pidió una nueva licencia; tras este acto se fue a meter a la cárcel a la espera del juicio que aclarara la situación de una buena vez. Pero no se entregó atado de manos; se llevó con él la pequeña imprenta en la que se imprimía *Regeneración* y siguió haciendo el periódico desde la celda, utilizando la propaganda para golpear a sus enemigos y para llamar a la organización popular.

Los pocos estudios que se han hecho sobre Escudero han recogido la versión de que existía una íntima alianza entre el socialismo local y la administración obregonista, en particular con el gobernador Neri. En los hechos relatados, se muestra claramente que tal alianza nunca pasó de de ser un apoyo táctico por parte del POA al obregonismo en la medida en que la victoria de este golpeaba, aunque fuera mínimamente, a una parte de los enemigos del movimiento acapulqueño: a los militares y los administradores públicos. Queda claro también que este apoyo del POA no se tradujo en el favor de Obregón o en el del gobernador de Guerrero, que no solo se deslindaron de la política de Escudero sino que incluso la agredieron apoyando (en el caso de Obregón al menos) a militares y jueces vendidos a los grandes comerciantes del puerto.

Quizá estos elementos pesaban en la cabeza de Escudero, quien una vez que hubo abandonado la cárcel, absuelto del juicio que lo había obligado a encerrarse, puso un mayor empeño en las medidas de organización económica del pueblo al reincorporarse al Ayuntamiento de Acapulco.

En los últimos meses de 1921, además de sacar un nuevo periódico, *El Mañana Rojo*, montó en el Palacio Municipal un pequeño taller para fabricar bolsas de papel y canastas, organizó la cooperativa de pescadores, con lo cual golpeó duramente al monopolio comercial en la venta de aperos que tenían los gachupines; montó la Casa del Pueblo, una cooperativa de consumo que además compraba directamente a los campesinos los productos de la tierra, inició una campaña contra el analfabetismo y organizó un comité para fundar una colonia agrícola que pidió la expropiación de las haciendas El Mirador y La Testadura, propiedad de los comerciantes españoles.

El POA creció en esos meses y parecía que la campaña de organización de la economía popular dañaba seriamente los intereses de las casas comerciales.

En el primer año de la Presidencia municipal el escuderismo descubrió que el control del Ayuntamiento no le ofrecía impunidad frente a los ataques enemigos. Por el contrario, apoyándose en militares y jueces venales, los gachupines lograron meter entre rejas por tres meses a Juan R.; lo obligaron en dos ocasiones a pedir licencias del cargo y lo aislaron de sus posibles puntos de apoyo en los gobiernos federal y estatal. En cambio, el poder municipal llevado a las calles por Escudero y la realización del programa económico, hicieron del POA, el Ayuntamiento y el pueblo llano de Acapulco un solo movimiento.

Ese fue el motivo de que en las elecciones para el Ayuntamiento del 5 de diciembre, una planilla del POA encabezada por

Ismael Otero ganara las elecciones por un margen abrumador. Escudero esta vez no había formado parte del grupo de regidores de la planilla triunfante, y no se incorporó al Ayuntamiento, aunque sí lo hicieron sus dos hermanos, convertidos en tesoreros municipales y jefe de la policía.

Los gachupinistas trataron de legalizar un Ayuntamiento fantasma encabezado por Miguel P. Barrera y apoyado por el eterno Juan Luz desde el Ministerio Público Federal, pero la maniobra cayó por su propio peso.

Las tensiones crecían, los rumores hablaban de que las cosas se resolverían con las armas en la mano. Escudero parecía esperarlo. Gil narra que el comerciante libanés Saad, enfrentado a los gachupines, trató de hacerle varios regalos, que Juan rechazó, aceptando tan solo una carabina 30-30 diciendo: «Con estas armas acabaremos con los capitalistas.»

## LA PRIMERA MUERTE DE JUAN

A la cabeza de Escudero le pusieron precio. Los comerciantes reunieron la fantástica cantidad de dieciocho mil pesos y los ofrecieron al que se atreviera a matarlo. Protegido por el rumor, Juan R. mudó su vivienda al Palacio Municipal y en torno suyo se estableció una estrecha vigilancia.

A principios de marzo de 1922, Cirilo Lobato, inspector del rastro y miembro del POA, realizó un descubrimiento que había de ser decisivo en el desencadenamiento de la crisis: Ismael Otero, uno de los hombres de confianza de Juan R. y presidente municipal acapulqueño, en complicidad con el carnicero Juan Osorio, evadía los impuestos municipales permitiendo que por cada res que se sacrificaba con permiso, otra lo fuera clandestinamente. Tres regidores más, corrompidos por el dinero que ofrecían los comerciantes, se pasaron al lado de Otero: Ignacio Abarca, Plácido Ríos y Emigdio García. Dos veces salieron a relucir las pistolas y en las dos ocasiones, Josefina Añorve, una costeña de diecisiete años, amante de Juan y «con muchos ovarios, tiró de pistola primero» y disuadió a los agresores Otero y Rebolledo.

Bajo presión de Juan, el Ayuntamiento escuderista hizo renunciar a Otero el día 7 y Manuel Solano fue nombrado presidente municipal.

El 10 de marzo Escudero presentó una comparecencia ante el Ayuntamiento exigiendo la detención de Otero por sacrificar ganado ilegal. El acusado nuevamente trató de matarlo pero la intervención oportuna del policía Severo Isidro lo impidió.

La tormentosa sesión culminó a las nueve de la noche. A esa hora, los cuatro traidores se fueron a conferenciar con el mayor Juan S. Flores, que estaba con los gachupines Pascual Aranga, Marcelino Miaja, José Jordá y Obdulio Fernández. Ahí se fraguó un plan para acabar con el Ayuntamiento socialista y matar a Juan Escudero.

A las dos de la mañana, tras unos disparos hechos por el grupo de Otero contra el resguardo matutino desde las afueras del Ayuntamiento, y que habrían de servir como señal y provocación, el mayor Flores con doscientos soldados, «haciendo derroche de disparos al viento», avanzó sobre el Palacio Municipal. Juan R. trató de defenderse acompañado por siete policías armados con fusiles.

Durante algunos minutos los sitiados resistieron el ataque de los militares a los que se habían sumado varios marinos y el grupo de traidores encabezados por Otero. Juan disparaba una pistola automática desde una de las ventanas. Los presos pidieron armas para colaborar en la defensa del Ayuntamiento, pero Juan esperaba alterar a los miembros del POA en todo Acapulco y que estos vendrían a apoyarlo y se negó a entregarlas; los acontecimientos se sucedieron con gran rapidez. El mayor Flores con dos latas de diecisiete litros de gasolina, que le había proporcionado el administrador de la aduana Juan Izábal Mendizábal, incendió las puertas del Palacio Municipal. Los policías, comandados por Pablo Riestra, pidieron a Escudero que tratara de huir, puesto que a él era al que querían matar, mientras que ellos intentaban una última resistencia. Juan trató de saltar una barda que daba a la panadería de Sofía Yevale, pero un balazo lo alcanzó rompiéndole el brazo derecho y penetrando entre las costillas.

Mientras tanto los asaltantes habían tomado el Ayuntamiento y golpeaban a policías y presos para que dijeran dónde estaba

Juan, quien arrastrándose había llegado hasta el cuarto que usaba de dormitorio. Allí, con la ayuda de Josefina Añorve y Gustavo Cobos Camacho intentaron una última resistencia poniendo un armario contra la puerta.

Inútil. El mayor Flores, siguiendo los rastros de sangre, llegó hasta el cuarto y los soldados derribaron la puerta. Flores entró y contemplando a Escudero tendido en el suelo, dicen que dijo: «¡Vamos a ver si de verdad estás muerto!», y golpeó el brazo roto del herido contra unos ladrillos. Chepina Añorve trató de intervenir, pero el mayor apuntó a la cabeza de Escudero y disparó el tiro de gracia.


## RESURRECCIÓN

El mayor Flores tomó prisioneros a los policías municipales y abandonó el palacio en llamas para rendir su informe a los gachupines, dejando atrás lo que pensaba era el cadáver de Juan R. Escudero.

Poco a poco, miembros del POA armados llegaron al Ayuntamiento que habían abandonado los soldados. Junto con ellos apareció el juez Peniche, con el que Juan tantas veces se había enfrentado. El alcalde rojo aún respiraba. El juez y Josefina Añorve llevaron a Juan al Hospital Civil, donde José Gómez Arroyo y el vicecónsul norteamericano Harry Pangburn, que no tenía título, pero sí amplios conocimientos de medicina, lo operaron. Tuvieron que amputarle el brazo derecho: la herida de la cabeza era muy grave, pero las consejas populares recogen:

> [...] fue tanto el miedo del dicho mayor, que aunque le arrimó la pistola en la cabeza, que únicamente fue un rozón, pero que sí le entró algo, pero que cuando le amputaron el brazo quebrado, también le sacaron una cucharilla de sesos ahumados.

Milagrosamente, el herido resistió la operación y tras varios días en coma comenzó a reponerse. El balazo había afectado una parte del cerebro, y Juan quedaría permanentemente paralizado del lado izquierdo del cuerpo; no podría hablar correctamente, no podría caminar ni escribir. Pero estaba vivo.

Para justificar la acción de del mayor Flores, se fabricó la versión de que Escudero y sus hombres habían intentado levantarse en armas contra el gobierno. Esta versión transmitida en el informe del mayor fue recogida y popularizada por *El Suriano*, periódico de los gachupines dirigido por José O. Muñúzuri. Pero en un telegrama a Obregón, días más tarde, el gobernador Neri, que se había trasladado al puerto, señalaba que el Ministerio Público tenía una versión contradictoria a la del jefe militar, y afirmaba que había ordenado que se abriera una investigación.

Del clima imperante en el puerto en aquellos días, rinde buen testimonio una carta del agrarista Francisco A. Campos dirigida al presidente Obregón:

> En vísperas de alterarse el orden en Acapulco. Pueblo obrero contenido con la esperanza de que se le hará justicia. Persuadidos de lo contrario no alcanzará la guarnición pa´ que empiecen los costeños de Guerrero. No quedará un español vivo ni un comercio que no sea saqueado e incendiado, ni una señorita que no sea violada […] El costeño en su tierra tiene mucho de bárbaro: es buen amigo e implacable enemigo. Todo podrá evitarse con que la guarnición federal que es enemiga del POA sea sustituida.

El hospital estaba rodeado por miembros del POA armados y la guarnición estaba acuartelada. En las casas de algunos comerciantes gachupines se dieron fiestas para celebrar la desaparición de Escudero. Los dirigentes del POA frenaron la voluntad popular de venganza. Juan, lentamente se reponía.

Al día siguiente del atentado se creó un Ayuntamiento espurio del que Ismael Otero formaba parte y que tenía como presidente municipal a Ignacio S. Abarca, el cual pidió la detención de los policías «por haber resistido a fuerzas del gobierno» e informó al gobernador de la «detención» de Juan R. Escudero y Santiago Solano. El golpe de Estado no operó, y tres días después, el 14, el Ayuntamiento volvía a manos del POA con Manuel Solano como presidente municipal.

Felipe Escudero se hizo cargo de *Regeneración*, que volvió a salir a fines de marzo. Juan regresó a su casa a vivir una larga convalecencia. El POA resurgió. El Ayuntamiento de Acapulco, aunque las puertas estuvieran quemadas, seguía en sus manos a través de una Junta de Administración Civil y con Felipe Escudero como alcalde. La investigación del gobernador inmovilizó temporalmente al mayor Flores.

No había pasado un mes de ocurrido el atentado cuando, el 9 de abril, *Regeneración* denunciaba los manejos combinados del gachupín Sierra con el jefe militar del distrito de Galeana contra los agraristas que se habían organizado en la zona, y arremetía contra el candidato a diputado Manuel López, por estar coludido con los hermanos Fernández, los propietarios más grandes de la zona.

A principios de mayo, el POA, impulsado por Solano y Felipe Escudero, el hermano de Juan, lanzaba como candidato a diputado propietario por el segundo distrito a Martiniano Díaz, y como suplente a Francisco Escudero, el tercer hermano de Juan, en las elecciones para el Congreso Federal. El 9 de mayo Juan volvía a escribir en *Regeneración*, menos de dos meses después de su primera muerte...

El combate del 11 de marzo había causado más bajas que la de Juan R. en las filas del POA: Tomás Béjar y Ángeles había desertado, vendiéndose al oro de los gachupines y pasando a escribir en las columnas de *El Suriano*, pero las ausencias se cubrían sobradamente con la afluencia de nuevos miembros que acudían ante el reclamo de la persistencia del POA y del «milagro Escudero.»

Juan, utilizando a Alejandro Gómez Maganda como secretario, dictaba los artículos desde un sillón donde convalecía. El muchacho, recién salido de la primaria, tecleaba furiosamente en una vieja Oliver, y de vez en cuando levantaba la cabeza para ver a un Juan «vigilante y optimista desde su sillón de inválido. Pulcro como de costumbre, con bigotera de mañana y el trágico muñón que en ocasiones me apoyaba en la cabeza tropical y desmelenada.»

Con dinero de la familia, Juan fundó una tienda, El Sindicato», donde atendía a trabajadores y amigos y proporcionaba alimentos fiados a los obreros en huelga. Auxiliado por Josefina Añorve y por su empistolada secretaria Anita Bello, así como por una legión de adolescentes, para los que era el héroe inolvidable, volvió a tomar el control de *Regeneración* y aceptó la postulación como candidato suplente al Congreso Nacional por el primer distrito de Acapulco, llevando como compañero de fórmula a su hermano Francisco (que estaba postulado como titular por el segundo distrito).

Mientras tanto, el Congreso Local de Guerrero en manos de representantes de los latifundistas, había anulado las elecciones de enero de 1922 y pedía al Ayuntamiento progachupín del año veinte que convocara a nuevas elecciones. Felipe Escudero a nombre del Ayuntamiento del POA protestaba ante el gobierno federal y la prensa de la capital.

Se nombró una comisión interventora y el Ayuntamiento escuderista se mantuvo en una solución conciliadora, pero sin ser reconocido por la aduana marítima ni por los militares. Mientras *Regeneración* volvía a salir regularmente y Juan se hacía cargo de nuevo del periódico, el dirigente acapulqueño reorganizó su economía personal montando una pequeña academia comercial donde daba clases de mecanografía. En una convocatoria donde exponía el contenido del curso, que costaba completo diez pesos, Juan R. dejaba sentir que enseñar mecanografía a otros era una manera de recuperar sus brazos (el derecho, amputado, y el izquierdo, paralizado).

El POA, a pesar del renacer de sus actividades, se encontraba en un *impasse* en el que no podía desarrollar sus mejores fuerzas. Derrotado en el terreno de los fusiles, incapaz de quebrar el monopolio gachupín en el comercio, limitado a una política municipal «controlada» por la intervención, había ido desplazando (ya desde el año anterior) su lucha hacia la destrucción de los latifundios y el reparto agrario. Pero tampoco ahí la relación de fuerzas le era favorable y tenía que replegarse en los vericuetos burocráticos de una legalidad que funcionaba a cámara lenta, cuando funcionaba. En un artículo anónimo en *Regeneración*, posiblemente escrito por Juan, se hacía un llamado a la paciencia, pidiendo que «no se haga caso a los gachupinistas que dicen que van a recibir a balazos a los que quieren tierras.»

En estas condiciones, las elecciones federales del 5 de julio de 1922 para diputados y senadores permitieron al POA volver a movilizarse. Con las fórmulas combinadas de los Escudero y Miguel Ortega como candidatos, desplegaron una amplia campaña en la costa guerrerense.

La posición de los latifundistas y grandes comerciantes y sus aliados fue de repliegue. Ante la imposibilidad de ofrecer una oposición en el primer distrito, trataron de boicotear. En algunos casos no abrieron las mesas que tenían a su cargo, ni trataron de poner mesas electorales por su cuenta como acostumbraban; el progachupinista Butrón ni siquiera se presentó. En otros casos trataron de hacer algunas maniobras muy burdas, como la ocurrida en la tercera mesa de Acapulco donde los progachupines Sabás Múgica y Ramón Córdoba la cerraron antes de abrirla y levantaron un acta diciendo que nadie se había presentado a votar.

El POA realizó grandes movilizaciones en Acapulco, Coyuca, Tecpan y Atoyac. En Tecpan organizó una manifestación de trescientos campesinos con las banderas roginegras del partido al frente.

Abundaron las provocaciones. Muñúzuri, el editor de *El Suriano*, disparó con una pistola al dentista González Sánchez; el carro de un prominente comerciante gachupín fue apedreado por niños de Acapulco, y en Tecpan los gachupinistas que apoyaban a Pino y Valverde, hombres de paja del latifundista hispano Garay, dispararon tiros al aire para intimidar a los votantes.

En Coyuca de Benítez trataron de arrastrar a los votantes con una banda de música, pero los que siguieron a la banda buscando la parranda, luego votaron en contra de ellos. En otros casos, enmascararon a sus candidatos Pino y Alfaro Uruñuela, haciéndolos pasar por agraristas al presentarlos con emblemas del Partido Nacional Agrarista. En el primer distrito las maniobras fracasaron y Juan R. y su hermano resultaron electos diputados titular y suplente.

El partido se había consolidado en los poblados de la costa y el triunfo confirmó la línea electoral que *Regeneración* pregonaba: «[...] por fortuna nuestro pueblo empieza a darse cuenta de lo que es el derecho de voto conferido por la Constitución como medio pacifico de nombrar a sus representantes.»

Animados por el triunfo electoral, los miembros del POA reiniciaron su ofensiva en el campo y el periódico comenzó a publicar la Ley Agraria del Estado para dar base legal a las movilizaciones.

De fines de a mediados de octubre de 1922, no faltaron las provocaciones en el puerto, ni los enfrentamientos. Algunos de ellos resultaron chuscos, otros estuvieron a punto de trascender al terreno de la tragedia. Todos ellos tuvieron en común el avance etílico en la sangre de los progachupinistas.

A fines de julio, mientras el POA celebraba el triunfo electoral en Acapulco con un baile, el diputado Luis G. Martínez se presentó al local medianamente borracho.

> Sea porque es sabido que Martínez es un gachupinista o porque ha participado en la anulación de elecciones, o bien porque sobraban hombres en el baile, se le dijo que no había vacantes, dejando pasar solo a sus acompañantes. ¡Que le sirva de escarmiento!

Un par de meses después, el borracho era el administrador de aduanas, Juan B. Izábal, quien despidió (en la cantina de los hermanos San Millán donde a veces instalaba su oficina) al celador Bernáldez, después de aventarlo contra una mesa de billar, todo porque había sido recomendado para el puesto por Tellecha, dirigente del POA. En la versión de *Regeneración*, Bernáldez se estaba sacudiendo la ropa tras haber sido aventado y tocó su pistola, lo cual fue suficiente para que se abalanzaran sobre él, se la quitaran y lo detuvieran veinticuatro horas. En el mismo artículo Izábal era acusado por Escudero de contrabandista de pistolas, de «progachupín y de vago y huevón alcohólico, puesto que llega a las doce del día a trabajar y todavía a medias luces.»

La tercera escena alcohólica la protagonizó el eterno mayor Flores, que le echó los soldados encima a Felipe Escudero mientras de encontraba oyendo una serenata. Después de haber sido fuertemente golpeado, Felipe, que se había convertido en el indiscutible sucesor de Juan en las calles del puerto, fue encerrado en los resguardos de la aduana marítima.

Juan B. Izábal, el jefe de aduanas, comprado por el oro de los grandes comerciantes, a los que sería haciendo los ojos chicos ante el contrabando, se había convertido con Flores en el peor enemigo del escuderismo acapulqueño. Desde julio de 1922 retenía el dos por ciento de los ingresos de la aduana que por ley le correspondían al Ayuntamiento. E. Lobato, actuando como presidente municipal, se quejó en octubre amargamente ante Obregón en un telegrama, señalando que se buscaba estrangular económicamente al Ayuntamiento.

Durante los últimos días de noviembre se intercambiaron telegramas entre Lobato, Obregón y el ministro De la Huerta (del que dependían las aduanas) hasta que Izábal hizo explícita su opinión en un telegrama a Obregón:

> Considero a Juan y Felipe Escudero peores enemigos del gobierno sin valor levantarse en armas. Mismo opina jefe de operaciones de esta. Ayuntamiento manejan dichos individuos no tiene personalidad por negación amparos suprema corte de justicia en 22 septiembre próximo pasado contra actos Congreso que desconócelos [...]Hermanos Escudero durante presente año pretextando temer por su vida han pedido cuatro veces amparo contra actos de vd.

El telegrama culminaba preguntando si debía hacer entrega de los fondos a Felipe Escudero, tesorero municipal.

Obregón se tomó un solo día para responder y ordeno a Izábal que no entregara los fondos.

En esos mismos días, el POA vuelve a triunfar en otra contienda electoral: Santiago Solano vence como candidato propietario a diputado por el distrito electoral de Acapulco al Congreso Local, y Juan R. Escudero, como suplente, con más de dos mil setecientos votos. Uno de los hermanos Vidales ganó representando al POA la presidencia municipal de Tecpan y el partido triunfó en Tololapan, aunque un fraude organizado por los caciques logró impedir que tomaran el poder.

Por fin, en la primera semana de diciembre se presentan las esperadas elecciones para restablecer un Ayuntamiento legal en Acapulco; Juan Escudero encabeza la lista de regidores que propone el POA y asiste a los actos de su organización en silla de ruedas. Dicta sus discursos y hace que los muchachos que lo acompañan lo ensayen frente a él, y luego los pronuncian en público ante su mirada atenta.

Extraña estampa bajo el sol de invierno de Acapulco la de ese hombre paralizado del lado izquierdo, con el brazo derecho amputado, sentado en una silla de ruedas, con un adolescente al lado, subido en un cajón, que habla por él, y a su espalda una joven costeña (Anita Bello) con una escuadra calibre 32 entre la falda y la blusa de encaje.

Extraña estampa, la del hombre que afirma cabeceando sus propias frases en la boca de los niños, que pronuncian, siempre bajo el estribillo de «Juan dice», un discurso incendiario que promete el fin de la justicia en el paraíso corrompido.

Y Juan Escudero vuelve a ganar las elecciones para la Presidencia municipal de Acapulco, derrotando al progachupin y traídos Martiniano Díaz.

El 7 de diciembre los militares salen por las calles tratando de provocar a los triunfadores. Pero la población les hace el vacío. El primer día del año 1923 Escudero es nombrado presidente municipal. Levantando el muñón derecho y con unas frases ininteligibles arrancadas a fuerza de emociones a la garganta paralizada, Juan R Escudero rinde la protesta como alcalde del puerto. La sesión solemne se celebró a las once de la mañana en la propia casa de Escudero que se convirtió en sala de cabildo. El acta levantada registra: Juan R. no pudo firmar «por imposibilidad momentánea.»

En marzo de 1923 murió Francisco, padre de los Escudero, que había estado sometido a grandes tensiones a lo largo de la azarosa carrera política de sus hijos, presionado por sus paisanos, con los que había tenido que romper relaciones, y destrozado por el atentado contra Juan y las múltiples amenazas de muerte que habían recibido Francisco y Felipe.

En los recuerdos de un viejo escuderista aparece la reseña del juramento que Juan realizó en su media voz de lisiado ante la tumba de su padre:

Compañeros en la vida / compañeros en la muerte / las frases que hoy dirige mi garganta / son las frases que mi padre os virtiera / si en esta hora para nosotros santa / Dios a la vida lo volviera. / Herido el corazón nos deja con orgullo este suelo / donde compartió la mitad de su vida / amando a sus hijos / y al Dios de los cielos (en eso le dio como un vahído y nada más alcanzó a pronunciar: «adiós padre venerable / descansa en paz» y azotó desmayado por el ataque).

Juan R., muy afectado, tuvo que dejar la Presidencia municipal en manos de Cirilo Lobato y de Ernesto Herrera. El mayor Flores, por su parte, enfrentaba desde el inicio del año la insurgencia campesina que se había desatado en la costa. El 18 de enero desarmó a la policía de La Sabana y amenazó con ir con las fuerzas de la guarnición sobre el Palacio Municipal de Acapulco. Cuatro días más tarde, Escudero telegrafiaba a su amigo Adolfo Cienfuegos, que vivía en la capital, pidiéndole que tratara de intervenir cerca del presidente de la República pera impedir una nueva agresión como la del 11 de marzo del año anterior.

Sin embargo, Flores no atacó el palacio, sino que se desplazo hacia las zonas agrarias donde el POA tenía una nueva base de sustento. En palabras del agrarista Francisco Campos Flores:

> Comenzó a recoger armas y licencias municipales de todos los campesinos de la región de Acapulco hasta la Unión de Montes de Oca, así como el parque que encontró. Una vez que había hecho la requisa de armas de los campesinos, se radicó en Tecpan de Galeana e, inventando un probable levantamiento, hizo prisionero en San Luis de la Loma al señor presidente municipal de Tecpan, don Amadeo Vidales [...]; este señor es un comerciante honorable que paga los mejores precios de ajonjolí, de algodón y lo odian los españoles porque dicen que les ha ido a descomponer el negocio[...]. Dada esta explicación queda de manifiesto que el mayor Flores está puesto en esa región para salvaguardar los intereses españoles, pues hizo un cargo de rebelión al señor Vidales.

Flores prosiguió con sus correrías en la zona, y el 10 de marzo, acompañado de las Guardias Blancas de los caciques, asesinó a Lucio de los Santos Vargas, presidente del Comité Agrarista de San Luis de la Loma diciéndole: «¡Ten tu tierra, hijo de la chingada!», cuando pedía que no lo acabara de matar. Flores actuaba en defensa de los intereses del latifundista español Ramón Sierra Pando.

En el puerto, *Regeneración* estaba sometido al acoso de multitud de periódicos financiados por los comerciantes gachupines. Desde las páginas de *El Suriano*, dirigido por Muñúzuri; *El pueblo*, dirigido por H. Luz; *El Rapé*, de Reginaldo Sutter; *El Liberal*, de Carlos Adame, y *El Fragor*, de Domingo González, se bombardeaba a la administración municipal acapulqueña y se hacían elogios a las «fuerzas vivas» de la región que habían «levantado Acapulco de la miseria». Entre las calumnias más repetidas estaba la de señalar a los Escudero como promotores de una rebelión militar en proceso de organización.

Conforme el año avanzaba, las tensiones crecían. Felipe y Francisco Escudero esperaban en cualquier momento que se produjera un atentado contra alguno de ellos. Felipe, como tesorero municipal, se veía obligado a recorrer las calles del puerto, y lo mismo le sucedía a Francisco, que trabajaba en el despacho de rentas del distrito. Gómez Maganda recuerda:

> En los últimos meses de 1923, ambos recorrían el diario camino, armados de pistolas y en la diestra un rifle calibre 44. Algunas veces cuando Felipe iba a diligenciar una solicitud de amparo al juzgado de distrito, me encargaba durante ese tiempo su carabina, diciéndome: «Si los enemigos vienen en plan de ataque ¡dispara! Si no sientes miedo; pero en caso contrario, corre a donde estoy y entrégame el arma.»

Las provocaciones de los militares eran frecuentes. El 29 de agosto hacia las nueve de la noche, el subteniente Castellblanch y el cabo Linares habían golpeado y amenazado de muerte a dos miembros del POA en el Jardín Álvarez. Cuando un día más tarde el Ayuntamiento los multó por estos hechos se presentaron junto con la pandilla de Otero y estuvo a punto de armarse en el Palacio Municipal un tremendo zafarrancho.

Así llego el 16 de septiembre, fecha en la que so pretexto de la celebración de las fiestas patrias, Juan R. lanzaba incendiarios discursos contra el régimen colonial español aún viviente en Acapulco. El año anterior, a pesar del reciente atentado, había «hablado por boca de sus ayudantes» en un acto en el que por primera vez la comuna de Acapulco celebró las fiestas patrias sin ningún tipo de subvenciones de comerciantes. Este año era especial, y Escudero, apoyándose en su «voz» (Alejandro Gómez Maganda) lanzó un discurso más fogoso aun que los de costumbre. Si la tensión era tremenda en el puerto, en las zonas agrarias no lo era menos. El vicecónsul norteamericano informaba a Washington: «Corren rumores de que un levantamiento antiagrarista está por estallar en la Costa Grande con centro en Atoyac.»

El 10 de noviembre el mayor Flores, en complicidad con el alcalde de Atoyac, había asesinado al líder agrarista Manuel Téllez, y para encubrir su acto acusaba a escudero ante el gobierno de estar promoviendo guerrillas armadas en la zona.

Iniciándose el mes de diciembre, los acontecimientos nacionales comenzaron a eslabonarse para crear el marco en el que se produciría la tragedia de Acapulco. El día primero el general Figueroa se levantó en Guerrero supuestamente enfrentando al gobernador Neri y no al gobierno central, pero actuando en realidad como punta de lanza de un alzamiento de generales que llevaban como bandera al candidato a la Presidencia Adolfo de la Huerta. Pocos días después siguió el general Guadalupe Sánchez en Veracruz. El día cinco de diciembre Juan R. escribió al coronel Crispín Sámano, jefe de la guarnición de Acapulco y envió una copia de la carta al gobierno federal. En la misiva, informaba al militar que sabía que los hermanos Osorio estaban armados y rondaban el Ayuntamiento y que pensaba que el traidor Ismael Otero podía provocar un motín lo que sirviera de pretexto para enfrentar al POA con los militares. Sámano ignoró la carta, pues además de estar comprometido con la futura rebelión, tenía nexos con los comerciantes gachupines del puerto que pedían la cabeza de Juan R. Escudero.


## LA SEGUNDA MUERTE DE JUAN R. ESCUDERO

En los primeros días del mes, los escuderistas, siguiendo la política que había trazado Juan R. en la carta a Sámano, pidieron rifles a los militares del puerto para defender al gobierno ante la rebelión delahuertista. Julio Diego fue representante del POA en la entrevista en que se pidieron trescientas carabinas y abundantes municiones. El gobernador había aprobado esta entrega de armas, pero el coronel Crispín Sámano se negó a la petición y tratando de encubrir sus intenciones dijo que no las entregaría porque serían usadas contra el propio gobierno.

El choque tenía que producirse. Poco importaba el contexto nacional, a lo sumo telón de fondo del enfrentamiento clasista que se producía en Acapulco y en las regiones aledañas. Si en todo el país se trataba de ventilar la sucesión presidencial y en torno a Adolfo de la Huerta se levantaban en armas los militares postergados o enfrentados al obregonismo, en el ámbito costeño lo que se jugaba era el predominio del POA y el agrarismo contra las casas comerciales y el latifundismo, dueños del aparato militar de la región. Fueron los endebles nexos del escuderismo con el poder central, y su apoyo electoral a la campaña de Calles para la Presidencia, expresado en *Regeneración*, más que el delahuertismo de los militares de Acapulco, lo que empujó a estos a la rebelión, y desde luego, detrás de esta acción estaba el oro de los comerciantes gachupines, refulgente guía de la ideología de los militares Crispín Sámano y Juan Flores.

Aun así, los militares dudaron antes de volcarse explícitamente en el levantamiento. Quizá a través del control del telégrafo pudieron seguir la evolución del movimiento en Guerrero durante las primeras semanas del mes de diciembre. Situación que estaba vedada para los escuderistas, porque sus mensajes al gobierno federal fueron bloqueados, a pesar de los intentos de la telegrafista del POA, Amelia Liquidano.

Con la violencia a punto de desencadenarse en el puerto, dirigidos por Escudero, que había transformando su casa en cuartel general del movimiento (la «plaza roja» enfrente de la casa estaba permanentemente llena de escuderistas, algunos de ellos armados), los miembros del POA se dirigieron a los barrios y hablaron. A pesar del bloqueo telegráfico, Escudero, artífice desde la silla de ruedas de la resistencia popular, logró hacer pasar un mensaje a los hermanos Vidales en Tecpan y a Rosendo Cárdenas en Coyuca de Benítez. El telegrama para Cárdenas, en clave, lo invitaba a venir armado al puerto.

A lo largo de la semana las partes enfrentadas se observaban y la tensión crecía. La llegada de los primeros núcleos agraristas fue aprovechada por los dirigentes de los estibadores para organizar una manifestación; grupos de campesinos y trabajadores recorrieron la ciudad dando vivas al gobierno y a Escudero y lanzando mueras a los traidores. No hubo enfrentamientos, porque los soldados permanecieron acuartelados. Les faltaba decisión para lanzarse abiertamente a la insurrección y enfrentar al movimiento popular.

A pesar de la debilidad política del ejército, para los escuderistas era claro que se encontraban en desventaja militar. Durante esos días, se barajaban en la cabeza de Escudero y sus compañeros dos planes: llamar a los agraristas para que vinieran al puerto y sumar sus fuerzas a las de ellos para atacar los cuarteles, o retirarse fuera del puerto, concentrarse y luego caer sobre los militares.

Mientras los escuderistas se organizaban, los militares conspiraban abiertamente con los gachupines. El capitán Castellblanch narra una reunión celebrada en el comedor de la casa comercial La Ciudad de Oviedo a la que asisten los militares Crispín Sámano, el coronel Flores, el capitán Fausto Morlett y el teniente Alarcón, algunos funcionarios federales, la plana mayor del gachupinismo (Sutter, Luz, Muñúzuri) y los jefes de las casas comerciales; Marcelino Miaja y Juan Rodríguez, de B. Fernández Hermanos (La Ciudad de Oviedo), y Pascual Aranaga y Ángel Olazo, de Alzuyeta y Cía. En esta reunión los militares prontos a sublevarse pidieron un préstamo de cincuenta mil pesos para los «haberes» de la tropa.

Don Marcelino Miaja, que llevaba la voz cantante de las casas, dijo que a ellos les importaba una «hostia» el movimiento delahuertista, y que si estaba metido en él era porque querían la desaparición de Juan R. Escudero, que era una espina clavada en el costado izquierdo.

Dicen que dijo: «Damos los cincuenta mil que nos pide el general Sámano, en calidad de préstamo, porque tenemos fe en su palabra de soldado de que al triunfo nos los va a devolver.»

Y luego de hacer una pausa en que cambió miradas con Pascual Aranga y Jesús Fernández, los otros dueños de las casas comerciales, agregó: «Pero damos diez mil pesos en oro, constantes y sonantes, peso sobre peso, al que mate a Juan Escudero y a sus hermanos.»

Pocos días antes del 15 de diciembre, Juan mandó un mensaje al presidente municipal (que lo suplía desde principios del año) Ernesto Herrera, para que se preparara a abandonar el Palacio Municipal, soltara a los presos y se uniera a los agraristas de Coyuca que merodeaban cerca del puerto. Estaba consciente de que en cuanto los soldados se decidieran «nos echarían a patadas del palacio.»

Parece ser que la decisión final fue lanzar el ataque sobre Acapulco, y se pidió al adolescente Gómez Maganda que llevara un mensaje para que los agraristas cayeran por la noche sobre el puerto. La intervención de la madre de Escudero, diciendo que en las condiciones de su hijo esto sería un suicidio, impidió que el mensaje partiera. Juan en aquel momento le dijo: «Está bien, mamá, así lo haré, pero no olvides que nos costará la vida». Ante esta situación se montó un plan alternativo. Los dirigentes del POA abandonaron a caballo el puerto en la noche del 15; un grupo de hombres armados protegería la fuga de Juan, que iría en ancas con Julio Diego.

En estos momentos, la madre de Juan R., doña Irene, un personaje secundario a lo largo de toda la historia del escuderismo, cobra un lugar fundamental en la trama. Relacionada con el cura Florentino Díaz, comenzó a intercambiar mensajes con los militares acuartelados en el fuerte de San Diego. Éstos, a través del religioso, ofrecieron garantías a Escudero si se quedaba. Juan R., conociendo el valor de la palabra de sus enemigos, insistió en la fuga, pero su madre amenazó con lanzarse a un pozo si él se iba. Ante la presión, el inválido dirigente acapulqueño cedió; junto con él se quedaron sus hermanos. El resto de los dirigentes del POA abandonaron Acapulco.

Juan ordenó a sus hermanos que quemaran los papeles del archivo. La quemazón se hizo en la parte de atrás del patio, donde estaba enterrado el brazo de Juan.

Pocas horas más tarde, una patrulla militar que mandó el capitán Morlett llegó frente a la casa de la familia Escudero. Juan se enfrentó violentamente a su madre diciendo: «¿Dónde están las garantías que te ofrecieron?» La mujer todavía intentó que sus hijos se entregaran pacíficamente y llamó en su auxilio al cura, al que Juan se negó a recibir. Al fin, la patrulla rompió las puertas y detuvo a Juan, Francisco y Felipe Escudero; los tres fueron conducidos al fuerte de San Diego. Todavía hubo un intento de parte de algunos de los seguidores del POA, que se habían quedado en el puerto, de rescatar a los hermanos Escudero, pero nuevamente doña Irene intervino para impedirlo diciendo que si había choques armados matarían a sus hijos. En este caso, afortunadamente, porque la mayoría de los costeños que querían lanzarse contra el fuerte estaban desarmados.

Al día siguiente, a las ocho de la noche, los grupos de agraristas de Tecpan y Atoyac acaudillados por Amadeo Vidales tomaban Pie de la Cuesta y cerraban los caminos por ese lado hacia el puerto. Amadeo llamaba a los habitantes al levantamiento popular contra los «delahuertistas» de la guarnición de Acapulco y pedía a los agraristas de la Costa Grande y de Costa Chica que se concentraran en torno a la ciudad.

Durante cuatro días los hermanos Escudero permanecieron encerrados en el fuerte de San Diego. Mientras tanto los militares negociaban con las casas comerciales el precio de la cabeza de los dirigentes populares acapulqueños. En los libros mayores de contabilidad de las empresas aparecen registradas misteriosas salidas de dinero. Según Mario Gil, la colecta realizada entre los dueños de las casas comerciales ascendió a treinta mil pesos (una verdadera fortuna en aquella época) destinados al coronel Sámano y al mayor Flores. Al capitán Morlett le habían ofrecido la cantidad de diez mil pesos de premio y Reginaldo Sutter añadía la promesa de darle la mano de su hija Ernestina, de quien estaba enamorado el pistolero.

Mientras tanto, en el fuerte de San Diego, Felipe pasaba el rato tocando el violín. Había convenido con su esposa que tocaría a ciertas horas para que se supiera que estaban vivos. Una y otra las notas del vals *Evelia*, su canción favorita, se repetían.

El 20 de diciembre la transacción llegó a su fin y a media noche fueron sacados del fuerte los hermanos Escudero en un camión de la fábrica La Especial, propiedad de los gachupines. Los custodiaba un grupo de militares comandados por el capitán Morlett y los pistoleros de Rosalío Radilla y Reginaldo Sutter. En el camino Felipe trató de rebelarse y se enfrentó a patadas a un soldado, pero fue reducido.

El camión se detuvo donde se habían interrumpido las obras del camino hacia Chilpancingo y fueron conducidos hacia el poblado de Aguacatillo; Juan era llevado en hombros por sus hermanos. A la una de la madrugada los tres hermanos Escudero fueron colocados ante una barda y fusilados. Para que sus fantasmas no retornaran de la muerte, Felipe, que tenía veintidós años, recibió catorce tiros de rifle, Francisco, de treinta, siete impactos. Tras el fusilamiento, el capitán Morlett le puso la pistola a Juan en el nacimiento de la nariz y le dio el tiro de gracia.

Al amanecer del día 21, el campesino Leovigildo Ávila encontró los cuerpos. Se acercó a ellos y descubrió que uno de los tres hermanos aún vivía: era Juan Ranulfo Escudero. Al ver al campesino le pidió que buscara a Patricio Escobar en el poblado de La Venta para levantar una declaración sobre quiénes habían sido los autores del asesinato de sus hermanos. Las autoridades de La Venta, atemorizadas, se negaron a levantarlo y llevarlo a Acapulco para que fuera atendido. Tenía siete heridas de bala en el cuerpo, pero el tiro de gracia había resbalado sobre el hueso sin entrar al cráneo.

Cuando en Acapulco comenzó a llegar el rumor de que Juan y sus hermanos habían sido asesinados en el Aguacatillo, una enorme procesión de hombres y mujeres abandonó la ciudad. Cuando los dueños de las casas comerciales escucharon el rumor de que Juan R. Escudero estaba vivo, no lo podían creer. Uno de ellos envió a un hombre a darle un recado al médico y vicecónsul norteamericano Pangburn, diciéndole que si trataba de curar a Escudero, de volverlo de nuevo a la vida, ellos lo iban a matar a él.

Pero Juan estaba vivo cuando a media tarde llegaron los primeros grupos. Poco a poco, una multitud se reunió a los cuerpos de Francisco, Felipe y Juan. Este decía, según los hombres y mujeres que tenía más cerca y que escuchaban sus extraños y rotos balbuceos: «Sigan adelante, que nuestra muerte no haya sido en vano». La multitud esperaba el segundo milagro. En un camión de redilas, manejado por el señor Ponce, concuño de Francisco, Juan fue cargado para ser conducido a Acapulco. El pueblo avanzo detrás del camión.

A las siete de la noche, dieciocho horas después de que le hubieran dado el segundo tiro de gracia en su vida, en el lugar llamado El Raicero, en el camino de Acapulco a Chilpancingo, por el que tanto había peleado, Juan Ranulfo Escudero, de treinta y tres años, murió en brazos de amigos y compañeros.

# ¿Un acto de locura?

## La transformación de Federico Adler

## El joven Adler

Era el hijo favorito de la socialdemocracia europea. Reunía sus mejores virtudes y sus más sanas pasiones. Había nacido en 1879 y al inicio de 1914 tenía treinta y cinco años y era una combinación de nervios en tensión, capacidad de raciocinio, vocación de servicio, voluntad de entrega, coherencia en el discurso, buena pluma. Todos lo querían. Hijo de Víctor Adler, el dirigente más importante del socialismo austriaco, Federico, Friedrich, Fritz, era doblemente el heredero natural de una socialdemocracia pujante, que lentamente imponía, en una Europa autócrata, el parlamentarismo y llevaba a la práctica proyectos sociales innovadores: casas para trabajadores, reducción de jornadas, leyes de libertad de opinión, combate contra la miseria, leyes que atacaban la insalubridad, el trabajo infantil. El progreso era un caballo trotón y alegre, lento pero consistente, sin freno. Y se daba la batalla por el sufragio universal y se triunfaba. Sindicatos, grandes partidos, capacidad para integrar sin nacionalismos estrechos el gran mosaico de nacionalidades que era el imperio austrohúngaro; sorprendentes avances electorales.

Federico era, además, uno de los periodistas favoritos de los lectores de izquierda, un reconocido físico, invitado frecuentemente como profesor por universidades extranjeras y un excelente organizador y orador. El partido reconocía estas virtudes y lo había nombrado su secretario general, cargo que en la estructura de la socialdemocracia austriaca estaba más vinculado a las tareas de organización que a las de la dirección política.

Había representado en las conferencias internacionales a los socialistas austriacos y también a los suizos, en la etapa en la que fue profesor de Zurich. Casado con una emigrada rusa también socialdemócrata, era un padre de familia relativamente feliz, hasta donde estas crónicas de superficie se permiten averiguar.

Y entonces hubo un atentado en Sarajevo y Austria declaró la guerra a Serbia, y el pretexto que las lógicas imperiales estaban esperando, el breve impulso que desataba la inercia se produjo y los sables bélicos se afilaron en toda Europa. Los socialdemócratas hicieron en la Conferencia Internacional Socialista de Bruselas un último intento por frenar la guerra. Los Adler, padre e hijo, asistieron, y por primera vez representaban dos tendencias diferentes. Mientras que Víctor era extraordinariamente pesimista, Federico planteaba la posición de principios que había acompañado a la socialdemocracia desde sus orígenes: no a cualquier guerra imperial o colonial, no a las conquistas, no a la expansión de los mercados y el control territorial sobre la base de la carnicería.

La visión de Adler padre era coincidente con la de la mayoría de los delegados, teñida de posibilismo y fatalismo: se decía que «No podemos evitar la guerra, la guerra es popular ente la población; a los más y con suerte limitarla, impedir la entrada en guerra de la Rusia zarista». Y se movían las pantomimas, las justificaciones ideológicas, el baile de máscaras; al fin y al cabo el zarismo es el gran reducto autoritario de Europa, quizá se pueda limitar el conflicto. Nadie en la mayor parte de la Conferencia se acordó de los principios; eran material negociable. En su pujante paso hacia el progreso la socialdemocracia se había vuelto parte del sistema, había vendido el alma al diablo.

La voz de la sensatez decía: no hay que romper y colocarnos una ilegalidad que sería antipopular, a lo más tratar de limitar el conflicto. El resumen llamaba a intensificar la campaña antibélica. La minoría de la que formaba parte Federico así como los futuros «zimmerwaldianos», proponía acciones más radicales pero no prosperó, todo era cautela, miedo a perder el espacio conseguido.

Y se miraban entre ellos, un tanto avergonzados; y opinaban. El pragmatismo devoraba los principios. Víctor Adler votó los créditos de guerra en el Parlamento austriaco, Federico le dijo a su padre que eso era «una traición.»

El mundo de Federico Adler se desmoronó mientras en las trincheras comenzaba la carnicería. Como secretario del partido se negó a irse a Suiza, donde lo invitaban a participar en un periódico que mantuviera los principios de la Internacional y del socialismo.

Retornó a Viena a tratar de impulsar su propuesta pacifista. Se le acercaban mujeres que portaban rumores a través de maridos heridos, cartas que hablaban de la masacre en los campos de batalla, recibía reportes de arrestos policiacos, mujeres y hombres ahorcados acusados de traición, internados en campos... Todo bajo una brutal censura. Y Federico escribía en los periódicos socialistas historias que caían mutiladas bajo el lápiz rojo del censor, como la de un soldado socialista que escribió un poema contra la guerra y fue condenado a la horca por traición. Y a pesar de los límites movilizaba lo imposible y lograba que al soldado se le permutara la pena por la de solo cinco años de trabajos forzados.

Pero la eficiente maquinaria socialista que había conocido en sus mejores momentos era un monstruo jorobado y débil, atrapado en una red de conciliaciones y censuras.


## EL ATENTADO

Durante los dos años siguientes, Federico Adler sobrevivió en el interior del partido dando una lucha permanente contra la tendencia mayoritaria, pero estaba convencido de que la política de «paz sin anexiones» que él proponía estaba condenada, porque la mayoría no estaba dispuesta a enfrentarse frontalmente al estado y sabía que la autopreservación de la socialdemocracia era superior en términos de inercia a la voluntad de sus principios.

Durante estos años barajó varias opciones: siempre existía la posibilidad de emigrar a Suiza y organizar desde el exterior la campaña contra la guerra, pero entendía que esto era una manera de abandonar el terreno del combate.

En algún momento de la mitad de 1916 comenzó a circular en su cabeza, ante la desesperación en que se encontraba, la necesidad de romper la inercia existente con un acto simbólico. Tenía un revólver comprado en 1915. Comienza a pensar en realizar un atentado. ¿Un socialdemócrata pasado al anarquismo? Él cree en la acción de masas. ¿Qué son los actos de los individuos en la vorágine de lava de la historia? Sí, no. No, sí.

Es un hombre delgado, de larga barba, mirada transparente, los demonios van por dentro, sufre del corazón y se ha vuelto extremadamente nervioso. La tensión de la guerra ha acentuado estos rasgos.

Elabora una lista de los hombres que eran responsables de la carnicería bélica:

El fiscal doctor Mager, un hombre menor.

El ministro de Justicia Hocherburguer, un traidor, un ex demócrata reconvertido en absolutista al que despreciaba.

El conde Berchtoldt, ministro de Relaciones Exteriores, que últimamente estaba fuera del circuito del poder.

El conde Risza, jefe del gobierno húngaro.

La lista llegaba siempre a un mismo personaje: el conde Stürghk.

> Era de un calibre muy superior al de aquellos que sufren su opresión, no era un pillo, sino un hombre con un propósito definitivo y una voluntad indestructible, reconstruir el absolutismo en Austria. Era un personaje que invitaba al respeto.

El 18 de octubre de 1916, padre e hijo se enfrentaron violentamente en una reunión de la dirección del partido socialdemócrata y Víctor terminó diciéndole a Federico: «Eres un provocador, parece que quieres que te expulsen del partido.»

¿Cómo funciona la mente, cómo va cobrando forma la complejidad de las relaciones entre voluntad y las dudas? Federico se compromete para dar una conferencia en un club obrero de Viena el día 22, compra entradas para ir con su esposa Katia ese mismo día a la ópera; verán *Ariadne* de Richard Strauss.

El día 20 de octubre un edicto volvía ilegal hablar en la prensa del restablecimiento del régimen parlamentario. Incluso se había prohibido, con intervención policiaca, un inocente debate en la universidad sobre el régimen constitucional. La censura impide que el diario del partido, el *Arbeiter Zeitung* informe de estas noticias.

El 21 de octubre de 1916 Federico Adler se levantó una hora antes de lo acostumbrado; no hubo ningún síntoma visible que permitiera pensar que había decidido matar a un hombre. Se despidió de Katia y de sus hijos y se fue a la oficina del partido socialdemócrata del imperio astrohúngaro. La noche anterior había quemado algunos documentos en su despacho, pero ni siquiera esto era inusual. Quizá el único indicador externo de que las rutinas se romperían en mil pedazos es que él, de naturaleza desprolijo, se había vestido con particular elegancia.

En el portafolio traía su revolver, lo había sacado del librero, donde descansaba habitualmente entre los libros.

A la una salió a comer, contra su costumbre, tomó un tranvía y se dirigió hacia el restaurante del hotel Meisel und Schadn, donde solía comer el conde Stürghk.

Un momento de miedo al llegar a la puerta, el conde podía haber cambiado de hábitos y decidido comer en otro lugar, los escoltas o la policía podían impedirle acercarse.

Stürghk estaba allí. Federico lo vio, sentado en una mesa; entre ambos se interpone una mesa con una mujer. Federico duda, teme herirla, desconfía de su puntería, de su entereza. Pide de comer casi sin consultar el menú.

Cuando los camareros se retiran, avanza hacia la mesa del conde, saca el revólver del portafolio y dispara tres veces apuntando a la cabeza. Quiere gritar, se había propuesto gritar: «Abajo el absolutismo, queremos la paz»; no recuerda si logra hacerlo, no lo recordará. La garganta se le cierra. Probablemente lo haya dicho en voz baja.

Son las 2:45 de la tarde. Federico Adler se queda inmóvil al lado del cuerpo del conde Stürghk esperando la detención. Pregunta si está muerto, se lo confirman.


## EL PARTIDO / EL PADRE

Víctor Adler había pasado la mañana en una reunión parlamentaria, comió en su casa y luego se retiró a su despacho para dormir la siesta. El teléfono, para no alterarle el sueño, había sido llevado por su esposa Emma a la sala, allí la madre de Federico recibió la llamada:

—Dicen que su hijo acaba de matar al conde Stürghk.

Emma, conmocionada, no se lo creyó. Federico era incapaz de matar a una mosca. Era pacifista. No se atrevió a darle la noticia a Víctor y llamó a algunos amigos, dirigentes del partido, entre ellos Austerlitz. La noticia corría como pólvora.

Víctor, al ser despertado con la noticia, dijo con una voz que salía de los peores sueños:

—Esto no es posible.

Tras una reunión de la dirección, los cuadros de la socialdemocracia austriaca decidieron que la línea central era liberar de responsabilidades al partido. En la tarde Adler fue al periódico para fijar la línea política públicamente: el partido no asume el terrorismo, Federico estaba perturbado mentalmente.


## LAS REACCIONES

Vladimir Lenin, hablando con Angélica Balabanov, que había conocido hacía tiempo a Friedrich Adler, preguntó qué clase de mujer era la esposa rusa de Adler y cuando se enteró de que era una socialdemócrata, comentó sorprendido:

> ¿Socialdemócrata?, pensé que sería socialista revolucionaria, terrorista y que había influido sobre su marido. Pero, ¿por qué disparó contra Stürghk? ¿No era Adler el secretario del PSD austriaco y no disponía por tanto de los nombres y direcciones de todos los miembros de la organización? Si hubiese hecho imprimir un llamamiento y lo hubiese enviado clandestinamente a cientos, a miles de personas, habría actuado con más inteligencia

Lenin no entendía nada, vivía en el fetichismo de la palabra escrita y no entendía el lenguaje de los gestos de un pacifista enloquecido.

Leo Lania, entonces un joven soldado austriaco, registraba al conocer el atentado de Adler: «¿No había demostrado más coraje que los soldados que se dejaban matar siguiendo órdenes absurdas? Tal vez mi puesto no fuese luchar en el frente. La acción de Adler había iluminado la noche de la guerra como un destello luminoso.»

Tras la primera docena de interrogatorios y las primeras noticias del exterior, el profesor de física Federico Adler sabía que la línea de defensa que propugnaba su padre, la de la locura temporal, la insania, la demencia, podría salvarle la vida; sabía también que acogerse a esa línea sería condenarse al infierno al quitarle a su acto todo el sentido.

> Luché con vehemencia durante la investigación para establecer el hecho de que mi acto era el resultado de una decisión tomada por un hombre en plenas condiciones de salud mental.
>
> Protesté contra los intentos de mi abogado, que aunque con buenas intenciones y guiado por su conciencia trató de establecer la línea de defensa basada en la locura.
>
> Puede ser que sea el deber de mi abogado cuidar de mi cuerpo, pero el mío el defender mis convicciones que son más importantes que el que se cuelgue a un hombre más en Austria durante esta guerra.

Una batalla más importante que la que se libraba entre el Estado que lo quería ahorcar y Federico Adler que quería que lo ahorcaran, para pagar la culpa del asesinato y devolverle así la pureza simbólica, se mantuvo entre Federico y su defensa (los doctores Gustavo y Segismund Popper). Impulsados por su padre los abogados insistieron en la «demencia temporal». Federico insistió en su cordura y apeló a todas las instancias posibles para demostrarla.

En Viena, la ciudad de los alienistas y los siquiatras, una legión de hombres de las ciencias de la mente se dedicaron al caso; Federico fue entrevistado decenas de veces.

Víctor y sus amigos aportaron la terrible historia familiar, que hablaba de la locura de su hermana y de las frecuentes depresiones de Emma, su madre.

Un siquiatra dictaminó que Federico era un fanático y que eso explicaba sus actos; otro grupo de doctores señaló que personajes en ese estado de perturbación habían creado grandes obras de arte en la historia de la humanidad.

El trabajo definitivo fue un informe de sesenta páginas producido por los médicos universitarios que confirmaba su estado de salud mental.

Federico había ganado la batalla.


## EL JUICIO

Si bien el atentado no produjo ningún tipo de respuesta inmediata en el imperio astrohúngaro, y la chispa que Federico quería provocar no encontró su eco en ningún fuego, el juicio que habría de celebrarse meses más tarde, en mayo de 1917, encontraría un ambiente social diferente. Adler ya no era un loco, era un héroe. Se había producido la Revolución de Febrero en Rusia, la guerra había destruido todo oropel de gloria, se había revelado como imperialismo imbécil, crimen organizado, trincheras repletas de cadáveres en putrefacción, vendas sucias, sordera de cañones.

El gobierno decidió entonces proceder a un juicio lo más rápido posible, y entre el 18 y 19 de mayo se produjo el proceso. La situación política cambiante había influido en el ánimo de los seis jueces y en el del fiscal especial Heidt, quien negoció con Adler que podría pronunciar un discurso de la longitud que quisiera, que podría criticar a la guerra y al sistema gubernamental, y solo le pidió que no culpara a Austria de haber iniciado el conflicto.

Federico optó entonces por una declaración política contra la guerra asumiendo plenamente el atentado, consciente de que lo iban a declarar culpable y pedir para él la pena de muerte.

Su discurso reconocía la clara conciencia de la muerte a la vuelta del camino. «Estoy hablando aquí ahora por última vez.»

Durante cuatro horas explicó su repulsa a la guerra, como un acto Eststal de crimen organizado; la absoluta irracionalidad de esta, la pérdida en los estados de excepción de los mecanismos democráticos defensivos de la sociedad, su propia impotencia, la responsabilidad del conde Stürghk en la creación de un Estado autoritario, la necesidad de hacer un llamado desesperado a la cordura con lo que parecía un acto de locura. Defendió su salud mental, su responsabilidad, su derecho a morir por lo que había hecho, e incluso trató de diferenciarse de los magnicidas anarquistas: «No creo en los actos de terror individual, creo en el poder de las masas; no soy un anarquista, sigo insistiendo en que la acción de las masas es decisiva, quería establecer las condiciones sicológicas para futuros actos de masas», y con una racionalidad pura, con frialdad, «convencido de que me van a ahorcar», explicó sus actos.

El discurso de Adler circuló por todos lados, clandestinamente, copiado a mano, en periódicos suizos que entraban en Austria, en todos los órganos de la socialdemocracia influidos por la izquierda de Zimmerwald. En el propio periódico de la SD austriaca apareció la primera parte sin cortes, aunque fue censurado parcialmente en otros diarios.

Al día siguiente, viendo el efecto que las palabras de Adler estaban causando en la sociedad, el gobierno censuró veinte párrafos de la segunda parte.

Federico Adler fue condenado a muerte, pero en este clima político el gobierno no se atrevió a fusilarlo, previendo una enorme reacción social y se permutó la pena de muerte por cadena perpetua.

Aún así la SD y sus abogados objetaron el fallo de los jueces señalando que era un juicio anticonstitucional porque se había realizado sin jurado.

## La cárcel

Adler, bajo la sorpresa de haber sobrevivido, fue a dar a la cárcel de Strafaustalt Stein un der Donau.

Los días eran largos las comunicaciones con el exterior pobres. Se puso a estudiar al científico Ernest Mach, muerto en 1916, un personaje que dudaba de la realidad de la materia y que decía que una ley científica no es tal, sino que es una manera de aproximarse a partir de conocimiento limitado a la solución de un problema. Producto de estas jornadas escribirá en la cárcel *La conquista del materialismo mecánico de E. Mach* y lo editará en 1918.

Mientras su madre se negaba a creer lo que su hijo había hecho, Federico escribía en la celda: «Vivir serio y morir alegre es todo lo que un hombre puede desear.»


## EPÍLOGO

En enero de 1918, mientras se negociaban los acuerdos de paz de Brest, se produjo una oleada de huelgas por toda Austria-Hungría. Se iniciaron en Nestadt y recorrieron el imperio: se paralizaban fábricas de municiones, se iniciaban movimientos que levantaban las banderas de pan y paz, motines de hambre ante la reducción de las raciones. Cuarenta barcos se amotinaron en la bahía de Cattaro, los pabellones rojos se alzaban en los buques, se produjeron arrestos de oficiales y consejos de marinos. Amenazados por baterías costeras y submarinos alemanes los marinos se rindieron y se produjo una violenta represión. La socialdemocracia amenazó con una huelga general ante los fusilamientos de los marinos. El 12 de noviembre se declaró la república y surgieron los consejos obreros en Viena.

Adler quedó libre al desmoronarse el imperio y fue nombrado vicepresidente del partido socialdemócrata en la asamblea de la nueva república. Durante las décadas de los años veinte y treinta sería el secretario del Buró de la II Internacional. Trató de impedir el asilamiento de la Revolución Rusa a cambio de que esta permitiera el multipartidismo. Promotor de una salida posibilista a la crisis europea, de un socialismo progresista y evolutivo, quedará atrapado en el periodo más terrible de la historia de Europa central. Al inicio de la guerra de España, cuando tiene cincuenta y siete años, participa activamente y es el secretario de la Segunda Internacional, responsable de las relaciones y el apoyo solidario de los partidos socialistas con la república agredida. La anexión de Austria por Hitler es el fin de una historia y también de la suya propia. Vivirá la II Guerra Mundial exiliado en Estados Unidos y morirá a los ochenta y un años en Suiza.

# El muro y el machete

Notas sobre la breve experiencia del
Sindicato de Pintores Mexicanos (1922 – 1925)

«Hace diez años yo había soñado con pintar este mural», dice Diego Rivera a un reportero. Tiene ante sí noventa metros cuadrados de pared en el salón de conciertos de la Escuela Nacional Preparatoria, «El Generalito», donde comienzan aparecer las primeras monumentales figuras de cuatro metros de alto que formarán parte del mural *La creación*.

Rivera dirá más tarde: «A pesar del esfuerzo por expresar en los personajes la belleza genuina mexicana, se reciente aún en su ejecución y aún en su mismo sentido interno, de influencias europeas demasiado fuertes.»

Pero las figuras en la pared crecen, y lo que haya en este primer mural de fracaso se ve desbordado por lo que tiene de victoria. Rivera ha convencido al gobierno surgido del golpe de Agua Prieta en 1920, el que sería el último enfrentamiento militar de una revolución que ha durado diez años, de que abra sus muros a los jóvenes pintores. El intermediario entre el poder y el pintor es José Vasconcelos, ministro de Instrucción Pública desde octubre de 1921.

Diego Rivera tiene treinta y seis años, y hace uno tan solo que regresó a México tras haber pasado la mayor parte del periodo revolucionario en Europa (desde julio de 1911), donde trabaja, convive y debate con las corrientes más renovadoras de la literatura y la pintura mundial: Modigliani, Ilya Ehrenburg, Juan Gris, Picasso, Léger, Jean Cocteau, Ramón Gómez de la Serna, Geroges Braque. Allí vive la desesperanza de la guerra y las nuevas esperanzas de la revolución.

El mural se inicia en marzo de 1922y progresa rápidamente. Rivera, como si le fuera la vida en ello, y ciertamente se la estaba jugando, pinta entre doce y quince horas diarias hasta quedar completamente exhausto. Colaboran con él en esta primera experiencia un grupo de jóvenes pintores: Xavier Guerrero, coahuilense de veintiséis años que ha tenido experiencias en muros de iglesias; Jean Charlot, un francés de veinticinco años que ha llegado a México en 1921, tras haber sido oficial de artillería durante la primera guerra mundial, y que ha sido contratado como ayudante con la mísera cantidad de ocho pesos diarios de salario; y el guatemalteco Carlos Mérida.

*La creación* será una mezcla de cristianismo y paganismo, en la que las simbologías son confusas, y a la que salva esencialmente el tremendo poder de las dieciocho mujeres, mestizas y mexicanas, que dominan a un ángel inútil.

Y este es solo el primer paso. Rivera obtiene poco después un contrato monumental. Vasconcelos le ofrece, el 4 de julio, seiscientos setenta y cuatro metros cuadrados en el edificio de la Secretaría de Educación Pública (SEP), que se inaugurará cinco días más tarde. La temática, según Vasconcelos informa a la prensa, porque son los ministros los que cuentan los murales y no los pintores, será la siguiente: «Paneles con mujeres, vestidas típicamente, y para la escalera […] un frisco ascendente que parte del nivel del mar con su vegetación tropical y se transforma después en paisaje de altiplanicie para terminar con los volcanes.»

La decisión de darle a Diego una obra de estas dimensiones va acompañada de contratos menores para el grupo de pintores que se han reunido en torno a *La creación*: al francés Charlot le dan un muro donde se propone realizar una estampa de la guerra de conquista española contra los aztecas, la *Matanza en el Templo Mayor*; Ramón Alva de la Canal obtiene el suyo, donde se propone pintar algo que se llamará: *La Cruz en el nuevo mundo*, y que verá la entrada de la religión católica en América como tragedia; Fermín Revueltas, un joven de Durango que tiene diecinueve años, miembro de una familia notable de escritores, músicos y actrices, y que ha estudiado pintura en Chicago, hará otro, al igual que Emilio García Cabero y Fernando Leal, un estudiante de pintura de veintiún años, nacido en el DF, quien trabajará en una escalera de la preparatoria un mural sobre danzantes de Chalma.

Los cinco jóvenes, a los que la opinión publica bautizará como «los Dieguitos», se enfrentan a sus monumentales paredes con una mezcla de miedo y ansia. Les han ofrecido cuatrocientos pesos por cada mural, y se proponen ir más lejos que Diego en el enfoque nacionalista de su pintura. Esto hace que Revueltas, a pesar de ser ateo, elija como tema a la Virgen de Guadalupe, indígena y morena, rodeada de prostitutas, y vestida con tonos pastel absolutamente mexicanos, y que los otros trabajen sobre materiales indiscutiblemente nacionales.

Mientras Rivera avanza en *La creación*, «los Dieguitos» comienzan a pintar sus muros, entre junio y octubre de 1922, y lo tienen que hacer al aire libre. Así se inicia una tormentosa relación entre los muralistas y los estudiantes, bastante conservadores y mojigatos, que durará dos años. Michel, un crítico norteamericano, reseña:

> El nuevo movimiento comenzó hostigado por el escarnio y los silbidos, el sarcasmo y el desprecio. Los proyectiles comenzaron a volar; papeles mascados, chicle, escupitajos, cayeron sobre los murales, mientras descendían de los andamios las maldiciones, y brochas cubiertas de pintura ondeaban amenazadoras. Hubo actos de vandalismo. Intrusos abalanzándose en repentinos ataques, trepando a los frescos, pintando en los círculos que marcaban el lugar donde se pintarían las cabezas narices grotescas y cómicos ojos. Los acosados alzaron robustas barricadas, pero estas fueron inútiles para detener a los atacantes. Los pintores fortificaron los pasamanos y las escaleras con maderas y clavos, y tras este escenario continuaron con sus grandes decoraciones.

El escultor Ignacio Asúnsolo, que había combatido en la revolución, decidió tomar cartas en el asunto y un buen día entró en la preparatoria con un grupo de campesinos armados y persiguió a tiros a los estudiantes que querían linchar a los muralistas.

### IMÁGENES: LAS PIRÁMIDES

—¿Llamas arte a eso? — preguntó un estudiante a su compañero mientras estaban de pie contemplando a Diego, que se encontraba en su andamio pintando su primer mural en la preparatoria —. ¡Mira aquella mujer desnuda! —continuó el estudiante —refiriéndose al desnudo de la parte izquierda inferior —. ¿Te agradaría casarte con una mujer como esa?

—Joven—dijo Diego inesperadamente, mirando hacia abajo por sobre su hombro desde su encaramada posición—, nadie exigiría de usted que se casara con una pirámide, pero una pirámide también es arte —y continuó pintando tranquilamente.

## INCORPORACIONES Y LUNA CON HOZ Y MARTILLO

En septiembre de 1922 se producen dos nuevas incorporaciones al grupo de pintores muralistas. David Alfaro Siqueiros llega a Veracruz en la tercera clase de un barco. Chihuahuense de origen, tiene veintiséis años, ha estudiado pintura en San Carlos, ha sido militar en el ejército constitucionalista, y desde 1919 se encuentra en Europa combinando un cargo diplomático con una beca de estudios que le dio Vasconcelos, y que le fue cortada en agosto para que regresara a México a pintar. Es amigo de Rivera y con él ha debatido muchas veces la posibilidad de conseguir un muro en la Ciudad de México. Ahora, la posibilidad está abierta, con un salario de 3.30 diarios; es el octavo «maestro de dibujo» contratado por Vasconcelos para que trabaje en la preparatoria. Su primer proyecto, una obra monumental, un «muro de verdad», donde pintará *El espíritu de Occidente*.

En ese mismo mes aparece por la Ciudad de México el pintor jalisciense Amado de la Cueva, que a sus treinta y un años también regresa de Europa y se incorpora al grupo de ayudantes de Rivera.

Años más tarde sus nombres formarán parte de un mito que recorrerá el planeta.

El grupo se va amalgamando, no solo por su carácter de asalariados de la Secretaría de Educación Pública (por cierto mal pagados) y el uso común de las paredes de la Escuela Preparatoria sino también por las continuas conversaciones sobre la técnica para pintar murales y los contenidos nacionalistas de su pintura. A fines de 1922, un nuevo elemento vincula más aún entre sí a los pintores: la participación política, en un país que tras una sangrienta revolución comienza a reactivarse bajo la sensación de que todo ha ido a medias, que algo se le ha escamoteado.

Rivera se había ligado durante los primeros meses de 1922 a un grupo de intelectuales encabezado por Vicente Lombardo Toledano, director de la Escuela Nacional Preparatoria, que con el membrete Grupo Solidario del Movimiento Obrero mantenía estrechas relaciones con la CROM, la central sindical moderada de la década de los años veinte. En septiembre, el pintor asistió como delegado a la IV Convención Nacional de la CROM.

Desengañado por los crecientes compromisos de la CROM con el gobierno y por el conservadurismo de sus dirigentes, Rivera busca una opción política más a su izquierda. Probablemente el motín del agua provocado por la CROM en noviembre de 1922 para derrocar al Ayuntamiento de la Ciudad de México, que terminó en un enfrentamiento entre manifestantes y soldados con varios muertos y heridos, en el que estuvieron presentes Rivera, Siqueiros y Revueltas (el Ayuntamiento se encontraba a pocos pasos de la Escuela Preparatoria donde los tres estaban pintando), haya acabado de confirmar a los pintores en la búsqueda de una opción más radical en materia política. Muy pronto habrán de encontrarla.

Un texto de Diego de aquellos meses muestra el sujeto de su hallazgo político:

[...] en la pizarra negra del cielo de México una estrella grande que luce roja con cinco picos en ella, como en las facciones de la cara de la luna pueden adivinarse un martillo y una hoz. Y unos emisarios han venido diciendo que es presagio del nacimiento de un nuevo orden y una nueva ley.

Es el comunismo, con la aureola de la Revolución Soviética. Diego ingresa entonces al partido comunista mexicano y es inscrito con la credencial número 992. El PCM se encuentra entonces en un mal momento. Tras la derrota de la gran huelga inquilinaria que dirigió en la Ciudad de México en 1922 y la separación de un grupo importante de sus dirigentes, con la salida forzada del país de los cuadros de la Internacional Comunista que lo dirigían, se encuentra reducido a un puñado de militantes y en una profunda crisis política. Pero Diego poco le pide al partido;

concentrado en los murales, dedicando quince o dieciséis horas al trabajo en el andamio de la Escuela Preparatoria, poco puede percibir de esa crisis y su militancia en esos meses solo habrá de expresarse hacia el interior de su mundo de trabajo, el círculo de los muralistas. Pero ahí, sus ideas y las de Siqueiros harán germinar un proyecto: el Sindicato

## PINTORES Y «GREMIOS SIMILARES»

El sindicato nació entre los últimos días de noviembre y finales de diciembre de 1922, entre conversaciones mientras se pintaba, en pláticas callejeras y en reuniones en la casa de Diego Rivera. Sus fundadores fueron los nueve muralistas con contratos en la preparatoria (Diego, Siqueiros, Charlot, Revueltas, Alva de la Canal, Emilio García Cabero, Carlos Mérida, Xavier Guerrero y Fernando Leal) y algunos de sus ayudantes: Máximo Pacheco (que trabajaba con Revueltas) y Roberto Reyes Peréz (que trabajaba con Siqueiros). Al grupo se adhirió el pintor jaliscience José Clemente Orozco, que volvía de Estados Unidos, donde se había cruzado con Siqueiros. Orozco tenía treinta y nueve años, había estudiado en San Carlos, trabajado como ilustrador en varias revistas; autor de caricaturas mordaces, un tanto nihilista y escéptico, Orozco, solitario y muy áspero en las relaciones, no dio demasiada importancia ni tiempo al movimiento, aunque se sintió obligado a sumarse a la iniciativa.

La reunión constitutiva se celebró en la casa de Diego Rivera y se acordó nombrar a la organización Unión Revolucionaria de Obreros Técnicos, Pintores, Escultores y Gremios Similares, aunque más tarde se adoptó definitivamente el de Sindicato de Obreros Técnicos, Pintores y Escultores, con el que firmó todos sus documentos y comunicados.

La naciente organización produjo una declaración de principios que nunca se publicó, pero en la que se consumieron varios días discutiendo. De los testimonios de Siqueiros, Charlot, Orozco y Rivera, puede obtenerse una buena aproximación a las ideas centrales del texto, que iba mucho más allá que una propuesta gremial:

a)     Una definición antiimperialista y revolucionaria.

b)     Adhesión a la III Internacional y a sus principios: abolición del capitalismo y dictadura del proletariado.

c)     Una concepción del trabajo artístico como producción artesanal, realizada por trabajadores del andamio y la brocha, «obreros del arte.»

d)     Una concepción del trabajo artístico como un reflejo de la sociedad en que se vive y como una toma de posición frente a esta.

e)     La proposición de un desarrollo del arte por un camino social, nacionalista y «conectado íntimamente con las corrientes internacionales del arte moderno.»

f)     Establecimiento del sentido de la «utilidad» de sus pinturas para las clases desposeídas. Vincularlas a la lucha de clases. «Socialización del arte.»

g)     Prioridad al trabajo mural ante la pintura de caballete. «Obras monumentales de dominio público.»

h)     Aprendizaje en el proceso del trabajo.

i)     Promoción del trabajo colectivo. «Destrucción del egocentrismo, reemplazándolo por el trabajo disciplinado de grupo.»

j)     Creación de la Cooperativa Francisco Tresguerras, para buscar nuevos trabajos y administrar financieramente los resultados.

La declaración de principios era el resultado más que de la evolución política del grupo, de las proposiciones más radicales de algunos de sus miembros. Las posiciones de Rivera, en aquel entonces miembro nominal del partido comunista; de David Alfaro Siqueiros, que se había formado políticamente en los agitados ambientes políticos anarquistas y comunistas de la España y la Francia de la posguerra; el radicalismo de Fermín Revueltas y de Amado de la Cueva, incluso el izquierdismo católico de Charlot, se imponían a la apatía de algunos o al conservadurismo de otros. Pesaba la juventud del grupo, su adhesión a la pintura mural, la idea de que se encontraban ante una revolución que los llevaba hacia una pintura apreciable por las grandes masas y su condición laboral (trabajaban mucho más de diez horas diarias en promedio, trepados en andamios, en contacto con el yeso, la brocha, la espátula, con salarios mezquinos y en estrecha armonía con los albañiles, de cuya eficacia dependía la consecución del fresco). Estos eran los puntos de apoyo de la naciente organización. La individualidad del trabajo de creación, las manías de un montón de apasionados genios, sus peores enemigos. Y todo esto en medio de un interesante cóctel ideológico en el que las definiciones de radicalismo formal iban acompañadas de un indigenismo precursor. Siqueiros resumirá más tarde: «Mezclaba mis sueños políticos con ideas cosmogénicas y con teorías de cerebralismo puro sobre equivalencias plásticas de la geografía y la etnografía.»

El primer comité estuvo formado por Siqueiros como secretario general, Diego Rivera y Xavier Guerrero como primer y segundo vocal, y además Fermín Revueltas, Ramón Alva, Orozco, Carlos Mérida y Germán Cueto. Algunos testimonios incluyen a Fernando Leal como tesorero.

Una de las primeras tareas del sindicato fue entrevistarse con Vasconcelos para que le diera un muro a José Clemente Orozco, pero el ministro, al que no le gustaban las caricaturas del pintor jalisciense ni sus dibujos de mundo marginal, se negó enérgicamente. Orozco reaccionó diciendo: «Ya les había dicho que el sindicato era una pendejada.»

Este no fue el único enfrentamiento de los pintores con su contratador y primer, aunque mezquino, mecenas. En sus memorias, Vaconcelos reseña de forma muy dudosa una entrevista con Siqueiros al fundarse el sindicato, en la que se negó a tratar colectivamente con el grupo un aumento salarial, despidiendo a los representantes y luego readmitiéndolos de inmediato tras «darles una lección»; y Reyes Pérez recuerda que el ministro suspendió el pago del salario de Fermín Revueltas porque un día pasó frente al mural en que este trabajaba y encontró laborando a su ayudante y ausente al maestro. Vasconcelos decidió retirarle el pago a Revueltas y darle el sueldo íntegro en su lugar a Máximo Pacheco. La historia se hizo más complicada cuando Vasconcelos descubrió que Pacheco cobraba, pero le reintegraba el salario a Revueltas, que seguía pintando su enorme Virgen de Guadalupe. El ministro suspendió entonces el sueldo de ambos. El principio de autoridad atacaba a la Virgen de Guadalupe de mantos lilas y rojos cálidos.

## IMÁGENES. FERMÍN EN SOLITARIO

Siqueiros cuenta:

Al llegar una ocasión a la Escuela Nacional Preparatoria por el lado de san Ildefonso me encontré con una enorme multitud de alumnos y maestros de la propia escuela [...] ¿Qué había pasado? ¿Quién había ordenado que se cerraran todas las puertas de la preparatoria? ¿Quién había ordenado que se colocara aquella bandera roja en lo alto del edificio? [...] Vasconcelos me llamaba con urgencia. Me lo encontré en un estado de indignación inenarrable. Lo que ustedes, su famoso Sindicato de Pintores, están haciendo s verdaderamente increíble y yo ya no voy a seguirlo tolerando [...] Ese loco de Revueltas, por sus propias pistolas y en perfecto estado de ebriedad, llegó esta mañana muy temprano a la escuela y a punta de pistola sacó al prefecto y a todos los mozos y se ha encerrado adentro alegando que no abre hasta que le paguen lo que le deben [...] La huelga de un solo hombre contra todos los demás. En el primer momento quise ordenar que la policía o los soldados del cuartel de enfrente lo sacaran por la fuerza, inclusive sabiendo que ese muchacho es un atrabiliario y se hubiera defendido a balazos [...] ¿Qué cree usted que debamos hacer en su carácter de secretario general del sindicato?
Sin abandonar la sonrisa irónica, le dije: «Licenciado, pues a mí me parece que la solución es muy sencilla: ordene que le paguen.»
Avanzando entre la multitud le gritaba yo a Revueltas desde abajo: «¡Fermín, Fermín, ya ganamos!» A la vez que le mostraba la bolsa con los dineros de la victoria. «¿Qué, que?», me decía él desde arriba con unos ojos ambulantes de borracho, aquellos inmensos ojos negros de Fermín, en ese momento enloquecidos, más que nunca. Mis palabras provocaron un verdadero entusiasmo en la multitud, que comenzó a vitorearnos a él y a mí. Entonces, le indiqué a Revueltas que bajara y con muchas precauciones; él, aún con la pistola en la mano, entreabrió la puerta y no se resolvió a dejarme entrar sino cuando tocó la plata.

## LOS PATIOS DE LA SEP
## Y LAS MUCHACHAS DE LA LERDO

Rivera terminó definitivamente *La creación* en enero de 1923 y pasó a planear la realización del contrato que tenía con Vasconcelos para decorar la SEP. Lo acompañaban Guerrero, Amado de la Cueva y Charlot, que había terminado su *Masacre en el templo mayor*, un mural apasionante en su renarración de la conquista de México, donde los caballeros españoles dominaban gracias al hierro y al caballo.

El 20 de marzo de 1923, los pintores hicieron una fiesta en el taller de la Cooperativa Tresguerras para celebrar el fin del primer mural de Rivera, a la que invitaron a Vasconcelos y a Lombardo Toledano. En la invitación se pedía a todos los asistentes, incluso a los celebrados, que llevaran sus cinco pesos para pagar la comida.

Tres días después, Rivera, febrilmente se lanzó a decorar los ciento veinticuatro muros de la Secretaría.

Durante los últimos meses, Diego había modificado el proyecto inicial para la decoración de la SEP del que había habaldo Vasconcelos. Una nueva idea había tomado forma en su cabeza. Mientras su biógrafo B. Wolfe sugiere que *La creación* había sido un inicio en falso, y que sus grandes desnudos violentamente mexicanos le indicaron el camino a seguir, Jean Charlot atribuye la evolución de Diego Rivera a la influencia que sobre él desarrollaron los jóvenes pintores que trabajaron en la preparatoria: la Virgen de colores audaces de Revueltas, los peregrinos de Chalma de Leal o los robóticos caballeros acorazados del propio Charlot.

Fuera una u otra razón, o ambas combinadas, Rivera no solo mexicanizó absolutamente sus temas como ya lo había indicado en la propuesta que Vasconcelos reseñó en julio del año anterior, sino que, siguiendo los lineamientos del manifiesto del sindicato, los politizó.

Mientras que dejaba que sus compañeros Charlot y Amado trabajaran en un patio al que llamó «de las fiestas», donde se recogería el folklore popular, el color y los paisajes humanos mexicanos, él se sumergió en el «patio del trabajo». Laborando durante todas las horas de luz hasta que quedaba totalmente agotado, Rivera ayudado por Xavier Guerrero, comenzó a llevar a los muros historias de obreros y campesinos, luchas y labores, empezando, consciente y obsesionado, enloquecido y ansioso, una de las historias inmortales de México, una de las narrativas paralelas a la historia oficial, en la que muchos años después, los mexicanos aún nos reconocemos...

Ahí lo encuentra Bertram Wolfe, un brillante periodista y comunista norteamericano recién llegado a México, que trabajaba como profesor de inglés para la Secretaría de Educación. De este primer encuentro nace el siguiente retrato:

> Un hombre de rostro de rana, de inmenso volumen, genial, de movimientos lentos, vestido con un overol gastado por el uso, un inmenso sombrero Stetson, bien provisto cinturón de cartucheras gran pistola al cinto, amplios zapatos manchados con pintura y yeso. Todo lo suyo parecía pesado, lento, tosco, excepto la vívida y brillante inteligencia, los alertas sentidos prensiles, las pequeñas manos regordetas, sensitivas, ágiles, inesperadamente pequeñas para este hombre monumental, y que terminaban, a pesar de su gordura, en dedos casi esbeltos.

En los primeros días de abril, Diego se permitió una pausa en su trabajo y asistió como delegado del Sindicato de Pintores al II Congreso del PCM. En él, el partido trató de reorganizar sus mermadas fuerzas y reconstruyó su Comité Ejecutivo Nacional incorporando a Diego Rivera al equipo dirigido por Manuel Díaz Ramírez y Rosendo Gómez Lorenzo. Sin duda influyó en esta decisión el que, por primera vez en su historia y gracias al Sindicato de Pintores; el PCM tenía un cierto eco entre los intelectuales.

Tras este breve intervalo, Rivera volvió a sus muros. En rápida secuencia pintó un mural sobre una fábrica textil, se introdujo en el mundo de los mineros, narró gráficamente el interior de una fundición, donde el ritmo de trabajo está marcado por un tosco ballet, se fue al campo a contar el corte de la caña, y al fin en el mural *Salida de la mina*, donde se ve a un minero registrado por los capataces, para hacer más explícito el mensaje pintó unas frases del poema de su amigo Carlos Gutiérrez Cruz que decían:

*Compañero minero,*
*doblado por el peso de la tierra tu mano yerra*
*cuando saca metal para el dinero. Haz puñales*
*con todos los metales, y así*
*verás que los metales después son para ti.*

Uno de los ministros del gobierno, Pani, se quejó con el presidente Obregón y este con Vasconcelos. La prensa, siempre atenta a los retos del muralismo, y repentinamente hostil, cargó sobre Diego.

Vasconcelos presionó a Rivera para que borrara el poema. Los miembros del sindicato se reunieron urgentemente y se produjeron acaloradas discusiones. Finalmente se decidió ceder, pero solo en este caso, ¿eh?, y salvar los murales a costa de los versos, y Rivera accedió a borrarlos. En cambio, pintó un nuevo cuadro: *El abrazo*, donde un obrero y un campesino se estrechan, y en él escribió otros versos menos explícitos de Gutiérrez Cruz. Las protestas volvieron a hacerse oír, pero Rivera no cedió. Los medios tampoco.

La campaña de prensa arreciaba y en junio del 23 llegó a su punto más alto. *El Heraldo* acusó a Vasconcelos de estar dilapidando grandes sumas; habló de «precios fabulosos, ganancias pingües, con gran derroche». El sindicato respondió con un manifiesto dos días más tarde en que invitaba a que se hicieran públicos los contratos, porque en ellos se demostraba que los muralistas no ganaban más que un pintor de brocha gorda, y acusaba a sus detractores de «retardistas ignorantes» y de «fracasados envidiosos de los artistas que trabajaban de acuerdo con el sentir del pueblo.»

Pero la cosa no se detenía allí; la prensa estaba fabricando un mal ambiente para el naciente muralismo mexicano, la batalla política se convertía en batalla estética. ¿O no era lo mismo? En el Teatro Lírico, un teatro de variedades y comedia, los cómicos cantaban:

*Las muchas de la Lerdo*
*toman baños de regadera*
*pa´ que no parezcan*
*monos de Diego Rivera.*

*El Universal* decía: «Las niñas de algunos ministerios escribiendo en la máquina, vestidas a lo Tutankamen, con una falda abierta en el costado y luciendo en la pierna una guirnalda o un nuevo decorado entre egipcio y moderno, cual si fuera un fresco de Charlot o Rivera.»

Y *El Demócrata* añadía, hablando de los murales: «La mayoría los considera una broma de mal gusto o fruto de una aberración estética.»

Si bien el debate estético les importaba un bledo, porque consideraban a sus detractores analfabetas en materia de plástica, los muralistas estaban inquietos por la campaña sobre «el derroche» que significaban sus muros. Bertram Wolfe respondió por Diego en *The Nation*: «Mientras que Manuel Lourdes, un pintor burgués, cobra ocho mil pesos por un retrato de Horacio Casasús, Diego gana doce pesos diarios trabajando de doce a catorce horas.»

Y Diego, al comparar su salario con el de un obrero, para reenfocar la polémica, declaró con grandeza: «Trabaja más duro que yo. A él no le gusta su trabajo. Yo amo el mío. Debería estar mejor pagado que yo.»

## MARIGUANEROS

Un día Rivera, en una de las múltiples asambleas que el sindicato realizaba lanzó la siguiente aventurada hipótesis:

—Lo excepcional de la creación artística prehispánica se debe a que se realizaba bajo los influjos de la *cannabis indica*, la mariguana.

El asunto fue discutido y logró la unanimidad, incluso la del retorcido Orozco, que en una nota se adhirió: «Por principio, toda proposición del farolón Rivera debería ser desechada, pero en este caso como sucede con adhesión a una religión que garantice la posibilidad del Paraíso en el más allá, en caso de confesión pre-mortum, yo me adhiero a la experiencia, por las dudas.»

Rivera consiguió a un introductor llamado enigmáticamente Chema. En la primera sesión, el personaje declaró:

—Aquí, dentro de esta maleta, hay arte, hay ciencia, hay política; está todo lo que necesitamos no solamente para que ustedes hagan ese arte gigantesco que quieren construir, sino para la salvación de nuestra patria.

La experiencia se desarrolló a lo largo de varios días hasta que Siqueiros y su ayudante Reyes Pérez, por pasarse de fumada se cayeron de un andamio de siete metros y casi se electrocutan.

Finalmente los miembros del sindicato llegaron a la conclusión de que ya eran de naturaleza mariguaneros y que el consumo de la droga no los hacía más inteligentes, sino más lentos y decidieron abandonar la experiencia:

## OROZCO PINTA, RIVERA SE PELEA Y ESTALLA UNA REBELIÓN

Al fin, la persistencia del sindicato hizo su efecto ante Vasconcelos y José Clemente Orozco fue contratado para pintar en la Escuela Preparatoria. El 7 de julio, tras un par de meses de preparación, comenzó a trazar el mural: *Los presentes de la naturaleza del hombre*.

Orozco, al igual que sus compañeros, se debatía en sus inicios en la búsqueda formal, donde el clasismo llegaba hasta el Renacimiento (*Maternidad*) y los demonios que traía dentro y que poco a poco fue soltando (como en *El padre eterno*, un mural en boceto dominado por un dios bobalicón, autoritario y arbitrario con diablillos en el lado derecho martirizando al pueblo, y una burguesía de híbridos de oligarcas y niños chismosos); pero lo esencial, lo dominante, era aprender a hacer el muro como narrativa, en el caso de Orozco con un cierto tremendismo que a veces amortigua con sus virtudes de caricaturista.

Su trabajo pronto fue combatido por la prensa hostil y un joven poeta relamido, Salvador Novo, calificó sus figuras como «repulsivas». Orozco se lo cobraría más tarde con una cruel caricatura donde se alude a la homosexualidad de Novo y a la de algunos miembros de su joven grupo de intelectuales, en la cual los personajes se encuentran tocándose las nalgas embutidas en femeninos y ajustados pantalones.

Orozco, más allá de las críticas, y enfrentado más bien a sus demonios personales, avanzó en un proyecto donde mezclaba la pintura de una Virgen italianizante con la aparición de cuerpos deformados y agresivos, pero temáticamente se mantuvo dentro de la línea que caracteriza todo el trabajo inicial de los muralistas. *Cristo destruye su cruz*, *Maternidad* y *Hombre matando a un gorila* fueron las primeras obras, apasionantes, dotadas de una capacidad narrativa extraña, llenas de alegorías inquietantes. Orozco y sus murales, en ángulos de la escuela oscuros y un tanto tétricos, mantenían a Vasconcelos a distancia, quien recuerda: «Al edificio principal de la preparatoria me presentaba rara vez; Orozco me hacía mala cara cada vez que me asomaba a ver sus frescos.»

Temáticamente, también Siqueiros, que pintaba en otra parte de la escuela (el patio chico), andaba en las mismas, y de su brocha surgía la fuerza de las figuras aladas que se desprenden del techo, y propuestas extrañas, de una enorme fuerza y belleza.

Sin duda los choques entre el gobierno y Rivera a raíz del texto de Gutiérrez Cruz en *Saliendo de la mina* invitaron a la reflexión a los dos creadores porque una nueva temática apareció en las paredes realizada por Siqueiros y Orozco. El primero pintó *La revolución desencadenada*, y hacia los últimos meses del año 1923 pintaría el *Entierro del minero*, en cuyo féretro aparece claramente grabada una hoz y un martillo. En esos mismos días Orozco comenzaría a trabajar en la *Trinidad revolucionaria*.

Parecía que el sindicato en su conjunto buscaba endurecer social y políticamente los temas narrados en las paredes de una manera explícita, mientras se consolidaban los estilos. Los golpes unían a los creadores. Pero en junio de 1923 se presentó la primera fisura.

Mientras Diego terminaba el «patio del trabajo» en la Secretaría de Educación Pública, Charlot y Amado de la Cueva habían culminado cinco murales en el «patio de las fiestas». Rivera se dirigió hacia el trabajo de sus compañeros dispuestos a tomarlo en sus manos. Supuestamente los dos pintores tenían que haber pintado veinticuatro murales y Vasconcelos, apremiado por la opinión pública, los presionaba. Fuera esto, o que Diego se sentía responsable del conjunto de la obra y quería intervenir e su realización, de la que no estaba muy contento, el caso es que chocó con Charlot y Amado y decidió continuar él solo el trabajo con la ayuda de Guerrero, e incluso borrar uno de los tres paneles que había realizado Charlot. Siqueiros, como secretario general del sindicato, intervino apoyado por Fermín Revueltas, y Diego accedió a readmitir a los dos pintores, pero subordinándolos. Con las relaciones viciadas, la ruptura no tardó en producirse, y el 10 de agosto Charlot abandonó la SEP y se fue a trabajar como ayudante de Siqueiros en la preparatoria; dos meses después, el 16 de octubre, Amado de la Cueva renunció y partió para Guadalajara.

Tampoco en la preparatoria las cosas iban mejor entre los pintores: Revueltas estaba sin trabajo propio y se limitaba a ayudar a alguno de los otros; Fernando Leal se había peleado con Charlot y Siqueiros por una mezcla de envidias, motivos políticos (sin duda Leal era el más conservador del grupo) y roces personales, y Orozco no quería saber nada de nadie y pintaba en solitario.

Un acontecimiento exterior vino a restablecer la unidad del sindicato a darle un lugar importante dentro de la política de la izquierda y en particular del partido comunista.

El partido se había movido a lo largo de 1923 como barco a la deriva buscando un espacio propio en el movimiento popular. Cercado por los cromistas por su derecha y los anarcosindicalistas de la CGT por la izquierda, se encontraba desplazado totalmente del movimiento obrero. Sus experiencias en la huelga inquilinaria de 1922 habían terminado con derrotas. Había acordado abandonar el abstencionismo y promovía la intervención electoral, pero no tenía fuerza para desarrollarla; y apenas brillaban en su horizonte los trabajos en el movimiento campesino iniciados por las secciones de Morelia y de Veracruz. En julio se había reorganizado el Comité Ejecutivo Nacional y Rivera había permanecido formalmente dentro de él, aunque no asistía a las reuniones. Pero en diciembre una parte de los generales de la facción revolucionaria triunfante se alzaron en armas contra la voluntad del presidente Álvaro Obregón de imponer a su sucesor en la Presidencia, Plutarco Elías Calles. La revuelta abrió un espacio por donde los comunistas trataron de meterse.

El 7 de diciembre, el Sindicato de Pintores se manifestó contra la rebelión calificándola de fascista, y el 9 publicó un manifiesto contra el cuartelazo. Los más militantes del grupo, Revueltas, Siqueiros, Rivera y Guerrero se fueron hacia los frentes de combate, aunque no tuvieron participación en los enfrentamientos (Siqueiros estuvo en Puebla y Diego en Guanajuato).

La caracterización del partido que se produjo días más tarde, bajo presión de B. Wolfe, resultaba muy superficial, y el Sindicato de Pintores la había impulsado. Si bien es cierto que entre los alzados se encontraban algunos de los generales más reaccionarios y que habían tenido largos enfrentamientos con el movimiento obrero y el agrarismo, entre las fuerzas gubernamentales se encontraban ese mismo tipo de personajes. Definiéndose contra la rebelión delahuertista (llamada así porque el candidato de los alzados era Adolfo de la Huerta) se pasaba a una solidaridad acrítica hacia el bloque gubernamental. Un año después, el informe del III Congreso del PCM acusaba al Comité Nacional y en particular a Díaz Ramírez y Rivera, aunque sin mencionar sus nombres, de haber llevado al partido a un «callismo no menos burdo y anticomunista.»

La rebelión, que terminó con la total derrota militar de los sublevados, tuvo un epílogo que resultó muy peligroso para los pintores. A raíz del asesinato por la CROM del senador opositor Fidel Jurado, Vasconcelos presentó su renuncia al gobierno. Aunque Obregón no la aceptó, señalando que el gobierno no era solidario con el asesinato, la posición de Vasconcelos se vio debilitada, lo que aprovecharon los estudiantes conservadores de la preparatoria, eternos enemigos de los muralistas, para hostigar a los pintores. En los primeros meses de 1924 (enero-febrero) los choques se multiplicaron y fueron dirigidos principalmente contra Orozco y Siqueiros. Insultos, ataques en la prensa e incluso agresiones; críticas solapadas de funcionarios, desprecios, ninguneos. En marzo, Rivera tuvo que salir públicamente en defensa de Orozco declarando lo que era una gran verdad: «José Clemente no nació para ser un pintor al gusto de los burócratas.»

## IMÁGENES: GUERRAS ESTÉTICAS

Siqueiros cuenta:

> Tan grave fue la situación que los pintores tuvimos que defendernos a balazos de los disparos que con frecuencia lanzaban los estudiantes, sin duda alguna más contra nuestras obras que contra nosotros mismos [...] Hacían funcionar la fonética mediante un incesante golpear contra

las bardas de madera que habíamos nosotros colocado para proteger nuestros trabajos en desarrollo [...] El choque más grave con los estudiantes se produjo de la manera siguiente: empezaron los alumnos de la preparatoria provocando a quien ya desde entonces era más susceptible a la provocación, o sea a mí; y su provocación consistió en el uso de cerbatanas para lanzar contra de la pintura [...] una ininterrumpida sucesión de plastas de papel masticado. Y después, ante mis respuestas de puntería familiar muy directa, alguno de ellos llevó una pistola de pequeño calibre [...] a lo cual yo contesté haciendo un ruido horrible con mi cuarenta y cuatro. Entonces ellos, en formación cerrada, pretendían arrebatar la justiciera arma ofensiva. Felizmente las detonaciones de mi casi arcabuz llegaron hasta el primer patio y de esa manera todos los flamantes muralistas acudieron rápidamente en mi auxilio. Juntos todos nosotros y con nuestros ayudantes, hacíamos un número muy próximo al de treinta [...] Hasta ese momento tanto nuestros disparos como los de los estudiantes tenían una finalidad más psicológica que real, pero las cosas empezaban a tomar un sesgo en extremo peligroso. Una bala de las nuestras, al rebotar, le pegó en la cara a uno de los estudiantes, con lo cual la mayor parte de ellos creyó que había recibido un disparo directo y empezaron a tratar de atinarnos en lo que nos veían de las cabezas. El escándalo crecía cada vez más en sus proporciones haciéndolo llegar hasta el edificio que había ocupado antes la escuela de leyes, entonces ocupada por un batallón de indios yaquis. Creo que algunos de los nuestros [...] fue hasta aquel lugar para explicarles a los soldados la finalidad de nuestra pintura «estrechamente ligada a la revolución» y por tanto a ellos que eran los artífices de la misma. Los soldados yaquis comprendieron perfectamente las palabras de nuestro agitador furtivo y llegaron para imponer el orden con toda energía. Después se quedaron viendo lo que habían defendido y me parece que no estuvieron muy seguros de haber procedido adecuadamente.

## EL MACHETE: «PARA HUMILLAR LA SOBERBIA DE LOS RICOS IMPÍOS»

La rebelión delahuertista dejo al PCM más débil de lo que había estado anteriormente. En Veracruz, los rebeldes, dirigidos por el general Sánchez y al servicio de los latifundistas, mataron a varios de los militantes del partido. En Michoacán, los agraristas del PCM se vieron colocados entre los dos bandos, que en el ámbito local pactaron con los caciques y las Guardias Blancas. Su apoyo al gobierno de Obregón, aunque condicionado en una segunda instancia por el manifiesto *Hacia un gobierno obrero y campesino*, había sido repudiado en los apolíticos medios del radicalismo sindical, y el Comité Nacional había fracasado al intentar mantener cohesionadas a las organizaciones locales. Al llegar el mes de marzo de 1924, el partido estaba formado por «no más de un centenar de personas en todo el país.»

Paradójicamente, la respuesta de los pintores a la revuelta los había fortalecido políticamente, y su posición, equivocada pero coherente, era la única definida entre las tendencias de la dirección nacional del PCM. Esto influyó indudablemente en que el sindicato tomara la iniciativa de realizar un periódico, en un momento en que la prensa del partido estaba prácticamente muerta en el país (su ultimo órgano, *Frente Único* de Veracruz había fallecido en junio de 1923).

*El Machete*, dirigido colectivamente por Rivera, Siqueiros y Xavier Guerrero, salió a la calle en la primera quincena de marzo de 1924. Había sido financiado por el sindicato, fundamentalmente por Diego, que era el que ganaba un mayor sueldo. Graciela Amador, esposa de Siqueiros y tesorera del grupo, había compuesto un verso para los contribuyentes «*El que quiera su rojo celeste, que le cueste*». De ella también era la versión final de la cuarteta que lucía el diario en su cabecera y que justificaba el título (una brillante nacionalización de las obligadas hoz y martillo): «*El machete sirve para cortar la caña,/ para abrir las veredas en los bosques umbríos,/ decapitar culebras,/ tronchar toda cizaña y humillar la soberbia de los ricos impíos.*»

En el editorial, firmado por Xavier Guerrero, se atacaba con igual devoción a los intelectuales europeizantes y reaccionarios y a la burguesía nacional y el imperialismo. El periódico mostraba bien a las claras su voluntad de combinar la divulgación ideológica, las expresiones del Sindicato de Pintores y la difusión del trabajo del PCM y su programa.

Curiosamente su primer número no tenía más que unas pocas ilustraciones (entre ellas la cabecera debida a Guerrero) y aún no se desplegaban los trabajos gráficos que habían de hacerlo famoso. Además de los citados, en el equipo de colaboradores se encontraban Bertram Wolfe, miembro entonces de la dirección en el DF del partido, el profesor universitario marxista Alfonso Goldschmidt, el periodista canario dirigente del PCM Rosendo Gómez Lorenzo y el joven periodista Jorge Piñó Sandoval.

Rivera no dibujó en *El Machete*; en cambio, en los primeros tres números escribió invariablemente su artículo, al igual que Siqueiros y Guerrero. La parte gráfica en las diez primeras ediciones del quincenario quedó en manos de Guerrero, apoyado por Siqueiros.

A pesar de la constancia de la publicación y del aumento de la calidad gráfica, los números de marzo, abril y mayo hicieron patente su debilidad, el alejamiento del Sindicato de Pintores y sus animadores de las luchas obreras y campesinas, que era suplido por la abundancia de artículos editorializantes y materiales teóricos del PCM, en su enorme mayoría debidos a las plumas de Wolfe, Goldschmidt y Rafael Mallén.

## IMÁGENES: TRABAJO COMPLETO

Cuenta Xavier Guerrero:

> Escribíamos los artículos, dibujábamos las ilustraciones, grabábamos la madera; imprimíamos y doblábamos el periódico, lo entregábamos y pagábamos el costo. El gobierno estaba contra nosotros y trabajábamos en secreto. A las cuatro de la mañana, las luces callejeras se extinguían y quedaba un breve tiempo antes del amanecer. Entonces, actuábamos Siqueiros y yo, cargados con los papeles, brochas y un bote de cemento. En la oscuridad nos apresurábamos para pegar *El Machete* en paredes estratégicas y retirarnos antes del amanecer.
>
> Sufrimos colectivamente por la causa del periódico. A Siqueiros le suspendieron su salario en la SEP por un dibujo que yo hice, uno muy fuerte contra el imperialismo; y yo fui despedido de mi empleo en el Ministerio de Agricultura por un dibujo de Orozco contra el presidente Obregón [...]

## Presiones contra los «macheteros»
## Ofensiva final contra los murales

En abril de 1924, el PCM comisionó a Diego Rivera para que tuviera una entrevista con el candidato presidencial Plutarco Elías Calles y le ofreciera el apoyo condicionalmente del partido. Rivera, que creía posible una alianza con el grupo en el poder, cumplió su cometido. Sin embargo, su posición en el interior del PCM se estaba debilitando, enfrentada con una propuesta más radical, y en la conferencia del 25 de abril fue cesado en su puesto en el Comité Ejecutivo Nacional junto con Díaz Ramírez.

Mientras tanto, los pintores miembros de *El Machete* recibían presiones y amenazas del gobierno por su intervención en el quincenario, transmitidas a través de Vasconcelos. Y en junio, los estudiantes conservadores de la preparatoria, eternos enemigos de los muralistas, pasaron a la ofensiva con la prensa.

Todo comenzó con una campaña de *El Heraldo* contra los murales de Diego volviendo al argumento de las exorbitantes ganancias de los pintores. El sindicato respondió él 22 de junio señalando que el pintor que más ganaba lo hacía tanto como un artesano que pintara paredes por metro cuadrado. El público podía comprobarlo viendo los contratos.

A pesar de las presiones, el 23 de junio, Vasconcelos amplió el contrato de Diego, ahora para pintar la escalera de la SEP a seis pesos el metro cuadrado.

Un día más tarde, el 24, los estudiantes mutilaron los frescos de Orozco y de Siqueiros en la preparatoria. Navajazos, pedradas, palos, raspones...

El fresco de Orozco *El rico arrasa la cara del pobre* quedó absolutamente destruido, al igual que *Monarquía y democracia* de Siqueiros. Los pintores fueron arrojados a la calle. En medio de una huelga estudiantil, el día 25 Vasconcelos accedió a suspender los trabajos en la escuela, a petición de los estudiantes.

El 2 de julio, el sindicato respondió violentamente advirtiendo a los estudiantes y a los profesores reaccionarios que el asunto sería de «ojo por ojo y diente por diente.»

Un día después, Vasconcelos presentó su renuncia definitiva; se iba a hacer campaña para la gubernatura de Oaxaca. Los pintores le agradecieron el día 4 el apoyo, ya que les había permitido trabajar «a pesar de los imbéciles que lo rodean», y se reunieron en sesión. Una parte del sindicato propuso que se respondiera a las agresiones con el boicot a los murales de la SEP, en los que en esos momentos trabajaba Rivera ayudado por Guerrero. Rivera se declaró en contra. Había que seguir pintando si se podía. El sindicato votó por el boicot. Rivera se negó a acatarlo y fue expulsado.

Las mutilaciones prosiguieron reduciendo algunos de los murales a viles restos, y el sindicato, impotente, protestó a través de volantes.

Mientras tanto, Bernardo Gastélum se había hecho cargo de la SEP y el 15 de julio despidió a Siqueiros y a Orozco. Rivera hizo pública su renuncia señalando que estaba en contra del llamado boicot que se proponía el sindicato. De cualquier manera su posición fue inútil. El 23 de julio de 1924 el decreto presidencial 1 200, a petición del secretario de Educación, cancelaba todos los contratos que Diego tenía pendientes con la SEP y además suspendía contratos futuros para pintar murales en el Estadio Nacional y en la escuela Gabriela Mistral.

Rivera siguió pintando a pesar de tener suspendidos los sueldos y por esos días realizó el mural *Afilando el machete*, donde un indígena acuclillado afilando un machete fue acompañado de algunos de los versos del periódico. Se podía morir, pero los muralistas estaban dispuestos a morir al pie del andamio.

Con Rivera fuera del equipo y los miembros del sindicato despedidos, Graciela Amador se hizo cargo de la administración del periódico. Gómez Lorenzo sustituyó a Rivera en la dirección colectiva y Orozco inició sus colaboraciones con una serie de violentísimos dibujos, que mostraban la sana furia que tenía contra el Estado mexicano.

En el número extra del 10 de agosto, los muralistas desempleados declaraban por boca de su secretario general David Alfaro Siqueiros:

> A nadie puede ocultársele la fuerza de la gráfica satírica o simplemente de la plástica como arma social. Los miembros del Sindicato de Pintores y escultores que hemos sido arrojados por los reaccionarios colados en la administración pública, y los que sus intrigas jesuíticas sigan arrojando, colaboraremos en *El Machete*. Cambiaremos los muros de los edificios públicos por las columnas de este periódico revolucionario.

El 3 de septiembre de 1924, uno de los murales de Rivera en la SEP fue dañado por mano desconocida y el sindicato protestó por el hecho, haciendo público que Rivera había abandonado la organización desde julio.

Solo quedaba la posibilidad de que al entrar Calles al poder el primero de diciembre reconsiderara la actitud de Gastélum y la administración de Obregón. Mientras tanto, Guerrero y Siqueiros fueron incorporados, el 16 de septiembre, al Comité Ejecutivo Nacional del PCM por cooptación y el periódico se volvió el eje de la política del partido incorporando cada vez más información sobre las luchas populares, sindicales y agrarias.

## EPÍLOGO AL SINDICATO

La experiencia muralista se encontraba en el final de su primera etapa. Cuando Edward Weston tomó el 24 de noviembre la foto de Rivera, que más tarde este utilizaría para autorretrato, se descubría en el rostro y en la actitud del pintor un tremendo cansancio, una absoluta desesperanza respecto al destino de su obra en manos de futuros funcionarios. Los rumores de que las pinturas serían borradas abundaban. Muchos burócratas del próximo equipo de Calles alardeaban ante todo el que quisiera oír, que la primera medida de Puing Casauranc, futuro ministro de Educación, sería «borrar esos horribles monos de Rivera.»

No sirvió de consuelo que uno de los primeros actos de Calles fuera perdonarle por decreto presidencial a Siqueiros ciento un pesos con veintinueve centavos que este había recibido como adelanto por los murales en la preparatoria.

La política inicial del nuevo ministro de Educación quedó bien reflejada en el contenido de la entrevista que tuvo con Máximo Pacheco, el más joven de los muralistas, a quien pidió que pintara un fresco en el que se viera a un niño rico y a otro pobre tomados de la mano camino de la escuela.

Rivera se fue a pintar a Chapingo y pidió durante el III Congreso del PCM que se le permitiera renunciar al partido y ser considerado como simpatizante, lo que un mes después se acordó; Siqueiros terminó en Jalisco pintando y organizando sindicatos mineros; Guerrero permaneció en la dirección del PCM y realizó decenas de grabados para *El Machete*; Orozco subsistió dibujando viñetas para libros; Revueltas se fue también a la provincia.

En abril de 1925, cuando el PCM se reunió en su III Congreso, las actas dejaron constancia de la desaparición del Sindicato de Pintores y Escultores.

La experiencia había durado treinta y dos meses. Cientos de metros de pared que habrían de maravillar al mundo quedaban como huella, eco, propuesta, magia, talento y descripción de lo mejor de México.

Poco después, Orozco volvió a la preparatoria y sustituyó los murales dañados por otros más radicales en la temática y en la expresión gráfica (*La trinchera*, pintada en 1926, es quizás el mural más brutal y potente de su trabajo: sobre unas masas que vagamente semejan restos industriales se produce una singular crucifixión, tres indios sin rostro de torso desnudo y descalzos han sido inmolados); y Rivera regresó a los patios de la SEP para culminar su obra. Pero esto es parte de otra historia.

También es parte de otra historia el que el autor tenia dieciséis años en 1965 cuando llegó a la Escuela Nacional Preparatoria para estudiar su bachillerato, enamorarse, organizar su primer grupo político clandestino, jugar ajedrez, leer un libro diario, estudiar historia y matemáticas y pasear en medio de aquellos murales. Los estudiantes de mi generación apreciábamos profundamente el orgullo de que se nos permitiera estudiar en medio de aquella visión del país, aquellos ecos de palabras que estaban fuera de moda como: «patria», «pasión», «orgullo». Todavía les agradezco, desde el más profundo reducto de mi alma de ateo a Diego, Orozco, Revueltas, Siqueiros, Charlot, Guerrero, Pacheco, Leal, la experiencia de crecer entre sus muros.

He retornado frecuentemente.

# Larisa, las historias que cuentas, las historias que me gustaría contar

*Mira alrededor, ¿cuál de nosotros no estaba hecho de escamas y reservas nebulosas?*

*No es nuestro propósito, ni mucho menos, negar la importancia que lo personal tiene en la mecánica del proceso histórico ni la influencia del factor fortuito en lo personal.*

# I

La versión que me gustaría escribir diría que siendo hija de un profesor, un académico socialdemócrata, la niña nació un primero de mayo, impidiendo a sus padres asistir a las demostraciones callejeras que acababan en cargas de caballería de los cosacos contra los obreros. Fue en Lublin, en la Polonia rusa, en 1892. Pero el profesor Mijail Reisner, maestro en la Academia de Agricultura de Pulawy, abogado de origen germano-báltico, en esta época no era socialdemócrata, sino civilizadamente conservador, y monárquico por ende.

Me hubiera gustado decir que fue niña de exilios, maletas y baúles, cambios de geografía, interminables reuniones nocturnas con café, té y humo, educada en colegios cambiantes, entre apasionadas discusiones que se comían el fin de siglo donde todo habría de cambiar; pero la versión que más se ajustaba a la realidad fue que los viajes, que sí existieron, y muchos, y que la llevaron de niña por Alemania y Francia, obedecían a movimientos de su padre en negocios.

¿En que momento el profesor Reisner recibió el impacto de la luz? ¿Cuándo dejó su adhesión monárquica y se tornó republicano? ¿Cuándo su conservadurismo se convirtió en socialismo?

El caso es que en la vida de la niña entraron los abuelitos rojos de de toda aquella generación de socialistas que pensaban que el siglo XX sería el siglo de la iluminación y el progreso. Y conoció al abuelito Bebel, que había sido amigo de Marx, y a Karl Liebknicht, y por lo tanto contempló el fin del siglo con cantos proletarios, luces de bengala, fogosos llamados a poner el mundo boca arriba y de los que ahora es nada todo será y también con villancicos y pasteles entre el zoológico de Berlín y la universidad de Heidelberg, estudiando entre hijos de obreros en Zehlendorf.

Esta nueva vida llena de reuniones nocturnas, viajes, susurros, apasionadas conspiraciones, la llevó con sus padres a París y Larisa descubrió los trescientos veinte maravillosos metros de ese portentoso juego para adultos, ese homenaje al acero y a los que lo observamos, que es la torre Eiffel.

Y luego de nuevo en Rusia era una realidad más amplia que los sueños del exiliado; se hablaba de gobierno constitucional, estallaba el movimiento, soplaban a buenos vientos, y nacía la huelga general y la palabra «soviet»; era el inicio del breve intervalo revolucionario de 1905.

Me hubiera gustado contar que Larisa transportó propaganda en su carrito infantil entre las sábanas y las mantas antes de aprender a leer, abrió correspondencia dirigida a su padre por error y se trataba de cartas contando el ascenso revolucionario de un tal N. Lenin y escucho hablar de Marx, como «el viejo Karl» antes de enamorarse por primera vez. Las últimas aseveraciones son ciertas, las cartas de Lenin existieron y fueron mostradas orgullosamente por la familia años más tarde; la primera, la de la propaganda en el carricoche infantil, es difícilmente comprobable; la Revolución de 1905 encuentra a Larisa con trece años cuando sus padres abandonaron el exilio y regresan a San Petersburgo.

Y el profesor Reisner se integra a la universidad, abogado y marxista en territorio, en el mejor de los casos, de liberales complacientes. Y comienza a circular el rumor de que ha trabajado para los servicios zaristas. Algunos intelectuales de izquierda como Plejanov y Burtsev se hacen eco del rumor. Repentinamente las tertulias se disuelven, los amigos desaparecen, el profesor Reisner camina por el pasillo con la mirada perdida. ¿Tiene algún sustento la calumnia? ¿Cómo se pelea con un enemigo que surge de los amigos y que no tiene rostro? ¿Quién puede demostrar que es falso lo que nunca ha sido verdadero? ¿Negar con énfasis no equivale a despertar nuevas sospechas?

El mundo de la conspiración política tiene una clave paranoica. En la Rusia zarista solo se sobrevive dudando, y aún así, los provocadores y los soplones se infiltran, ascienden en la organización, de repente venden células enteras, ponen en la cárcel y la tortura a su mejor amigo, ¿es, por tanto, la paranoia necesaria?

La fuerza del veneno es terrible. Un socialista solo tiene como instrumentos su honra, su prestigio, sus ideas.

Karl Rádek dirá años más tarde: «La amargura y la desesperación se apoderan del hogar». El profesor se aleja de la política. Larisa entiende la gravedad de lo que sucede aunque no puede explicarlo; resiente la falta de calor en la casa, los silencios que la dominan, el alejamiento de los amigos, la profunda tristeza de su padre.

El compañero de los últimos días de su vida contaría que su paso por la secundaria fue «una verdadera agonía». ¿Qué cruza la cabeza de esta muchacha particularmente sensible e irritable? ¿Dónde está el diario de aquella adolescente que parecía ya haber aprendido que escribir era la vida? Que se escribía no solo para contar sino para entender; que contar era de alguna manera reordenar la injusticia exterior, ajustarle cuentas, purificar.

A los diecisiete años, en 1909, Larisa escribe una obra teatral cargada de ensayo, o un ensayo que intentaba disfrazarse de teatro llamado *Atlántida* y que los que lo leyeron llamaron «una metáfora social», en la que, según Rádek, un hombre ofrenda su vida para salvar la humanidad.

Me gustaría contar que en una vida así, los papeles suelen perderse con tan absoluta frecuencia y falta de respeto y que eso sucedió con el manuscrito de *Atlántida* y que la muchacha no lloró su primera obra, porque no se lloran los experimentos y porque la vida es larga y se escribirá tanto de ella y existirán tantas cuartillas escritas con una plumilla fina y letra nerviosa, porque la tensión debe pasar al papel y la Atlántida, ese continente perdido que inventó Platón jugando, no existe, pero los arqueólogos y los bibliotecarios podrían desmentirme. La obra fue publicada en 1913 por Shipovik y aquel que tenga la paciencia y los amigos, puede encontrarla.


## II


En 1914 estalla la guerra y todo se puede consumir en el holocausto, incluida la buena voluntad de la socialdemocracia, voluntad de cambio evolutivo. La guerra es, en más de un sentido, la muerte, el retorno, o el dominio de la barbarie, ya incluida en el zarismo.

Su padre sale del ostracismo de la calumnia, es demasiado grande el compromiso moral para dedicarse a la abstención. Y se alinea con la izquierda socialdemócrata, los que no han sucumbido al patriotismo bélico, los que creen que la guerra imperial no tiene más dios que el poder, los mercados, el control del mundo.

Y Larisa Mijailova emprende la tarea con furor. Junto con su padre funda y edita una revista llamada *Rudin* que expresa las posiciones del socialismo antibelicista. Para poder hacerla, la familia se mete en un sinfín de compromisos económicos que pronto se vuelven deudas. Larisa actúa como la más fiel de las secretarias de redacción, escribe poemas, artículos, contesta la correspondencia, entra en debates con socialdemócratas que han sucumbido al patriotismo guerrero, lleva la contabilidad, pone los paquetes en el correo, anima, agita. La revista es inicialmente aceptada con reservas por la policía, a la que, dado el aislamiento político de los Reisner, no le preocupa demasiado, luego será censurada. Tras haber pasado varias veces por la casa de empeño, los Reisner se ven obligados a culminar la aventura editorial.

Pero cuidado, la imagen es incompleta, no basta reseñar las horas en la revista, los crecientes artículos denunciando el retorno a la barbarie, también hay que observar cuidadosamente a la mujer de veintidós años, muy blanca, de nariz afilada, peinada con rodetes para que no le estorbe la cabellera de pelo muy fino, vestida con la holgada blusa de los campesinos sobre faldas de ruedo muy ancho y colores pastel, fumando ya, que de vez en cuando se escapa de las jornadas interminables de la redacción y desaparece.

Skloski la encuentra patinando, haciendo figuras en la pista de hielo, dejándose mirar y querer por los soldados heridos que la observan.

Mientras dibuja figuras que solo existen en su cabeza, crea la ilusión de la inocencia, ya no quedan inocentes. Es peligrosa la ilusión de la inocencia. La joven comienza a trabajar en los círculos de obreros de las organizaciones de la izquierda socialdemócrata; a bordo de un tranvía cruza San Petersburgo, «Peter» para los republicanos y los ateos, rumbo a los barrios negros y sucios.

Esa jovencita rodeada de papeles y de cartas, de personajes que estaban en la cresta de la sociedad porque eran poetas y su palabra calentaba en brasero los corazones, es también una organizadora animosa, que impone respeto cuando mira fijamente.

El mundo de la socialdemocracia es el mundo de la palabra escrita, de la obsesión del periódico clandestino, de los pequeños círculos de estudio del marxismo, de la *agit-prop*, y Larisa se mueve en ese ambiente como en una gran casa; pasa del experimento fracasado de *Rudin* a colaborar en *Novaya Zhin* que dirige Máximo Gorki.

Y de repente, en las celebraciones del Día Internacional de la Mujer promovido por la socialdemocracia, comienzan las huelgas. ¿Es esto la revolución? No, tan solo un pequeño movimiento que el 23 de febrero de 1917 nace en la barriada de Voborg en San Petersburgo. Me gustaría decir que la joven Larisa intuye que más allá de las huelgas está el inicio de la sacudida social más potente del siglo XX, pero no conozco ninguno de sus artículos, y lo más probable es que haya visto en las primeras huelgas lo mismo que el resto de las socialdemocracia radical: una expresión del creciente hartazgo de la sociedad hacia las penurias de la guerra. Pero ahí están esas banderas rojas en las marchas obreras y las reiteradas demandas de «pan, paz, libertad.»

El 24 creció el movimiento, cuando todos esperaban que decreciera, los cosacos no reprimieron. Para el 25 ya hay doscientos cincuenta mil obreros en huelga y a lo largo del día se suman los estudiantes, se producen choques con la policía, desarme de gendarmes. El gobierno reacciona y ordena una redada de militares de los partidos obreros. Se producen detenciones por la noche; corren rumores de que se ha sublevado un regimiento negándose a disparar contra los obreros. El día veintiséis, domingo, con el ejército en la calle la huelga duda. El 27 las asambleas la ratifican ante el desconcierto de los partidos de izquierda. Los obreros marchan hacia los cuarteles, comienzan las insurrecciones militares, son liberados los presos.

¿Dónde estaba Larisa en las jornadas de febrero? Rastreo decenas de de narraciones sobre la Revolución de Febrero sin encontrar su nombre; finalmente, una breve frase de Viktor Sklovski que dice: «Larisa estaba entre los que tomaron la fortaleza de San Petersburgo y San Pablo. No fue un asalto difícil pero había que estar allí, acercarse a la fortaleza, confiar en que las puertas se abrirán». ¿Se refiere a las jornadas de febrero o habla de la misma acción meses más tarde, en octubre?

Suenan tiros en todo San Petersburgo. Cae la fortaleza zarista, la dictadura se desmorona. Nacen los poderes paralelos, la Duma liberal y burguesa, los soviets de obreros y soldados.

¿Es eso la revolución? Esas asambleas de hombres armados que se quedan dormidos de agotamiento a mitad de una frase; esos personajes salidos de la nada, que adquieren popularidad en un día cuando se revela que tras sus seudónimos se esconde el mito subterráneo que solo la Ochrana y los enterados saben, aquel que es miembro del Comité Central de los socialdemócratas mencheviques desde 1908, aquel que fue miembro de la dirección del soviet de 1905, aquel que insurreccionó a los obreros del mítico barrio de Viborg.

Y Larisa reencuentra el poder de la palabra. Escribe sobre los clubs obreros y sus debates, sobre la cultura fabril, sobre los torpes intentos de construir teatros en las fábricas, sobre las fuerzas que la revolución ha liberado.

Colabora con la revista *Létopis* de Gorki, y luego rompe con él a causa de un violento artículo contra Kerenski. Se vincula a lo más duro y rasposo de la izquierda armada, a los grupos de los marinos de Kronstadt, y allí establece un círculo de estudios.

Descubre a los bolcheviques y se acerca a ellos. Sus amigos de la socialdemócrata moderada y culta la miran sorprendidos. ¿Qué haces con esos tipos? Son una secta. Son unos aventureros.

La Revolución Rusa ya no tiene encanto a fin de este milenio, cuando escribo sobre esta jovencita, este personaje del idealismo de acero. La Revolución Rusa en términos de mito ha sido devorada por su autoritarismo, destruida por el monstruo del estalinismo cuyos ecos justamente suena a antropofagia, tiros en la nuca en sótanos helados, campos de concentración siberiana y abuso en el reino del doble lenguaje de apariencia igualitario y de realidad autocrática. Su triste destino al ser vomitada en un acto final por la burocracia travesti yelsiniana no ayuda demasiado; tomará tiempo a la historia volver a ser historia. Ya no hay magia, sino una sombra de duda en evocar al terco N. Lenin y al brillante León Trotski. Pero Larisa sigue allí y camina por la Perspectiva Nevski con sus ajados cuadernillos y folletos rumbo al tranvía que la llevará a la base naval con marinos y fogoneros, y a descubrir el método infalible para pensar la revolución.

Larisa no escribió su versión de la Revolución de Octubre, lamentablemente no narró aquel par de semanas, y su libro inexistente no está en mi librero acompañando a Reed, a Trotski, a Volin, y tapando los manuales de la Academia de Ciencias de la URSS.

Años más tarde una imagen quedará fijada y aparecerá en otras de sus crónicas, la manera cómo sonaban las campanas del carrillón de la fortaleza de San Pedro y San Pablo, eses campanas suenan dentro de Larisa para darle una de sus claves a la Revolución Bolchevique.


## III

Larisa trabaja en el Departamento de Bienes Culturales, organiza la protección de los museos, cataloga tesoros, recupera el patrimonio artístico que trata de sacar de Rusia, defiende ante el descuido, la violencia o la barbarie las obras de arte del viejo régimen.

Lev Sosnovski cuenta:

> En los círculos de nuestro partido, que había salido de la organización clandestina medio raído, rasgado y poco versado en las elementales convenciones de la vida civilizada, era extraña la figura de una persona cabalmente bella, refinada de pies a cabeza en apariencia, palabras y hechos. Nos habían defraudado tantas veces aquellos a los que nos habíamos acercado que era difícil que nos arriesgáramos a la decepción una vez más; de modo que a Larisa Reisner se le entabló un proceso silencioso e interminablemente repetido que fue transformándose extrañamente a sí mismo. Yo tengo todavía más razones para hablar de esto ya que en numerosas ocasiones me sorprendí poniéndola a prueba.

Las ocasiones de las que Sosnovski habla se sitúan en el inicio de la guerra civil, cuando Larisa, recién afiliada al partido bolchevique, trabajaba en el Departamento de Propaganda con Rádek y Sosnovski, a los que termina fascinando.

Pero esto a Larisa le parece poco y en 1918 se incorpora al ejército rojo.

Se ha casado con el que será su compañero de armas, Fiodor Raskólnikov, un personaje singular, apenas unos meses mayor que ella, estudiante pobre nacido en las afueras de San Petersburgo, formado en internados siniestros en lucha contra popes que lo castigaban, peleando con el hambre, sostenido por una madre viuda, rebelde natural, ligado desde muy temprano a la socialdemocracia rusa, amante de las novelas y poco amigo de los textos teóricos; ha pasado por las cárceles zaristas y las clandestinidades. En la Revolución de Febrero fue el organizador del soviet de los marineros de Kronstadt. Al iniciarse la guerra civil, Raskólnikov enfrenta a los ejércitos de la contrarrevolución en Pukovo y más tarde es nombrado comisario del Estado Mayor General de la Marina.

El ejército rojo se bate en una media docena de frentes, entre ellos uno interno no menos grave, al haber roto con los social revolucionarios a causa de la paz de Brest-Litovsk. Los aliados han desembarcado en el nórdico puerto de Arcángel, los japoneses han tomado Vladivostok, los alemanes ocupan Crimea, Ucrania, Estonia, Lituania y Curlandia, los aliados han desembarcado en Murmansk; por la retaguardia amenazan las tropas del monárquico Kappel y hay bandas blancas en todo el inmenso país, que luego se convertirán en ejércitos.

Pero curiosamente el peligro más grave que afecta a la República Roja viene de la legión checa, un cuerpo extranjero encuadrado dentro del ejército zarista que en retirada hacia Siberia, desde donde debería ser enviado de nuevo a Europa para combatir contra el imperio austrohúngaro, se ha rebelado. Veintidós mil soldados bien organizados controlan el ferrocarril hacia Siberia y cortan en dos a Rusia desde fines de mayo; en agosto toman Kazán y avanzan hacia el Oeste.


# IV


Me gustaría reconstruir lo que pasó en Sviank con las palabras de Larisa, pero no conozco más que fragmentos de *En el frente*, el pequeño libro de relatos de la guerras que habría de escribir más tarde, y entre ellos se encuentran breves noticias de lo sucedido entre el 8 de agosto y el 10 de septiembre de 1918 en aquel apeadero de tren, a muy pocos kilómetros de Kazán.

La historia que se integra al mito revolucionario cuenta cómo en la noche del 7 al 8 de agosto se prepara en Moscú un singular tren con dos locomotoras; entre las adaptaciones que a toda velocidad se hacen al tren, se encuentra dotarlo de una pequeña biblioteca, un garaje y vagones que portan media docena de autos, una sala donde se crea una pequeña imprenta, una potente estación radiotelegráfica y otra telegráfica, con capacidad y materiales para reparar líneas. En la noche del 8 suben al tren el presidente del Consejo Militar Revolucionario de la República Soviética, León Trotski, Iván Smirnov, Arkadi Rosengolz y los miembros de un Tribunal Revolucionario encabezado por Gusiev. Los acompañan además de Larisa Reisner y cuarenta jóvenes seleccionados del partido.

Cuando el tren parte hacia Kazán, tomada por los checos, la situación es trágica, el ejército de los Urales se desmorona, Trotski anota: «Lo único en que coincidían todos era en el deseo de batirse en retirada». Solo se sostiene la división de tiradores letones, bolcheviques del viejo ejército dirigidos por Vazetis. Ese mismo día, mientras las calderas de las máquinas enrojecen y surgen los primeros hilos de vapor blanco en la máquina delantera del tren, se ha decretado la creación de campos de concentración para militares conservadores. Trotski se justificaba: «La situación terrible del país nos obliga a tomar medidas draconianas.»

El tren se detiene en Sviansk y desde ahí comienza la reconstrucción del frente. Trotski sigue instrumentando medidas terribles. La orden del día 15 de agosto dice: «Todo el que colabore con el poder de los checoslovacos y Guardias Blancos durante su dominación será fusilado». Junto a esto comienza a salir el periódico, los activistas se mueven en las filas de las tropas rojas reconstruyendo la moral. No se retrocederá. El tren está ahí para mostrarlo.

El 17 llega la flota de torpederos del Volga a través de una red de canales, cuatro pequeños torpederos, aún con los nombres zaristas en su costado, y unas cuantas lanchas fluviales artilladas y con ametralladoras.

El 18 se revisa la flota, está en un estado desastroso, pero la moral de los hombres de Raskólnikov es alta. Esa misma noche Trotski participa en una incursión hacia Kazán; Larisa va en el puente de uno de los torpederos. En un combate fluvial los rojos ganan su primera batalla y Trotski habrá de escribir en sus memorias una de su mejores páginas narrando el combate nocturno contra la flotilla de los Blancos.

Larisa trabajará primero en la sección de espionaje del V Ejército y luego se sumará permanentemente a la flota. De su primera labor quedará una breve historia:

> Se dirigió vestida de aldeana a espiar en las filas enemigas. Pero en su aspecto había algo de extraordinario que la delató. Un oficial japonés de espionaje le tomó declaración. Aprovechándose de un descuido, se lanzó a la puerta que estaba mal guardada y desapareció.

Más tarde Larisa registrará en *En el frente* algunas de estas historias, no las propias. No contará sus incursiones tras las líneas enemigas para enlazar a la flota del Volga con el tren de Trotski, ni las misiones de reconocimiento que la hacen montar sin parar ochenta verstas a caballo; no contará que fue combatiente como uno más, que disparó, vivió la guerra en la trinchera, un pedazo de pan sucio por todo alimento al día, el compañero que se desangra al lado. Pero podemos leer a un narrador por lo que cuenta, por lo que ve y cómo lo ven sus ojos, por lo que descubre, lo que registra, lo que selecciona, aquello que le interesa, por lo que deja de lado, por el matiz que la primera persona del cronista deja en el texto, por los gestos de admiración, los adjetivos. Podemos leer al narrador en lo narrado, y es otro oficio este de leer en las líneas al que cuenta y no lo que cuenta. En los combates bélicos, Larisa no deja de lado los paisajes, pero trata de armar las historias de los personajes de la segunda fila, esos marinos que se han tragado millares de millas náuticas sin apenas comida, y sin embargo se vuelve central en la manera cómo un marinero, los gestos rutinarios, le quita la funda a su cañón, en una mecánica que, por habitual, no deja de estar cargada de tensión.

Larisa vivirá entonces y escribirá más tarde:

> ¿Tiene o no belleza aquel cuadro cuando una batería emboscada a dos pasos, en la orilla, abre fuego sobre el barco, y el comandante a gritos impone el orden a su gente de la que se ha apoderado un pánico

salvaje y de tal modo les grita que todos despegan sus cuerpos de la cubierta y de un salto se abalanzan contra los cañones?

*En el frente*, su futuro libro, contiene una batalla con el lenguaje, y Larisa la combatirá y se reirá de sí misma y, «¿quién se atrevería a asomar hoy a los labios frases tan cursis y anticuadas como esas de *heroísmo, fraternidad de los pueblos, sacrificio admirable, morir luchando*?»

Y sin embargo cómo contar historias maravillosas y terribles. En un resumen muy apretado de las peripecias de la flota de Kronstadt escribirá:

Imaginaos un puñado de barcos, como una docena de remolcadores y vapores blindados, unos dos mil marineros de las divisiones de Kronstadt y el Mar Negro, que forman su tripulación. Imaginaos tres años seguidos; marchando fusil en mano miles de kilómetros, desde el Báltico a la frontera persa; comiendo pan amasado con paja, pudriéndose en un sucio camarote; consumiéndose en un mísero lazareto lleno de piojos; venciendo, triunfando finalmente contra un enemigo tres veces más fuerte y mejor armado; luchando con cañones reventados y con viejos aeroplanos fuera de uso, que no pasaba un día sin que se estrellaran por la mala calidad de la gasolina, y siempre recibiendo de los que se quedaron en casa cartas llenas de quejas irritadas y hambrientas. ¿Cómo explicarse todo esto? Por fuerza hay que inventar palabras que se sobrepongan a la inevitable, innata cobardía de la carne.

Y Larisa tratará de contar la guerra en su brutalidad, y de narrar la guerra revolucionaria como ella la está viendo desde su puesto en el combate, llena de admiración por personajes que se sobreponen a los miedos, porque están construyendo algo que ni siquiera cabe en su imaginación, un mundo tan extraordinariamente diferente a todos los conocidos, que solo de pensarlo se tiemble con el dedo en el gatillo de la ametralladora. Y se solaza ante la maravillosa historia del rescate de los cuatrocientos veinte prisioneros de los Blancos que estaban a punto de ser masacrados. Y reconstruye la historia de los hermanos K. que fueron pasados a bayoneta; y reseña héroes populares que no pueden quedar en el olvido.

La edición que ha llegado a mis manos de *En el frente* es una versión purgada por el estalinismo; las menciones al jefe del V Ejército, I. N. Smirnov, un personaje que Larisa admiraba profundamente, han desaparecido; los capítulos donde Trotski es personaje central desaparecen y en esta edición se omite el prólogo original en el que Larisa escribe intentando un resumen de aquellos terribles años de guerra:

> La revolución maltrata a sus servidores de un modo cruel. Es un patrón inflexible con el que no hay que hablar de la jornada de ocho horas, de la protección a la maternidad o la subida de salarios. Este déspota lo acapara todo; cerebro y voluntad, nervio y vida. Hiere, agota, chupa la sangre de generaciones enteras para luego arrojarlas al estercolero y alzar nuevas levas, llenas de vigor y de entusiasmo, de las reservas inagotables que le brindan las masas del pueblo.

El texto se fumiga, arde el papel en la vorágine censora de la contrarrevolución soviética, los burócratas temen la metáfora, la alusión que no existe, la falta de respeto; adoran las inexistentes frases que hacen de la revolución un ritual de oración que hace tiempo ha perdido su contenido; la irreverencia que puede darse en aquel que vive la historia y ha ganado el derecho de reírse, pero no florece en el escritorio del censor, donde se establecen las historias oficiales y, por lo tanto, el episodio de Sviansk desaparece de la historia soviética.

Pero eso será entonces, ahora Larisa está encabronada con la Europa que no sabe de la barbarie de la guerra civil y que ignora las matanzas de los trabajadores en el territorio oriental controlado por los Blancos; una Europa sometida al bombardeo noticioso de las agencias del gran capital. En sus retinas quedan las historias que algún día contará. En su memoria la idea eterna de que es triste morir, y que aquí no queda tiempo para la muerte, apenas irte: «Sin Dios y sin el Diablo, espantados ambos por la revolución, con el tiempo justo para decir: *puedes quedarte con las botas.*»

Esta primera campaña es terrible, y al mismo tiempo, a los ojos de Larisa, tiene la belleza de lo imposible. La caída de Kazan destruye la amenaza de la legión checa y permite a la República Bolchevique concentrar su poder en otros frentes.

Un serio historiador francés, J.J. Marie, no puede escaparse de la imagen al mirar con los ojos de la historia a Raskólnikov-Larisa: «Formaban una pareja de cine». Un contemporáneo deja la siguiente descripción de Raskólnikov: «Hermoso, de ojos azules, muy afeitado, tenía aspecto de ser un estudiante inglés, no de un bolchevique ruso». Las fotografías muestran que en ese año Larisa tiene mucho pelo y tiende a tratar de esconderlo en la cabeza, como si la larga melena le estorbara para ser mujer-cronista, testigo que tiene que pasar inadvertido para no ser personaje en la historia que otros hacen y ella cuenta. Enmascara pues la melena con rodetes. Bajo el pelo una mirada maravillosa de ojos cercanos y una nariz afilada sobre labios ligeramente echados para adelante. Poco a poco ha cambiado la blusa campesina rusa por la blusa blanca proletaria, los pantalones holgados de pernera ancha y el capote de marino. Trotski, que tiene una pluma hiriente, no ahorrará elogios en sus memorias para la joven Larisa: «Maravillosa mujer», «figura de diosa olímpica», «fina inteligencia aguzada de ironía y la bravura de un guerrero». Y así debe haber sido vista por los dos mil marineros de la flota que la adoraban.

# V

El invierno hace que la flota se repliegue a su base en Nizhni Novgorod. Larisa continúa trabajando con Raskólnikov, con los comisarios políticos de la flota, hasta que el 18 de diciembre de 1918, en una incursión desde la base de Kronstadt a bordo del Spartak, Fiódor Raskólnikov topa con una escuadra de cinco cruceros ingleses ligeros; al huir se destruye la hélice del torpedero cuando choca con unos arrecifes y los británicos lo capturan frente a Revel.

Larisa, desesperada, trata junto con Sklovski de montar un golpe de mano para liberarlo utilizando carros blindados, porque piensa que los ingleses lo van a fusilar. Está en ellos cuando los británicos desaparecen a Raskólnikov, luego se enterará de que ha sido llevado a Inglaterra. Larisa tiene veintiséis años, ha vivido el inicio de una guerra que parece interminable, y se ha quedado sin su compañero. ¿Cómo son esos meses en estas nuevas angustias y desvelos? ¿Cómo se vive pensando que van a fusilar al hombre del que se está enamorada? ¿Lloran los comisarios políticos en la soledad de la noche?

Encerrado en la prisión de Brickstone, en Londres, Raskólnikov pasará allí cinco meses, hasta que es canjeado por prisioneros ingleses en mayo de 1919.

Larisa trabaja en el Comisariado de la Marina de Guerra, tiene la delicada tarea de actuar con los ex almirantes zaristas que han aceptado colaborar con el ejército rojo.

A su salida de la cárcel, Raskólnikov se hace cargo de la flota del Volga y emprende de inmediato la segunda campaña contra Denikin. Larisa sube de nuevo a la cubierta de las cañoneras. Viajan combatiendo con la flota desde Astrcán hasta lograr la liberación de Enzeli.

## VI

Al final de la guerra civil la pareja «de cine» es enviada a cumplir una delicada misión diplomática en Afganistán , donde una guerra subterránea se libra entre los soviets y el Imperio Británico, que ya ha enfrentado tres guerras en territorio afgano para controlar las tribus y que ahora vigila con desconfianza a un emir con veleidades antiimperialistas que coquetea con los rusos.

¿Qué guardan los archivos del Foreing Office inglés sobre el paso de Larisa y Raskólnikov por Kabul? ¿Qué mezcla de chismes palaciegos, informes de sirvientes, diplomáticos que vendieron el alma, rumores, recogen los informes confidenciales?

Larisa dirá, con un tono en el que por abajo asoma la burla, que una de sus tareas era influir en las varias esposas del emir.

Comienza a escribir. Primero una serie de crónicas de color que se reunirán en un pequeño volumen que habrá de llamarse *Afganistán*: viñetas, reportajes, parodias, algunas crónicas pintorescas de costumbres, de usos. Habrá en el libro una doble voz, la de la narradora y la de la narradora que se revela a través de lo narrado. En una nota de color sobre una fábrica llamada La

Casa de las Máquinas, no solo describe las penurias y miserias de la industrialización del atraso, el capitalismo mezclado con la barbarie, «por mitades feudal y europeo»; también incluye una sorprendente visión del «Oriente, que es todo él, una tierra muda [...] huidizo y mutable, pero inmóvil en el movimiento, sí, quieto como la muerte». ¿De que hablaba Larisa? ¿Del país, del paisaje, de su estado de ánimo?

En otra de sus crónicas dice: «Ya estaba una harta de tanto funcionario afgano y de tanto extranjero cortés y amable, de tanto correcto inglés con la sonrisa siempre a mano», y se ríe de que las «nubes de espías pasan zumbando en todas direcciones[...]»; y se ríe de nuevo del emir, que es un vicioso de las apuestas y que llevará el vicio a apostar cuándo se caerá una copa, cuántos ciclistas vendrán en esa comitiva...

Larisa estaba hastiada, no se pasa fácilmente de las situaciones límite de la guerra civil al lento mundo del espionaje y la diplomacia en un país clavado en el pasado. La historia se estaba haciendo en otra parte, con otros hombres, pero las danzas guerreras le fascinaban; quizá el único tema que arranca el calor en sus artículos es cuando reseña los bailes guerreros de afridis y vasirios, que danzan incendiando, combatiendo sombras, peleando contra los fantasmas de los ingleses muertos en las tres guerras afganas, entonces Larisa vibra con ellos.

Es en esos días de aparente calma cuando Larisa encuentra el tiempo necesario para revisar sus vivencias de la guerra y escribe no solo las notas de *Afganistán*, también las memorias de la guerra en la flota del Volga que habrán de reunirse en un libro: *En el frente*.

Y su vida con Raskólnikov es un desastre. Un anónimo bolcehvique habría de registrarse en su diario: «Sus amoríos con un príncipe afgano se habían hecho públicos en todo el mundo y habían colocado al embajador soviético en Afganistán en una posición embarazosa». Incluso su amiga Elizabeth K. Poretski se hacía eco de la historia: «Corría el rumor de que durante su permanencia en Bujara [era en Kabul] había tenido numerosas aventuras con oficiales británicos, a los que iba a visitar a su acuartelamiento, desnuda bajo un abrigo de pieles».

Hasta en una sociedad tan liberal como la nueva sociedad soviética, donde la búsqueda de los caminos para romper los viejos modelos de la vida se ampliaban liberalmente al mundo del sexo y desde luego del matrimonio, no estaba exenta de puritanismo y desde luego de amor por el chisme. Las historias más fantásticas han de perseguir a Larisa en la URSS. La calumnia vuelve a encontrarse en el centro de su vida como cuando su padre había sido acusado de colaborador de la policía.

Larisa aclarará luego a sus compañeros que «el autor de esos rumores era Raskólnikov, cuyos celos eran de una violencia sin límites. Me mostró una cicatriz en la espalda, que le había quedado de un latigazo que él le había dado.»

Haya elementos de verdad en una u otra versión (y lo siento, Larisa, la distancia y la desinformación no son buenos compañeros para la precisión narrativa, y además no me molesta que te hayas llevado a la cama a todos los príncipes afganos y todos los caballero británicos que se hayan cruzado en tu vida), la realidad es que estas historias han de perseguirla como una sombra. Y me hubiera gustado que estas historias las hubiera puesto en el papel, y hubiera contado cómo el calor y el polvo desgastan a una pareja «de cine», y el aburrimiento destruye los amores. Pero habrá que quedarse con rumores, desmentidos y calumnias y que puritanos y licenciosos adopten sus versiones. El caso es que rompe con Raskólnikov y regresa a la URSS rodeada de rumores de que lo ha hecho bajo una amenaza de expulsión diplomática.

## VII

Se publican los libros. Larisa muestra una visión propia y nada hagiográfia de la revolución y sus líderes, el mismo Lenin es tratado como igual entre iguales en una de las parodias que hace de sus contactos con un financiero americano: «El gnomo riéndose de las quimeras de los hombres». Hay cariño, pero una cierta irreverencia, cuando lo retrata: «Los ojos tártaros y un poco oblicuos.»

En su retorno a la URSS siente cambios que no entiende claramente, se ha abandonado el comunismo de la guerra y se ha instaurado la nueva política económica que protege a los campesinos medios; descubre fenómenos de intransigencia, corrupción y abuso del poder. Rádek cuenta «Todo el verano está inquieta y mira a su alrededor con una íntima aprehensión», y luego se pregunta en su nombre: «¿Alcanzará la podredumbre al organismo del partido?»

Su padre está en problemas, había sido redactor de la Constitución soviética y publicó artículos sobre los peligros de la concentración del poder en un partido único. Retornan las viejas calumnias de que había sido colaborador de la Ochrana zarista. Sus artículos han provocado malestar y se le sanciona por «conducta indigna de un miembro del partido.»

En septiembre de 1923 Larisa se entrevista con Karl Rádek y le pide que la envíe a Alemania, donde se encuentra en estos momentos el centro de la revolución mundial. Los rumores en Moscú dicen que Rádek se ha enamorado locamente de ella y la persigue con tesón. Un nuevo chisme alimenta las calderas del rumor de la ciudad que no por revolucionaria deja de ser pequeñamente provinciana.

Karl Rádek tiene treinta y ocho años cuando se encuentran. Es un personaje que suma todas las contradicciones: judío polaco formado en el catolicismo y en el nacionalismo polaco, pero uno de los precursores del internacionalismo antibélico zimmerwaldiano; organizador del movimiento obrero desde la adolescencia, ligado al partido comunista polaco, al alemán y al ruso. Un hombre de choques y contrastes, de izquierda radical, pero dado a la negociación de los principios, ambivalente; directo y dado al ejemplo vulgar, pero enciclopédico. Una descripción de la época precisa: «Tenía la apariencia de un extraño cruce de profesor con bandido»; feo, cabezón, de barba rojiza, dientes amarillentos por los puros o la pipa que fuma constantemente, vestido habitualmente con traje de paño marrón y polainas que ha hecho su uniforme. En el 23 es el dirigente de la Internacional Comunista y responsable en buena medida de sectarismos, aventuras, virajes políticos, delirios insurreccionales y sensatas desesperaciones.

## VIII

No sé si la relación entre Larisa y Rádek, este extraordinario personaje que bien se merece una novela, se origina en Moscú o en Alemania, pero en los próximos años han de vivir juntos como pareja. El hecho es que ambos se encontrarán en los próximos meses en Berlín, Rádek estimulando un proceso insurreccional cuyos primeros actos Larisa descubre en Dresden, cuando arriba el 21 de octubre de 1923, justo en el momento en que las tropas de los cuerpos francos, los restos del militarismo, dirigidos por Müller, destruyen la huelga general en Sajonia.

Cuando el 24 de octubre se inicia la insurrección de Hamburgo, Larisa quiere marchar de inmediato hacia allá. Rádek se lo impide, no solo es extranjera, sino soviética, y se encuentra ilegal en el país. Larisa en Berlín lleva vida clandestina, se mueve un poco más en la calle que Rádek, obligado por la reclusión, pero se ve forzada a rehuir a la organización comunista que se encuentra en la clandestinidad. Camina, observa, visita el Reichstag, se ríe de los parlamentarios conservadores, hace un retrato desesperado de la miseria urbana, la brutal inflación, las muertes por hambre, el desempleo. Asiste a mítines y manifestaciones, incluso narra la vida de la hija de unos obreros acomodados y su paso por el zoológico.

Producto de este mes, surgen cuatro reportajes que cobrarán más tarde la forma de un folleto, *Berlín, octubre de 1923*. Su prosa se afina, combina el análisis político muy a la manera de Trotski con las habilidades de la descripción naturalista de Zola, el sentido del humor, la creación de micropersonajes, la revelación de atmósferas. Y es dura, ortodoxamente dura: la socialdemocracia conciliadora es el obstáculo fundamental para la Revolución Alemana; la revolución socialista es la única salida para un país destruido por las cargas de la posguerra y la crisis económica.

Finalmente, Larisa no resiste y viaja hacia Hamburgo a la búsqueda del mito de la reciente revolución de sesenta horas que dio a los obreros comunistas el control de la ciudad.

Camina por las calles, observa el mundo industrial, visita a los obreros escondidos, asiste a los juicios, entrevista a las esposas de los detenidos. Al principio le cuesta trabajo entrar, en cuanto se rompe la desconfianza accede a las conversaciones y materiales. Llena cuadernos de notas, llena la cabeza de humo, reconstruye, toma partido. Regresa a la Unión Soviética y se entrevista con Hans Kippenberger, uno de los dirigentes de la revolución que ha logrado fugarse. Compara sus notas con la memoria del militante, revisa, escribe.

Surge *Hamburgo en las barricadas*, que habría de ser su libro más importante. Una narración de la insurrección, que no desprecia un largo prólogo donde las cicatrices en los edificios hanseáticos, las gigantescas grúas de los astilleros, las calles de las putas, los barrios obreros, los bares, los tranvías, los horarios, las mujeres, las frases en dialecto, van construyendo el marco de la aventura del partido comunista, con una clase obrera cada vez más irritada, más agresiva y rabiosa.

Larisa no solo se enamora de los hombres de la insurrección, y de la insurrección en sí misma, a pesar del fracaso; también se enamora del mundo industrial, del ambiente portuario, del olor a arenque y a queso; en medio de esta historia y de los obreros que la protagonizaron está en casa. Y como siempre, contar es fijar en la memoria, construir lo que se niega, lo que se olvida:

> Dos o tres días, o dos o tres semanas después, junto con los periódicos hechos jirones y los carteles hechos guiñapos, arrancados a punta de bayoneta o deslavados por sucios chorros de lluvia, el breve recuerdo de las batallas callejeras, las revueltas avenidas y los árboles lanzados como puentes a través de calles como ríos y callejones como arroyos, también se diluye. Las puertas de la cárcel se cierran tras los convictos en tanto que otros compañeros de lucha, expulsados de las fábricas se ven obligados a buscar trabajo en otra ciudad o en un distrito lejano; los que están desempleados después de la derrota se refugian en los escondrijos más distantes y anónimos, las mujeres permanecen calladas y los niños, precavidos ante las preguntas zalameras de la policía secreta, lo niegan todo. Así pues, la leyenda de los días del levantamiento se esfuma.

El trabajo se edita fragmentariamente en revistas, en un libro finalmente a lo largo del año 1924.


## IX

De nuevo en la Unión Soviética, trabaja con Trotski en la comisión para el mejoramiento de los productos industriales. Pero necesita volver a los caminos, la sangre caliente del reportero la domina.

¿Dónde se gesta la revolución? ¿Dónde están los cambios? En el mundo industrial, en las fábricas y en las minas; lejos de la burocracia de Petrogrado y Moscú. Durante meses viaja a los Urales, a la cuenca carbonífera del Donetz, a las minas de platino de Kytlym, a las fundiciones, a las textileras de Ivanovo; duerme en trenes, en las minas, en los locales sindicales, van saliendo reportajes que luego cobran cuerpo en Carbón, hierro y seres humanos.

Es una visión sorprendente, lejos de la propaganda, de la que no están exentas las leyendas populares, las viejas historias, las críticas brutales a la manera en que viven los trabajadores, o la falta de cuidado contra los incendios forestales; cuenta epidemias, errores burocráticos, hazañas casi imposibles. Narra un mundo que en apariencia puede parecer árido y bajo su plumaje vuelve apasionante. Habla de fundidores con nostalgias agrarias que odian al partido comunista, y de cuadros del partido castigados por error que siguen en la primera línea. Construye personajes secundarios inolvidables, hombres imposibles que juegan con fuego, que se quejan amargamente de que entre el soviet y la mina han acabado con su vida a los cincuenta y tres años, pero que permanecen en el centro de la vorágine por un sentido del deber difícil de explicar. Habla de logros industriales y también de fracasos y vuelve a su fascinación por el mundo industrial, compone páginas maravillosas donde el hierro es personaje de la narración y goza la descripción de los martillos gigantes de las laminadores.

Y la pluma no tiembla cuando critica la política del avance a saltos, mientras se descuidan las condiciones de vida de los trabajadores. Cuenta desde adentro, sin dudar al tomar partido, pero sabe que la adulación y la propaganda son malos sustitutos de la verdad del reportaje.

El libro será escrito en Leningrado donde vive con Rádek, que ha sido excluido de la dirección de la Internacional Comunista responsabilizado por el fracaso de la Revolución Alemana.

# X

A mediados del 24 retorna a Moscú, luego viajará nuevamente a Alemania y escribirá *En el país de Hindenburg*, una reseña de color del capitalismo, con una visión esperpéntica, tocada a veces de surrealismo. Empieza describiendo los monopolios de la prensa, luego revisa el mundo industrial a través de la historia de Junkers y sus empresas bélicas reformadas. Larisa no puede esconder su fascinación por la técnica, su amor por las máquinas, aunque sean bélicas. Y su tono burlón se filtra a veces de encanto en la descripción. Pero estas notas son fundamentalmente material de propaganda y retoma el aliento para maldecir el capitalismo salvaje del renacimiento alemán con su mejor prosa.

*En el país de Hindenburg* se edita en 1925, primero en revistas y luego como pequeño libro.

Apenas ha terminado el trabajo cuando comienza a laborar en un libro sobre los decembristas y en una serie de conferencias sobre la Revolución de 1905; así como una serie de retratos sobre Tomás Moro, Babeuf, Munzer, Blanqui.

En 1926 cae enferma de tifus, su condición física no es buena, está minada por las viejas fiebres de malaria que había adquirido en Afganistán.

Su enfermedad se produce en el momento del ascenso de la derecha en el partido. Stalin y Bujarin comienzan a construir el aparato burocrático que se convertirá poco después en el instrumento de la represión contra su propio partido. La República de los soviets y de los bolcheviques, que ha excluido en los últimos años a mencheviques, a social revolucionarios de derecha, de izquierda, a los anarquistas, camina hacia la dictadura unipersonal de Stalin. Larisa se encuentra capturada entre la enfermedad y el exilio de todos los exilios, el exilio interior.

La enfermedad parece ceder, comienza a reponerse, pero las fiebres retornan. Rádek cuenta: «Hizo el voto de luchar por la vida hasta el final y solo abandonó esta lucha cuando finalmente quedó inconsciente». Muere en el sanatorio del Kremlin el 9 de noviembre de 1926, cuando tenía treinta y cuatro años.

Sosnovski resume en la hora de su muerte lo que veían en ella sus contemporáneos: «Una pasión salvaje por la vida.»

Pero quizá su salida del escenario político haya sido una bendición, sus amigos y personajes, su esposo y camaradas habrán de desaparecer en los próximos años tragados por la voragine estalinista:

Trotski asesinado en su exilio en México; Lev Sosnovski desaparecerá en los campos de concentración; Raskólnikov, el mismo año de la muerte de Larisa, fue separado de sus actividades dentro de la Internacional Comunista, aunque en la lucha interna se alinea con Stalin, en el 37 sus libros pasan a la lista de prohibidos, estando en Francia no retorna a Rusia y envía una carta abierta a Stalin acusándolo de haber traicionado la Revolución Española. Muere en Niza en el año 39, de una manera muy extraña.

Como recuerda Richard Chappell en sus notas a *Hamburgo en las barricadas*, los seis hombres que portaron el ataúd de Larisa habrían de caer de una u otra manera víctimas de las purgas: Rádek asesinado después de los procesos del 37; Lashevich morirá en un accidente en Siberia tras haber sido expulsado del partido; I. N. Smirnov será fusilado tras los procesos de Moscú; Enukidzé será fusilado tras un proceso secreto en el 37; no mejor suerte corrieron Boris Violín y Boris Pilniak.

Remmelé, el líder del partido comunista alemán que protagoniza *Berlín, octubre 1923*, y Karajan, el diplomático que es figura central en el artículo «Krupp y Essen», cayeron también en la matanza estalinista; Hans Kipperberger, el dirigente de la Revolución de Hamburgo, fue detenido en el 36 al descender de un tren en Moscú y ejecutado

Larisa no estuvo allí para contarlo y correr la suerte de sus amigos y compañeros.

Sebastián San Vicente, un nombre sin calle
(una versión maileriana)

# I

La historia como novela: en 1981, reuní los escuetos datos que había conseguido sobre un singular militante español que había intervenido en la formación de la izquierda mexicana de los años 20; era un material francamente escaso, que no dio para más que para una breve biografía de seis cuartillas. Es esta:

El 15 de febrero de 1921, en un ambiente festivo, se inauguró en el auditorio del museo de antropología de la Ciudad de México el congreso de los sindicalistas rojos, que habría de dar nacimiento a la Confederación General de Trabajadores (CGT), la central obrera en que se sumaban voluntades de todos aquellos que no creían en la conciliación ni en el perdón, que creían que entre las clases sociales opuestas solo podía haber guerra y que pensaban que la Revolución Mexicana, cuyos últimos efectos militares se habían producido unos meses antes con el golpe de los caudillos militares norteños contra el presidente Carranza, se había quedado huérfana de programa social, estaba muerta, difunta y enterrada.

En el museo se reunían delegados de pequeños grupos comunistas, anarcosindicalistas y sindicalistas revolucionarios, que pretendían crear una organización de choque ante el sindicalismo domesticado y prohijado por el nuevo gobierno bajo las siglas de la CROM.

Terminaba la revolución agraria, pero el mundo enviaba señales de otro tipo de revoluciones, aquellas del programa maximalista, de todo el poder a los trabajadores; se vivía la era de la Revolución Soviética, de la revuelta alemana, de los consejos obreros de Turín, de la guerra social española. Todo parecía posible.

Entre los delegados, un español de ceja espesa y nariz prominente destacaba por feo, por fuerte, por necio. Representaba a los comunistas de Tampico, a pesar de que era un declarado anarquista. Sus intervenciones en el congreso iban desde la pedagogía: «Todas las cosas en la naturaleza están sujetas a una ley irrefutable, que es la siguiente: todo nace, crece, se desarrolla y muere, pero la materia nunca desaparece», hasta la poética del tremendismo social: «La única patria es el suelo que uno pisa y la gente que uno lo acoge para incendiarlo». Entre estas dos retóricas se movía San Vicente.

Uno de los pocos narradores que dejaron constancia del congreso, José C. Valadés, lo describe de la siguiente manera en dos líneas: «Se golpeaba a sí mismo con el espíritu de violencia, aunque había en él tolerancia en el orden de las ideas. Era anarquista, pero contemporizaba con los comunistas.»

Al final del congreso, San Vicente fue electo subsecretario de la CGT y partió a Tampico a dar la noticia a sus representados de lo que había sucedido, para después reintegrarse al comité en la Ciudad de México.

Reconstruir su biografía previa no era fácil. A los veinticinco años, Sebastián San Vicente había rodado mundo de una manera muy peculiar. Parece ser que era originario de Guernica, en el País Vasco español; parece ser que se decía que era hijo de una familia acomodada y que de alguna manera había roto con ella, se había tornado un vagabundo, y lo había hecho a la manera anarquista, sembrando ideas, llevando motines, participando en los enfrentamientos de clase donde quiera que los encontró. De lo poco que alguna vez contó y de lo que los papeles de la policía, muchas veces llenos de exageraciones, contaban, se podía reconstruir una parte de su historia política:

En algún momento de su juventud se hizo mecánico naval, tras haber sido marino y fogonero. Además del español y el vasco hablaba inglés y francés. Navegó por la costa oeste de los Estados Unidos y vivió un tiempo en Nueva York. Militó en los grupos anarquistas y con los Industrial Workers of the World (IWW). Fue acusado de haber tratado de dinamitar el Mayflower en el que el presidente Wilson regresaba de Europa. De la lectura de los archivos del naciente grupo de Edgar Hoover en el State Department, que luego sería el FBI, se deducía que la información sobre San Vicente era una mezcla de paranoia estatalista con montaje propagandístico.

Cuando trataron de arrestarlo se fugó a Cuba oculto en un vapor. De su estancia en Cuba se sabe muy poco, que se dedicó a la propaganda y viajó como organizador de un grupo clandestino conocido como Los Soviets, que estuvo implicado en actos de sabotaje contra los barcos mercantes y que dejó un proceso judicial pendiente en Cárdenas porque se le escapó a la policía. Quedan vagas noticias de que fundó la filial de la IWW en Matanzas, que habría de tener vida efímera. Al fin, cuando el cerco se cerraba sobre él, viajó de polizón en un barco petrolero y entro ilegalmente en México por Tampico a fines de 1920.

Después de su labor en Tampico y de su paso por el congreso de la CGT, regresó a la Ciudad de México y colaboró en la integración de la Internacional Sindical Roja con militantes de otras tendencias, como la izquierda de la CROM, la Juventud Comunista y los IWW; fue una labor efímera porque a pesar de los buenos esfuerzos de este grupo de militantes, las diferencias entre las corrientes provocaron la ruptura.

Como subsecretario de la CGT se dedicó a apoyar la organización en la zona textil de Atlixco. Escasean las noticias sobre sus intervenciones en particular, aunque abundan las noticias de un movimiento donde combatió el desempleo pistola en mano, tomó haciendas y enfrentó violentamente a los grupos de esquiroles organizados por la patronal y la Iglesia.

No duró mucho su actividad. El 17 de mayo el gobierno del general Obregón, con un pretexto cualquiera, arrestó a doce militantes extranjeros de la dirección de la CGT, el PCM y los IWW y anunció su deportación.

San Vicente fue detenido junto con el norteamericano Frank Seaman (representante de la Internacional Comunista en México) y gracias a las presiones de algunos sindicatos fueron deportados hacia el sur, en lugar de hacia Estados Unidos, donde ambos tenían procesos pendientes: San Vicente por el mítico intento de atentado contra Wilson, y Seaman por estar prófugo del servicio militar.

Enviados a Guatemala por mar, vía Manzanillo, Seaman y San Vicente en cuanto llegaron se dedicaron al trabajo de organización; participaron en reuniones de sindicatos de panaderos, estimularon redes de distribución de prensa y los enlaces de los grupos de izquierda con las organizaciones mexicanas.

Un par de meses después, cruzaron clandestinamente la frontera a pie y regresaron a la Ciudad de México.

A partir de ese momento, San Vicente tomó el nombre de Pedro Sánchez, el Tampiqueño.

Bajo ese seudónimo se supone que actuó en los enfrentamientos contra policías y bomberos en la huelga de los talleres de un centro comercial, El Palacio de Hierro, y en la gran huelga tranviaria de 1922, pero no hay datos concretos que permitan confirmarlo.

En agosto de ese año la CGT acusaba al partido comunista de haber revelado su situación a la policía. Parece ser que en medio de un violento conflicto ideológico que terminó en la escisión del sindicato panadero de la CGT, la prensa comunista reveló la participación de San Vicente en el debate. El hecho es que San Vicente tuvo que pasar de nuevo a la clandestinidad.

En enero y febrero de 1923, la federación tranviaria del DF dirigió un violento movimiento huelguístico contra la compañía de tranvías. El gobernador del DF, el cromista Gasca, lanzó contra los tranviarios no solo a las fuerzas policiales y al ejército, sino que también impulsó el surgimiento de un grupo de esquiroles. Los choques abundaron. El primero de febrero, las autoridades trataron de poner los tranvías nuevamente en la calle, y cuando uno de ellos manejado por esquiroles y con escolta militar pasaba por las calles de Uruguay, donde estaba el local de la CGT, los rojos bloquearon el tráfico y comenzaron los disparos. Poco después el ejército intervenía ampliamente, y los cegetistas (pocos de ellos armados) levantaban barricadas y se defendían en su edificio sindical. Tras una hora de tiroteo contra doscientos soldados armados con rifles, los huelguistas se vieron obligados a rendirse y un par de centenares de ellos fueron detenidos.

Entre los detenidos se encontraba San Vicente, al que la policía no identificó, oculto bajo el seudónimo de Pedro Sánchez y con overol de tranviario.

Por mediación del ministro de Hacienda, Adolfo de la Huerta, los detenidos fueron liberados un día más tarde.

Cuando la policía se enteró por una delación de que había tenido a San Vicente en sus manos, comenzó una búsqueda que tuvo su momento más chusco el 4 de abril, cuando cuarenta policías entraron en el local de la CGT para detenerlo y mientras los obreros se enfrentaban con ellos y los desarmaban, San Vicente huía por la ventana de un baño.

Había constancia de dos fugas milagrosas, sin embargo, solo una línea perdida en los diarios daba noticia de que finalmente San Vicente había sido capturado a principios de julio, y llevado en secreto a Veracruz. El día 15 un grupo de trabajadores de la CGT en el puerto descubrió a San Vicente encarcelado y comenzó a prepararse una movilización para intentar liberarlo, pero las autoridades se adelantaron.

El 16 de julio de 1923, Sebastian San Vicente fue expulsado de México y subido encadenado a un vapor que partía con destino a La Coruña, España.

La prensa obrera mexicana rindió tributo a su compañero deportado. En *Guillotina*, órgano de los inquilinos del puerto, y en *Nuestra Palabra*, de la federación tranviaria del DF, se publicaron protestas. En julio de 1924, el anarquista poblano Antonio Bruschetta pedía informes sobre San Vicente a todos los miembros de las redes ácratas de la prensa. Reportaba que hacía un año que no tenía noticias suyas, que lo último que supo es que había llegado bien a la Coruña, desde donde le había mandado una foto a la que siguió una postal enviada desde Burdeos.

Esta fue la última información que se recibió en México del anarquista vasco. Muchos años después, en 1938, corrió el rumor entre los viejos conocidos de que había muerto en España, combatiendo en los alrededores de Bilbao como miliciano en un batallón de la CNT.

Esto es todo lo que el que esto escribe puede contar. Supongo que es suficiente para explicar el porqué Sebastián San Vicente no tiene una calle que ostente su nombre, y no aparece en los libros de texto.


## II


La novela como historia: ¿por qué te resulta particularmente interesante este personaje del que casi nada se sabe?

Nuevamente son las mismas historias. Son estos tipos que parecen haberse comido a un ángel y que alimentan sus durezas de esta fibra mágica de la terquedad y la verticalidad. Personajes que no oscilan en medio de las tormentas, que no se reclinan. Personajes de gestos, que operan en el terreno donde se mandan mensajes reales, el terreno de los símbolos.

Puede ser que cuando se trata de un fenómeno de masas, «la revolución es una aventura del corazón», como dice Ryszard Kapuscinski, pero cuando la historia se transfiere a lo personal y el ambiente no anda como para grandes victorias sociales, la revolución, sin duda, se transforma en una aventura de la obsesión.

Conforme los tiempos pasan te vas fabricando un entramado de asideros ideológicos que te permiten despertar pensando que estás del lado de la reja que separa el poder del abuso y la gran maldad del territorio de los parias de la tierra, y te permiten acostarte con la buena conciencia de que has resistido al sistema un día más. Una de las lianas de esa trama está formada por la terquedad; esa irracional virtud que poseen los adolescentes y que impide que la lógica de los adultos, que la lógica del poder, los engañen; que el enemigo en nombre de «lo racional y lo posible, lo sensato y lo adecuado», les ocupe su espacio vital hasta expulsarlos.

Es por eso que terminarás escribiendo la historia de «El ángel negro», aunque es una historia de más sombras que luces y en la que encuentras demasiadas cosas que no acaban de gustarte.

Pero, ¡ah maldición! (como dirían en una novela de Salgari que San Vicente debe haber leído a escondidas), esa terquedad, esa maravillosa terquedad, esa tenacidad, ese antídoto pera nuestras noches de debilidad situados ante un televisor que puede que quizá ya no nos engañe, pero que sin duda alimenta nuestros miedos; esa terquedad, pues, se construye. No nace, se hace.

Evidentemente, nadie sabe de dónde salió; como todo buen personaje de novela, aparece de repente, con un sonido de pssshhh que brota del aire y viene dotado de alias y seudónimos, de falsos pasaportes y de falsas historias, de leyendas y de mitomanías paranoicas policiacas.

O sea, de entrada, él no era él.

En algún lugar lees que lo llamaban «El Ángel Negro Exterminador», en otro que leía a Leopardi. Comienzas a trabajar sobre esos dos escasos materiales.

¿Quién era Leopardi? ¿De dónde sale el bíblico y resonante nombre del Ángel Negro Exterminador?

Leopardi, muy mal conocido en México, el conde Giacomo, 1798-1837, poeta de la angustia, el titubeo, la desesperación, la desesperanza, fue el hombre que en medio de una generación de poetas románticos y patrioteros, se dedicó al cultivo del pesimismo como una fuente de inspiración y tema central de su poesía, una defensa tan buena como cualquier otra. Probablemente haya tenido que ver en la sordidez de sus poemas, el que desde muy niño era tullido, contrahecho, y por si esto fuera poco, fue noble miserable, un aristócrata empobrecido.

Para muestra un par de botones: «*En esta inmensidad / anego el pensamiento / y el naufragar me es dulce*», o «*Aburrimiento y amargura / tan solo es nuestra vida / y fango el mundo*».

Curiosa inspiración para un anarquista. Comienzas a leer a Leopardi gracias a una antología bilingüe de la Universidad de Guadalajara rescatada del librero de los volúmenes que nunca pensabas leer.

Si los poemas de Leopardi y una breve nota biográfica aparecieron en esa antología del pensamiento poético, edita cincuenta años después del paso por México de San Vicente, la duda sobre el Ángel Negro Exterminador, te la disipa una *Biblia* protestante que colocó a güevo hace unos años un vendedor de puerta a puerta que te agarró dormido. En el Apocalipsis, 9 aparece un personaje que se llama Apolión, también conocido como Abbadón (nuevamente esto de los alias y los seudónimos), quien resulta un ángel negro, vencido, venido del abismo, ángel derrotado, luciferoso. Su misión, tal como la describe el Apocalipsis, es conducir un ejército de langostas que torturarían durante cinco días al género humano. Esta relación, nada franciscana, con los insectos te fascina.

Tienes los mitos del FBI sumados a las tristezas de Leopardi y a los delirios viejo-testamentaristas de la biblia protestante. El personaje aún no existe, es una sombra.

Buscas la ciudad que lo conoció y cuyo desastroso eso es hoy tu ciudad, la Ciudad de México. En los primeros meses de 1921, no solo iba lentamente reemplazando al caballo por el Packard y al alumbrado de gas por la luz eléctrica; no solo se fumaba mejor tabaco y se bebía aguardiente más puro, también vivía las tensiones de la reorganización industrial posrevolucionaria, los ajustes de cuentas entre los generales triunfadores del Plan de Agua Prieta que habían derrocado a Carranza, y un importante ascenso en las luchas obreras; un movimiento que tras haber naufragado en sus intervenciones durante la etapa armada de la Revolución Mexicana, sentía que había llegado su hora.

Vas al contexto político y al sindicalismo. Al lado de los rojos de la CGT estaban los sindicalistas corruptos. Morones, su jefe, era un personaje de caricatura francamente apasionante, merecedor, si la dispersión no fuera vicio, de aparecer al lado de Abbadón y de Giacomo Leopardi en esta crónica insensata. Habría de llegar a ser ministro de Industria y recibiría los apodos, por su gordura, de la Marrana y la Matildona, visitaría prostíbulos como si éstos fueran su segundo local sindical y usaría tres anillos de diamantes en la mano izquierda. Mexicanidad prepriista, en suma.

Rastreas las posibles lecturas de San Vicente gracias a un documento ajado que reseña los libros de la biblioteca del sindicato de panaderos donde el personaje solía dormir sobre una banca. Entiendes así su anarquismo principesco (de rígidos principios, no necesariamente de los del Príncipe Kropotkin), en nada colaboracionista, muy dado a hacer llamadas al todo o nada, y bastante elemental. Nutrido de la información que podía proporcionar Reclús (Eliseo) en la edición de seis tomos de *El hombre y la tierra*, sobre geografía, humanidad, historia; alimentado con la frase incendiaria de Bakunin y el sentido común e incluso romántico del anarquismo de Malatesta; obrerista, porque Sebastián habría de ver el mundo desde el lado de los que lo trabajan con sus manos.

Podía haber leído, seguro que leía, *Las doce pruebas de la inexistencia de dios* de Sebastián Faure, editadas en un folleto que costaba diez centavos por el Grupo Cultura Racional de Aguascalientes; leía los artículos sobre la esclavitud de la mujer, la higiene sexual y la relación depredadora del hombre con la naturaleza de Federico Urales en la *Revista Blanca* de Barcelona, porque la tomaba prestada del local del sindicato de tranviarios donde tenían una suscripción; leía las novelas de Víctor Hugo, en particular *Los miserables* que la prensa ácrata había puesto de moda; leía horribles poemas del colombiano Moncaleano y *La conquista del pan* del patriarca Kropotkin, quien había muerto el año anterior en Rusia; leía artículos sueltos de Gori y Mella publicados en Cataluña en viejas ediciones de de la *Soli, Fructidor* o *El Productor*, y se fascinaba con la historia de Espartaco o la geografía de los Balcanes. Leía opúsculos de Ferrer Guardia sobre la escuela moderna y las virtudes de la escuela racional. Sabía de Flores Magón, pero aún no había comenzado la fiebre editorial magonista que colaboró a educación política de la CGT durante los siguientes años. Cuando terminas de leer todo lo que San Vicente podía haber leído si se excluye la mala poesía, tu educación sentimental ha mejorado.

Él leía también *El Demócrata* y *El Heraldo de México*, incluso *El Universal*, para enterarse de que la prensa burguesa daba por difunta a la CGT, después de la primera gran cadena de escisiones, deportaciones y represalias. Pero el enemigo se equivocaba y Bakunin desde su tumba en Berna acertaba cuando decía que la fuerza de los anarquistas estaba en «organizar la pasión». Porque la pasión volvía a darle cuerpo a la organización desarticulada por falta de coordinación.

Y Sebastián San Vicente existía porque el personaje dejaba huellas y ecos en otros. Ecos con los que difícilmente se hace historia, pero que permitían ir adivinando, o inventando (que es una manera de adivinar) sus pasos.

Encuentras narraciones de los soviets de Puebla, cuando San Vicente era el principal organizador de la zona, trabajadores que organizan huelgas, patrones que cierran fábricas, obreros armados que en venganza van hacia las haciendas de sus empleadores y las toman al grito de «¡Viva Lenin! ¡Viva la virgen de Guadalupana!» Lees crónicas maravillosas que cuentan que sacaron al patio de una hacienda un piano y alguien tocaba Chopin para aquellos obreros descalzos armados con machetes.

San Vicente se perfila. Encuentras una breve referencia sobre su cariño por las putas y su batalla por dignificarlas sin cambiarles de oficio.

El personaje se precisa.

Descubres que uno no es uno, sino sus ecos. Que la única manera de capturarlo es precisar las decenas de ecos que deja tras de sí.

Amalgamas historias, de él y de otros. Construyes personajes secundarios que con su fuerza permiten potenciar el eco del personaje central.

Estás escribiendo una novela bajo la certeza de que la literatura logra lo que la historia no habrá de lograr, que es reconstruir la historia, el sentido de la historia; escribes feliz sintiendo que el personaje que la historia niega en la neblina, la literatura lo rescata usando las virtudes de la propia neblina como material de fondo.

Revisas la lista de teléfonos de la Ciudad de México a la búsqueda de los San Vicentes posibles. Una experiencia divertida el tener que explicar a los hijos de un empresario de pompas fúnebres que andas rastreando las huellas de medio siglo de un anarquista español. No has de encontrar nada, pero la experiencia se integra a la novela.

Vuelves a los archivos de la policía política norteamericana y de la policía mexicana, pero ya no a la búsqueda de información, sino a la captura del escrito narrador de los chicos de la ley y el orden. Descubrimientos apasionantes en el lenguaje burocrático; es una delicia la explicación que dan los gendarmes de cómo «fue que fueron» a detener a San Vicente y los obreros los detuvieron a ellos y los desarmaron.

Ángulos, planos, canciones, palmeras en Tampico, marcas de medicinas contra la gonorrea, tranvías de mulas en la Ciudad de México.

Ejercicios de imaginación: ¿cómo era la postal que San Vicente envía desde La Coruña? ¿Cómo el sombrero que usaba en Atlixco, Puebla, los días de sol? ¿Cómo eran los días de lluvia tropical vistos por un vasco que adoraba el chipi chipi de la lluvia calabobos del Cantábrico? ¿Qué medicina usaban sus amigas putas contra la sífilis? ¿Quién era el médico que las atendía?

Ejercicios de invención. Narrar es reinventar, recrear, poner en pie las cosas que ya no existen. ¿A quién carajo le importa la realidad? Lo que interesa es la sensación de realidad.

La novela se llamó *De paso* y se publicó en 1987 y se reeditó en 2007. Terminaba o debería haber terminado, o creo que en algún momento la debiste terminar colocando al final la frase del ensayo que ye parecía el epitafio justo del personaje:

«Sebastián San Vicente no tiene una calle que ostente su nombre, y no aparece en los libros de texto.»

# III

La vida como novela de la historia: en el 96 llegué a San Sebastián para dar una conferencia convocada por Pedro, que es el único lector que conozco que no solo se ha leído todos mis libros, sino que además me corrige las inexactitudes.

Llovía en san Sebastián y yo tenía frío, pero el público puso el calor en la conferencia y yo volví a ser una persona y no un conferencista.

Al final de la charla, Pedro me presentó a una muchacha, Socorro, Soko, en medio vasco, que dirigía el Museo de la Marina. Estábamos en un parque, rumbo a uno de los muchos pequeños bares donde se bebe vino y se tapea, en esa ronda interminable y bastante infernal tan a gusto de los vascos. La muchacha me tendió una foto.

—Es la San Vicente —dijo.

Contemplé la foto de una lancha pesquera de unos diez metros, con una rudimentaria caldera en el centro; llevaba como toda identificación el número de la matrícula SSF 898, y para la foto dos marineros tristes contemplan la cámara sentados sobre la lancha, que sin duda está en puerto. Un pie de foto registra que estamos en 1940.

—¿Y esto?

—La hemos rescatado para el museo, y como no tenía nombre, los compañeros, que habíamos leído tu novela, decidimos bautizarla como la San Vicente. No tendrá nombre de calle ni de plaza, pero tiene nombre de barca en un museo vasco.

Y la muchacha sonrió abiertamente.

Debe ser que ella también cree en estas formas literarias de hacer justicia.

# Más vale hacerlo
# demasiado pronto

Imágenes para un programa de televisión
que nunca fue realizado sobre el suicidio
de Adolfo Abramovich Ioffé

# I

Todo es de un blanco intenso y violento. Hay nieve cubriendo la calle. Está sucia. Los hombres golpean las botas contra el suelo para calentarse. Entramos al edificio del Comisariado de Asuntos Extranjeros. Nos abrimos paso a través de una pequeña multitud que bloquea las escaleras, los pasillos. Algunos rostros resultarán vagamente conocidos para el que haya visto fotos de personajes clave de la Revolución Soviética; pero esos rostros solo serán registrados al paso: tensos, ensimismados; tal vez algunos conversan entre sí; otros fuman solitarios: allí estarán Trotski, Rádek, Racovski, Víctor Serge, Smirnov, Sapronov.

Nuestra mirada y las suyas se cruzan a veces. Desaire, abstracción, pequeños bichitos les roen las entrañas. Algunos rumores llegan hasta nosotros. Al final de un largo pasillo, también saturado de individuos, se encuentra un ataúd negro colocado sobre una gran mesa.

Es un incómodo personaje más en la historia, centro de ella, incluso. Por eso las miradas van y vuelven a este féretro solitario.

Alguien, en medio de los rumores, dice con claridad: «El Comité Central fijó para las dos de la tarde la salida del cortejo.» Alguien responde con voz airada: «No marcharemos mientras no lleguen los trabajadores, la salida de las fábricas es mucho más tarde.»

Una luz mortecina entra por la ventana iluminando apenas el ataúd.

Alguien debería decir que estamos en noviembre de 1927, como no encuentro manera de introducir indirectamente esta información me veré obligado a superponer un letrero sobre la imagen del féretro solitario donde se lea: «18 de noviembre de 1927.»

Un hombre arroja una colilla al suelo y la pisa. Un nuevo grupo se acerca a los que discuten en las proximidades del ataúd; tienen noticias.

## II

Suena un disparo. Sobre la almohada cae lentamente, muy lentamente, la cabeza de Adolfo Abramovich Ioffé. Desfigurado por la muerte, los lentes ladeándose, la sangre brotando de la herida en la sien. Sangre que va manchando lentamente la almohada. Sobre la imagen nuevamente el recurso del letrero que dice: «16 de noviembre de 1927», y que nos permite relacionar esta muerte sucedida dos días antes con el féretro.

## III

El hombre nos mira, parece no tener prisa, parece esperar una señal que no llega. Lo hemos visto morir hace unos segundos, bizquea, tiene una potente barba rizada. Finalmente nos cuenta, en un tono de voz un tanto monótono, casi sin distracciones, a una cámara fija en el tripié que no vacila ni busca el contexto, tan solo el rostro y las palabras, que al ser dichas en ruso, obligan a unos subtítulos que las traduzcan; nada de música ni tonterías, nada que distraiga ni enfatice la historia sin adornos:

> Me llamo Adolfo. Nací el 10 de octubre de 1883 en Simferópol (Crimea), hijo de mercaderes ricos. Estaba aún en el instituto cuando en los últimos años del siglo se desarrolló en Rusia el movimiento obrero, manifestándose particularmente en la organización de huelgas, con lo que comenzaron las famosas persecuciones de estudiantes. Entré entonces en el movimiento revolucionario y me adherí al partido obrero socialdemócrata ruso. Por eso, al salir del instituto en 1903, estaba considerado como *políticamente sospechoso* y ya no pude entrar en ninguna universidad rusa. Partí para Berlín...

# IV

Exterior de la Comisaría de Asuntos eExtranjeros. Sobre la nieve, invadiendo la calle, comienza a formarse un grupo. Muchos hombres y mujeres van saliendo del edificio. Muchos más se acercan y confluyen en el centro de la calle. Un hombre saca una bandera roja del interior del abrigo. Otro amarra las cintas de la bandera a un largo palo. Trotski, que va adquiriendo el centro que las miradas de otros le otorgan, se sube el cuello del delgado abrigo negro. Trae además un gorro de piel. El ataúd sale del Ministerio en hombros de cuatro personas. Al menos un par de millares de hombres y mujeres se han concentrado en la calle. En medio de una luz grisácea y la blancura de la nieve, el ataúd se abre paso entre ellos, como si flotara.

En las primeras filas de la columna que se organiza, Christian Racovski, calvo, de rasgos muy marcados, transmitiendo tensiones; a su lado contrasta Iván Nikitich Smirnov, flaco, rubio, desgarbado. Un grupo de militantes georgianos, de abrigos azules, los flanquea. El ataúd pasa ante ellos. Rostros graves, una cierta tensión, incomodidad, frío, rabia contenida.

Racovski nos mira directamente. Tiene 54 años. Una mano anónima le pasa un micrófono. Nos habla:

Soy Christian Racovski. Hace dos días los camaradas Trotski y Zinoviev fueron expulsados del partido. Yo mismo, Kamenev, Smilgá y varios más lo fuimos del Comité Central. Centenares de militantes más lo fueron de sus organizaciones de base. El suicidio de Ioffé es una forma de protesta contra la manera cómo se pisotea la democracia bolchevique [...] Algunas funciones desempeñadas antes por el partido en su conjunto, por la clase en su conjunto, se han convertido ahora en atribuciones del poder, es decir, de tan solo un cierto número de personas de ese partido y de esa clase [...] Nos encontramos ante los *peligros profesionales del poder* [...] No exagero al decir que el militante de 1917 difícilmente se reconocería en el militante de 1927. Se ha producido un cambio profundo en la anatomía y la fisiología de la clase obrera.

## V

La cámara gira velozmente. Se pierde en un abeto nevado, retorna ante el rostro compungido de Víctor Serge que dice: «Tenía un rostro de asirio barbado, de labios poderosos, de mirada desarmante a causa de un duro estrabismo.»

## VI

Ioffé se encuentra sentado ante un escritorio. Está en pijama, lleva una bufanda, se mueve con dificultad, escribe. Su despacho está integrado por una gran mesa sobre la que hay un cuadro de Lenin, libreros, una cama en una esquina y cerca de la ventana.

Una mano anónima le tiende un micrófono. Nos mira sorprendido, no lee la carta que ha estado escribiendo. Hay una cierta melancolía en su tono:

> Siempre he creído que el político debe saber retirarse a su debido tiempo, como el actor que abandona la escena, y que más vale hacerlo demasiado pronto que demasiado tarde.

Se detiene, enciende un cigarrillo; la mano le tiembla.

> Hace más de treinta años me adherí a la teoría de que la vida humana solamente tiene sentido en la medida en que se vive y en tanto se viva al servicio de algo infinito. Para nosotros la humanidad es infinita [...] En esto, y solo en esto, he visto el sentido de la vida [...] Creo poder afirmar que ni un solo día de mi vida ha carecido de sentido [...] Pero ahora parece ser que llega el momento en que mi vida pierde todo su valor, y por consiguiente, me considero obligado a abandonarla, a ponerle fin [...] El año pasado, como usted sabe, el politburó me eliminó por completo, como oposicionista, de toda labor política. Mi salud ha seguido empeorando...

Ioffé se levanta. Titubea al moverse como si no controlara sus movimientos. Se lleva las manos a la sien como si le doliera.

Va hacia la ventana, un farol hiere suavemente las sombras. Al acompañarlo en sus pasos no hemos podido dejar de ver la pistola sobre la mesa en la que ha estado escribiendo. Es un pequeño revólver Browning de seis tiros.

## VII

Son las cuatro de la tarde. Sobre la nieve avanza el cortejo. Deben ser unas tres mil personas, hay algunas banderas rojas desplegadas. La comitiva desciende por el Gran Teatro y toma por la calle Kropotkin. Se van uniendo trabajadores. Con gravedad, los hombres de la cabeza de la columna comienzan a entonar *La Internacional*.

Serge nos lo describe mientras camina reiterando en cierta manera lo visto:

«Es un cortejo gris y pobre, sin aparato, pero cuya alma está tensa y cuyos cantos tienen una resonancia de desafío.»

La multitud se desvanece por un efecto fotográfico, nos quedamos con los ecos de *La Internacional*.

## VIII

Ioffé cuenta en su biografía, un plano americano, apenas si gesticula, solo fuma:

En 1904, por mandato del Comité Central del Partido Obrero Socialdemócrata Ruso, partí para Bakú, llevando las publicaciones ilegales del partido a fin de hacer un trabajo de propagandista.

En Bakú milité en la organización bolchevique, pero en el curso de ese mismo año para evitar la detención tuve que dejar el Cáucaso por Moscú a fin de efectuar las mismas tareas. En esta ciudad me vi muy pronto amenazado de detención y hube de partir a esconderme en el extranjero donde permanecí hasta los acontecimientos de 1905. Regresé inmediatamente a Rusia y participé en la revolución en diferentes ciudades, primero en el norte del país y luego en el sur. En el momento de la rebelión del acorazado Potiomkin me encontraba en Crimea y organicé en seguida la evasión de K. Feldman, uno de los dirigentes del motín, de la prisión militar de Sebastopol. Después de eso tuve que refugiarme de nuevo en el extranjero. En Berlín, tras el congreso de unificación del POSDR de Estocolmo, se me nombró uno de los cuatro miembros del Primer Buró en el extranjero del Comité Central.

En mayo de 1906 por decreto del canciller del Imperio Alemán Von Bülow, fui expulsado de Alemania como extranjero indeseable y partí de nuevo para Moscú, donde fui perseguido por la policía y me vi de nuevo obligado a refugiarme en el extranjero. Parti para Zurich....

# IX

La comitiva se acerca al cementerio del monasterio de Novode-vichy. En estos momentos rebasa los seis mil hombres y mujeres. En la entrada del cementerio, una valla de policías y grupos de la GPU bloquean la entrada. Tratarán de impedir con empujones que filmemos.

Sapronov, cuarenta años, pelo largo y blanco al viento, re-corre las filas: «Calma , camaradas, no nos dejemos provocar. Romperemos la barrera.»

Un grupo de policías se adelanta a conferenciar con los hombres que encabezan la comitiva.

La gente se revuelve inquieta en sus lugares.

Un policía dice: «Tenemos instrucciones de que solo pasen al cementerio veinte personas.»

Trotski airado responde: «Entonces tampoco pasará el féretro y los discursos se pronunciarán en la calzada.»

Un funcionario del Comité Central se acerca. Ignorándo-lo, Trotski, Smirnov, Racovski, se reintegran a la cabeza de la manifestación que inmediatamente avanza hacia la reja. Cuando parece inevitable el choque, la policía, tras un titubeo, abre sus filas. La manifestación penetra al cementerio, el ataúd flotando sobre la multitud, rodeado por las banderas. No hay sonrisas ni gestos de victoria tras este triste triunfo.

Una mano detiene a Trotski que pasa ante nosotros, otra mano anónima le tiene el micrófono. Habla mientras contempla el paso de los manifestantes que desfilan.

Nos habéis expulsado del Comité Central y del partido, y hemos de reconocer que este paso está de completo acuerdo con la política actual en la presente fase de su desarrollo, o mejor dicho de su degeneración. Este grupo gobernante que está expulsando del partido a centenares y miles de sus mejores miembros, a los más fieles bolcheviques como Mrashkovski, Serebriakov, Preobrazhenski, Sharov y Sarkis; camaradas que se bastarían por sí solos para crear un secretariado del partido infinitamente más capacitado y solvente, más leninista que nuestro secretariado actual; esta camarilla Stalin-Bujarin que ha encerrado en las prisiones más herméticas de la GPU a hombres abnegados y admirables como Netchaev, Shtilkod, Vasilev, Schmidt, Fishelev y otros muchos, este grupo de funcionarios que retienen su puesto en la cima del partido por la violencia y la estrangulación de las ideas...

Ha iniciado su intervención frío, apacible, incluso con una media sonrisa que de vez en cuando interrumpe un gesto amargo; pero se ha ido transfigurando, de sus ojos salen chispas, la voz raspa y hiere, el pelo se levanta por el viento que sopla. A su espalda pasan silenciosos los manifestantes hacia el interior del cementerio, pero sus pasos, marcados con fuerza, hacen temblar levemente la cámara.

[...] estos métodos fascistas no son otra cosa que la ejecución inconsciente y ciega de los designios de otras clases. El fin que se persigue es suprimir a la oposición y destruirla físicamente. Ya hay voces preparadas para gritar: «Expulsemos a mil y fusilemos a un centenar para que reine la paz en el partido». Estas voces proceden de hombres aterrados y dignos de lástima, aunque también diabólicamente ciegos. Es la voz de Thermidor. Los peores elementos, corrompidos por el poder, cegados por el odio burocrático, están preparando el Thermidor con todas sus energías [...]

# X

De nuevo en el despacho de Ioffé. Sigue escribiendo la carta de despedida. Parece ignorarnos. Al terminar de escribir firma y se pone de pie; tiene que apoyarse en la silla. Camina hacia la ventana. Aparece un micrófono ofrecido por una mano anónima. Toma la carta que ha terminado de escribir y la lee a cámara, como pidiendo perdón por su torpeza. Nosotros nos sentimos incómodos por haber violado la intimidad, quizá también los espectadores; él, al aparecer, está más allá de todo esto.

Hacía el 20 de septiembre, la comisión médica del Comité Central me sometió a un reconocimiento de especialistas, los cuales me informaron categóricamente de que mi estado de salud era mucho peor de lo que yo me imaginaba y que no debía permanecer un día más en Moscú sin hacer nada, ni continuar una hora más sin tratamiento, sino que debería marcharme inmediatamente al extranjero e ingresar en un sanatorio adecuado.

Durante el espacio de dos meses, la comisión médica del Comité Central no hizo ninguna gestión conducente a mi viaje al extranjero o para mi tratamiento aquí. Al contrario, la farmacia del Kremlin, que siempre me había facilitado los medicamentos por prescripción facultativa, recibió la orden de no hacerlo.

Parece que esto acaeció cuando el grupo gobernante empezó a ensayar con los camaradas de la oposición su política de «herir a la oposición en el vientre».

Desde hace nueve días tengo que guardar cama definitivamente a causa de la agudización y el agravamiento de todas mis dolencias crónicas y en particular de la más terrible, mi inveterada polineuritis, que ha vuelto a agudizarse, obligándome a sufrir dolores estos nueve días he permanecido sin ningún tratamiento y la cuestión de mi viaje al extranjero no ha sido decidida.

Por la tarde, el médico del Comité Central, camarada Potiomkin, le ha notificado a mi esposa que la comisión médica del CC había decidido no enviarme al extranjero. El motivo era que los especialistas insistían en un prolongado tratamiento y que el CC solo concedería para mi curación mil dólares como máximo.

Por esa razón digo que ha llegado el momento en que es necesario poner término a esta vida. Bien sé que la opinión predominante del partido es contraria al suicidio; pero creo que nadie que comprenda mi situación puede censurarme por ello. Si me encontrara en buen estado de salud tendría fuerzas; pero en el estado en que me encuentro no puedo tolerar una situación en que el partido presta su mudo consentimiento a la exclusión de usted de sus filas. En este sentido, mi muerte es una protesta contra los que han conducido al partido a tal situación que no puede reaccionar de ningún modo contra el oprobio.

Deja de leer. Arroja la carta sobre la mesa. Camina de nuevo a la ventana. Vuelve al escritorio. Suena el teléfono.

## XI

Es el otro Ioffé, aquel vestido de negro que nos cuenta su biografía, en un tono monorrítmico, casi sin darle importancia a las historias que va engranando:

En 1907, dejé Suiza para regresar a Rusia, pero en 1908 me vi obligado a retornar al extranjero. Me instalé en Viena donde, con Trotski, comencé la publicación de *Pravda*. Comisionado por la redacción de este periódico, recorrí todas las organizaciones del partido en Rusia. Repetí esta operación en 1911 y 1912.

Durante mi estadía en Odesa, en 1912, fui detenido al mismo tiempo que toda la organización local del partido.

No habiendo pruebas para condenarme, después de diez meses de prisión fui deportado al extremo norte de la gobernación de Tobolsk, en Siberia.

Fui detenido de nuevo en 1913 en Siberia y procesado por el asunto de la unión de marinos del Mar Negro. Ante el tribunal reconocí mi afiliación al partido y se me condenó a la privación de mis derechos civiles y a la deportación de por vida a Siberia[...] Fui incorporado a un batallón disciplinario y sometido a un régimen de trabajos forzados. En 1916 se me juzgó por segunda vez y fui condenado de nuevo a la deportación en una colonia de

Siberia. Ahí continué colaborando con diferentes órganos ilegales. Cuando llegaron a mí los rumores de la revolución, dejé las minas y tras una breve estancia en Kansk para organizar allí las actividades revolucionarias, salí para Petrogrado.


## XII

En el interior del cementerio, el ataúd es transportado de mano en mano, vuela, se eleva, desciende, se ladea, parece repentinamente estar dotado de vida, llega hasta la fosa abierta. El funcionario del CC al que hemos visto antes negociando la entrada de la manifestación, intenta tomar la palabra subido en una pequeña loma. Abucheos, gritos de «¡Que se calle!»

Sobre el féretro alguien ha arrojado una bandera roja. Racovski desplaza al burócrata a un lado y toma la palabra:

«—*Esta bandera / la seguiremos / como tú / hasta el final / lo juramos / sobre la tumba*» —su voz domina la multitud.

Ha pronunciado las palabras de dos en dos, con pausas, sin prisa, es un dramatismo que de alguna manera elude el drama. La nieve que sus frases ha agitado en la rama de un árbol, cae lentamente sobre su cabeza.


## XIII

Ioffé en su despacho dice al teléfono:

—Lev Davidovich, quisiera que pasaras a verme...

Escucha la respuesta, cuelga. Tiene la mirada turbia. Camina hasta la cama, se recuesta. Está amaneciendo.

## XIV

Retornamos a la visión previa de Ioffé contando su vida, a mitad
de la narración una mano anónima entrará en cuadro y le pasará
un vaso de agua, no sabrá qué hacer con él, beberá finalmente
produciendo una pausa. Dirá al principio:

> Con Trotski y otros camaradas publiqué el periódico *Vperiod*. Lue-
> go represené sucesivamente a los bolcheviques en la Duma munici-
> pal de Petrogrado, en el Comité Ejecutivo Central de los soviets de
> Rusia [...] En el VI Congreso del partido (julio de 1917) fui elegido
> miembro del CC del POSDR (b). en el momento de la Revolución de
> Octubre era presidente del Comité Militar Revolucionario...
>
> Fui enviado a Brest – Litovsk, como presidente de la delegación
> rusa de paz. Pero tras el ultimátum alemán me negué a firmar el
> tratado, declarando que no se trataba de un convenio de paz, sino
> de una paz impuesta[...]
>
> Fui comisario de Relaciones Exteriores y de Seguridad Social,
> siendo luego enviado como embajador a Berlín...
>
> Tomé parte activa en los preparativos de la Revolución Alema-
> na y, tres días antes de la insurrección del 3 de noviembre de 1918,
> se me expulsó de Alemania con toda la embajada.

## XV

Es de día en el pequeño despacho de Ioffé. Continúa tendido
en la estrecha cama, con el cuerpo estirado, las manos a los
costados, tocándose las costuras del pantalón del pijama. Su
mujer, María, habla con él. La reacción de Ioffé solo podrá
medirse por los dientes que se clavan en su labio inferior. Sobre el escritorio reposa la carta que escribió durante la noche.
María dice:
—Me respondieron que una estancia breve en el extranjero sería completamente inútil. Me dijeron que la comisión médica había
decidido trasladarte de inmediato al hospital del Kremlin, aunque
reconocen que no tienen los recursos y que no servirá de nada.

# XVI

Tomamos el último fragmento de su narración biográfica. Enumerará fríamente los países y las ciudades, como quien repasa una lección geográfica. Nosotros subrayaremos eso recortando el final de algunas de sus frases, haciendo síntesis, elipsis.

> Fui enviado a Lituania para contribuir a organizar el trabajo del partido[…]
> Al poco tiempo me enviaron a Ucrania[…]
> Fui enviado a Tuequestán como presidente de la comisión[…]
> Fui enviado a Génova como miembro del presídium de la delegación soviética.
> Me enviaron al Extremo Oriente como embajador extraordinario en China.
> En 1924 caí gravemente enfermo. Una vez restablecido, fui a Londres. A continuación me nombraron representante plenipotenciario en Viena[…]

# XVII

Cementerio. Trotski ocupa el lugar de Rádeck. Su voz recorre la multitud; tiene una cualidad eléctrica. En el fondo se siente culpable porque a su vez culpa a Ioffé de cobardía, de abandono, y esto lo enfurece:

> Ioffé nos dejó no porque no deseara luchar, sino porque ya carecía de la fuerza física necesaria para la lucha. Temió convertirse en una carga para quienes están enfrascados en el combate. Su vida, no su suicidio, debe servir de modelo a quienes quedan tras él. La lucha continúa. ¡Que todos permanezcan en su puesto! ¡Que nadie lo abandone!

## XVIII

Ioffé se levanta de la cama. Camina hasta el escritorio. Se sienta y escribe al final de la carta una posdata. Cierra el sobre. Rotula en el exterior: *Lev Dadidovich Trotski.* Lo deposita sobre la mesa. Saca del cajón del escritorio un revólver. Lo toma en la mano. Es el pequeño Browning que hemos visto antes. Se acerca al lecho y se acuesta en la misma posición en la que se encontraba. El revólver descansa a su lado, tomado firmemente por una mano crispada.

## XIX

La multitud se desplaza hasta Trotski y cierra filas en torno suyo. Algunos aplauden. Grupos de jóvenes hacen una valla para permitir su salida del cementerio. Antes de empezar a caminar, Trotski duda y retorna para quedarse mirando la tumba abierta de Ioffé.

## XX

Ioffé lleva el revolver a la sien, alza ligeramente la cabeza de la almohada en una posición forzada, dispara. La sangre brota de la herida, la cabeza cae y reposa en la lamohada. Sobre su rostro, mientras la sangre va manchando de rojo las sábanas, aparece una fecha en superposición: «*16 de noviembre de 1927.*»

## XXI

La casa de Beloborodof está insultantemente iluminada. Trotski vive allí y se encuentra reunido en la cocina con un grupo de seis jóvenes obreros. Discuten animadamente. En el pasillo un par de hombres fuman mientras esperan. Natalia Sedova pasa con un niño tomado de la mano. Alguien dice:

—Lev Davidovich, lo llaman al teléfono.

Trotski se levanta, avanza por el pasillo hacia el sitio donde se encuentra el teléfono. Escucha y escuchamos una voz que dice:

—Adolfo Abramovich se ha pegado un tiro. Encima de la mesa ha dejado una carta para usted.

Trotski se queda inmóvil con el teléfono colgando de su mano, ligeramente caída. No se permite el gesto de rabia que quisiera.


## XXII

Es de noche. Al fondo el despacho de Ioffé. Hay muchas personas en la calle, diez o doce al menos, entre las que destacan Racovski y la mujer de Ioffé, María. En la puerta que da al pasillo se encuentra Trotski, una de sus botas apoyada sobre el arco de la puerta. Una mano anónima le alcanza un micrófono. Narra, se distrae, mira a veces a los obreros que pasan ante él y entran al despacho y salen tras haber contemplado el cadáver. La cámara, con la narración de Trotski siempre presente, también se mueve, a veces para contemplar el continuo movimiento de los militantes de la oposición que entran en el despacho. A veces se ve el camastro sobre el que descansa el muerto. Trotski dice:

Nos trasladamos a toda velocidad a la casa de Ioffé. Llamamos al timbre, golpeamos la puerta y al cabo, después de pedirnos el nombre, nos abrieron, pero no sin que pasase un rato. Sobre las almohadas cubiertas de sangre se recortaba el rostro sereno de Adolfo Abramovich, iluminado por una gran bondad interior. «B», vocal de la GPU, revolvía en su mesa de trabajo. No había manera de encontrar carta alguna. Sabiendo que me había dirigido un mensaje, pedí que me lo entregasen inmediatamente. «B» gruñó diciendo que allí no había ningún mensaje ni nada parecido. Su talante y tono de voz no dejaban lugar a dudas: mentía. Pasados algunos minutos comenzaron a concentrarse en la casa del muerto los amigos que acudían de todas partes de la ciudad. Los agentes oficiales del Comisariado de Relaciones Exteriores y de las instituciones del partido se sentían solos en medio de aquella muchedumbre de militantes de la oposición. A lo largo de toda la noche desfilaron por aquí millares de personas. La noticia de que había sido raptada la carta se extendió por toda la ciudad. Los periodistas extranjeros han transmitido la noticia. Hace algunos minutos le han entregado a Racovski una copia fotográfica de la carta de Ioffé.

Entrega el micrófono, gira, desaparece. La cámara avanza hacia el cuarto donde se está velando el cadáver. El ataúd se encuentra en el centro del cuarto. Serge está fumando en la ventana, mira a la cámara y dice, mientras la cámara prosigue el movimiento hasta ver en el interior del ataúd el rostro del muerto. Vemos y oímos lo que Serge nos cuenta:

«Duerme. Con las manos juntas, la frente despejada, la barba entrecana está bien peinada. Sus párpados son azulosos, los labios ensombrecidos. Ese pequeño agujero en la sien, ha sido cubierto por un tapón de guata.»

# Buenaventura Durruti en México

## Una historia de desinformación

> *Desde que se comprobó que la propiedad privada es un robo, no hay más ladrones aquí que los propietarios.*
>
> RODOLFO GONZÁLEZ PACHECO
> (de un articulo publicado en *La Antorcha*,
> mayo de 1921, en defensa de los
> anarquistas expropiadores).

## ALGO ASÍ COMO LA VERSIÓN DEL CRONISTA POLICIAL DE *EL DEMÓCRATA*

¿Y quién era el hombre de cara cuadrada, rostro amenazante, que enfundado en un traje negro mal cortado, sin duda mal cortado, excesivamente anchas las solapas, y en los bajos del pantalón las valencianas desiguales; deforme el torso a causa de las dos pistolas en los bolsillos que sus dedos acariciaban?; y bien, ¿quién era el hombre que descendió del Packard cubriendo sus ojos del sol con unos lentes oscuros?

¿Quién el que lo seguía a unos pasos de distancia, más bien alto que bajo, ojos de mirar frío, rubio el cabello, un tanto deslavado, como de un obrero que ha sufrido en la vida, cuando el coche se detuvo en la esquina de Uruguay e Isabel la Católica?

¿Quiénes los hombres armados que avanzaban unos metros atrás? ¿Por qué entraban a las 3:45 de la tarde de aquel 23 de abril de 1925 en las oficinas de la fábrica textil (prestigiada por sus bellas telas y finos hilados) La Carolina?

## LOS ERRANTES

A finales de 1924, el propietario de una hacienda cañera situada entre cruce y Palmira en la provincia de Santa Clara, en Cuba, amaneció apuñalado. Sobre su cuerpo, una nota decía: «La justicia de Los Errantes.»

El propietario había roto el día anterior una huelga de cortadores de caña, ordenando a la guardia rural que apaleara a los organizadores.

Entre los trabajadores de Santa Clara, como un relámpago corrió el rumor: una banda de anarquistas españoles que se hacían llamar Los Errantes había llegado a Cuba para matar a los propietarios que maltrataban a los trabajadores. Justicia pura.

Mientras la policía iniciaba la búsqueda de los autores del ajusticiamiento, un capataz conocido por su despotismo contra los cañeros apareció muerto en el distrito de Holguín, a muchos kilómetros del punto inicial, con una nueva nota de Los errantes.

## Algo así como la versión del cronista policial de El Demócrata

No podía ser otra cosa que una banda profesional de asaltantes perfectamente organizados el grupo de hombres que ayer 23 de abril, siendo las 3.45 de la tarde en la céntrica calle de Isabel la Católica 50, en el casco urbano de la Ciudad de México, ha sido protagonista de una de las más escandalosas acciones que se recuerde en la capital en estos dos últimos años.

Horas más tarde del acontecimiento, este reportero, en medio de una molesta nube de agentes de los cuerpos policiales, que hacen más ruido que cascan nueces y que con su presencia zumbona se limitan a embrollar las pruebas y estorbar a los informadores, se personó en el terreno de los hechos y pudo realizar una reconstrucción de los sucesos.

El despacho es amplio, mide más de veinte metros de largo por cinco de ancho. Las puertas se abren a las tres de la tarde. A esa hora precisamente se hace la reconcentración del dinero de los numerosos cobradores que llegan con sus talegas; por ese motivo, la oficina cuenta con cuatro cajas fuertes de regulares dimensiones.

Siendo las 3:45 se encontraban en el interior del despacho de la prestigiada empresa textil el cajero Ángel garcía Moreno y los empleados Felipe Quintana, Manuel Abascal y Antonio Saro. Quintana se hallaba entregando una cantidad que fluctuaba entre los dos y tres mil pesos, producto de las cobranzas de la empresa. Al fondo de la oficina se encontraba el gerente Manuel Garay. A la hora indicada hicieron su entrada en las oficinas seis individuos armados. Los encabeza el mencionado hombre vestido de negro con inconfundible aspecto de extranjero, que tenía en las manos dos pistolas automáticas. Tras él, un segundo individuo de cara afilada, rubio, que encañonó a Abascal.

El joven Quintana, cobrador de la empresa, amedrentado ante la súbita aparición de los malhechores, trató de huir y se le hizo un disparo al aire. Aprovechando esta circunstancia, el cajero, Ángel García Moreno, intentó evadirse por la puerta posterior y fue descubierto y alcanzado por un disparo del hombre de negro. La herida mortal no impidió que se arrastrara hasta la puerta que da al patio posterior; ahí culminó su esfuerzo quedando difunto y culminando una vida de pocas pasiones, que no merecía haber perdido.

Los seis asaltantes, que lucían fieramente sendas pistolas en las manos, desvalijaron la caja grande que se encontraba abierta y salieron con rapidez de la oficina sin tratar de abrir las otras tres. Lo cual demostraba que conocían las rutinas de la empresa, porque aparecieron en el momento de la cobranza, pero que no sabían de la disposición de las cajas fuertes; o sea como quien dice: un trabajo que luce interno y externo al mismo tiempo.

Se calcula el monto de lo robado en una cantidad entre cuatro y cinco mil pesos.

Los testigos insisten en señalar como los dirigentes del grupo a los dos individuos que hicieron disparos, ambos indudablemente españoles. Preguntados los testigos por qué esta seguridad en la nacionalidad de los extranjeros, se debatieron en un mar de contradicciones sin poder salir a flote. Demos por hecho que lo son porque eran de ceja grande.


## LOS ERRANTES

Al finalizar el año 1924, la pareja de anarquistas españoles conocidos como Los errantes había logrado evadir el cerco policiaco y llegar hasta la Habana, donde secuestraron a punta de pistola una pequeña lancha que los llevó hasta un pesquero en alta mar; allí, utilizando el mismo método, convencieron a los pescadores para que los transportaran hasta las costas mexicanas de la península de Yucatán, donde desembarcaron.

Detenidos por agentes aduanales mexicanos que los creían contrabandistas, lograron evitar la aprehensión sobornándolos con poco dinero, y sus captores los encaminaron a Progreso, vía Mérida. En aquel puerto tomaron vapor a Veracruz.

En el puerto jarocho los esperaba un anarquista español llamado Jesús Miño. Los tres hombres viajaron nuevamente, esta vez a la capital de la República, donde los estaba esperando el viejo anarcosindicalista Rafael Quintero, quien los ocultó en el local de su imprenta, en el 13 de la plaza de Miravalle.

Los Errantes se llamaban Buenaventura Durruti y Francisco Ascaso.

### Algo así como la versión del cronista policial de *El Demócrata*

Cuando ayer, o sea, un día después de los sucesos que hemos recogido en anteriores ediciones, arribamos a las oficinas de La Carolina, una multitud de curiosos se agolpaba ante la puerta. Todo el patio y parte de la casa donde estaba instalada la cámara mortuoria se hallaban materialmente recubiertos de coronas fúnebres. Altas personalidades de la colonia española habían acudido al lugar.

El gerente de la empresa, señor Manuel Garay, nos dijo que había sido una demostración que mucho lo complacía, pues todos los presidentes de los centros españoles y de las casas comerciales de importancia de todas las nacionalidades se habían apresurado a manifestar su pena por tan deplorable incidente.

Entre los empleados recogimos esta curiosa confidencia: ayer 23 de abril, hacía precisamente diez años justos que había fallecido la esposa del hoy velado Ángel García Moreno, siendo más notable la coincidencia si se puede aún, puesto que la señora murió a las cuatro de la tarde, aproximadamente la misma hora en que el cajero caía víctima de las balas de los facinerosos.

El señor coronel inspector de policía, en entrevista que celebramos ayer, refiriéndose al asunto de La Carolina nos dijo que había dado órdenes de que se trabajara activamente y sin descanso; que tiene ya muchas pruebas presunciales sobre quiénes pueden ser los bandidos, pero que se desea pruebas de comprobación.

Hablando con uno de los encargados del caso pudimos confirmar nuestra impresión, de que las fuerzas del orden se encontraban en blanco, no sabiendo por dónde iniciar las investigaciones. Esperamos equivocarnos esta vez, pero mucho me temo que mostrarán nuevamente su habitual ineficiencia.

## LOS ERRANTES

América, para el metalúrgico leonés de veintinueve años Buenaventura Durruti, era un peldaño más en una escalera de búsquedas y desencuentros con la revolución social. Tras el fracaso del levantamiento anarcosindicalista contra la dictadura de Primo de Rivera en septiembre de 1924, junto con el camarero aragonés Francisco Ascaso, había decidido cruzar el Atlántico para recabar fondos que se destinarían a la revolución.

Los dos españoles eran hombres de violencia, afincada en sus vidas durante la etapa de enfrentamientos armados que cubrió de sangre, de 1918 a 1923, el territorio español y especialmente Cataluña: choques contra la policía, tiroteos con las bandas patronales, bombazos en empresas que cerraban sus puertas, choques contra esquiroles, tiros contra las bandas armadas del sindicato «libre» apoyado por Martínez Anido, el sangriento gobernador de Barcelona; atentados personales contra patrones, jerarquías de la Iglesia, altas autoridades civiles y militares, asaltos bancarios[...] Una larga lista de acciones violentas que se combinaban con la lucha sindical.

Esta era su trayectoria, que se había multiplicado en el paso por Cuba.

## Algo así como la versión del cronista policial de *El Demócrata*

Tres días después de los trágicos sucesos de La Carolina, confirmando las peores previsiones de este reportero, tan solo un testimonio importante ha podido ser incorporado al expediente del caso.

El jovencito Manuel Cortés, testigo de la fuga, hábilmente interrogado por un agente de la reservada, informó con precisión que el automóvil que usaron los asaltantes (uno de ellos al menos) era un Packard azul placas 19652.

Como dato curioso, habría que añadir que el fruto del robo apenas alcanzó la cantidad de cuatro mil pesos, pues los asaltantes se llevaron talegos de morralla, creyendo que se trataba de monedas de plata, y dejaron en la parte de arriba de la caja cerca de treinta mil pesos en centenarios, pues no los vieron en su apresuramiento.

Los retratos de delincuentes conocidos fueron mostrados a los empleados de La Carolina y al nuevo testigo de la huída, pero en principio no reconocieron a nadie.

Por otro lado parece ser, según impresiones recogidas en medios policiacos, que la detención de Antonio Francia, conocido apache, puede estar vinculada al caso y aportar una luz definitiva.

Francia, miembro de una banda de ladrones de cajas fuertes, es acusado del asesinato del chofer Ignacio Maya, efectuado el mismo día del asalto en las calles de Dos de Abril y Santa Veracruz. El presunto autor del crimen fue detenido casualmente por los agentes 795 y 796 cuando huía del automóvil donde yacía muerto Ignacio Maya con dos balazos en el cuerpo. Francia tenía las ropas manchadas de sangre. La suposición de su intervención en el asalto de La Carolina surge de la cercanía del lugar de los hechos y las autoridades suponen que se trató de una posterior disputa por el botín.

## Los Errantes

Días después de su llegada a México, Durruti y Ascaso, acompañados por Quintero, fueron a los locales de la Confederación

General del Trabajo, la central anarcosindicalista mexicana. Se discutían ese día las penurias económicas por las que estaba pasando *Nuestra Palabra*, órgano de la confederación. Los dos españoles sin cruzar palabra con los asistentes, hicieron una donación de cuarenta pesos.

El ambiente sindical mexicano debió resultarles sorprendente a los anarcosindicalistas españoles. La línea de acción directa y violencia individual había sido derrotada en el seno de la CGT en 1920 y la central había optado por la opción de masas, en la que se encontraba profundamente involucrado en 1925: luchas en el sector textil, en campos petroleros, organización de un congreso agrario.

Los Errantes, tratando de ser útiles, propusieron a través de las páginas de *Nuestra Palabra* la realización de un Congreso Regional Anarquista y se hicieron cargo de la edición de *Rusia Trágica*, un pequeño periódico mensual que denunciaba la persecución de los anarquistas en la Unión Soviética a manos de los bolcheviques.

Ambas acciones encontraron débil eco en el ambiente sindical.

A fines de marzo, los nuevos militantes anarquistas españoles llegaron a México para incorporarse al grupo: Alejandro Ascaso y Gregorio Jover, miembros del grupo Los Solidarios y compañeros de andanzas sindicales y tiroteos de Durruti y Francisco Ascaso en Barcelona.

Una vez reunidos, a iniciativa de Quintero, se trasladaron a vivir a Ticomán, en una granja propiedad de Román Delgado, miembro de la Juventud Comunista Anárquica. Ahí se integró el grupo que asaltaría las oficinas de La Carolina con los cuatro españoles, Román Delgado, el peruano Alejandro Montoya (nacido Víctor Recoba), dirigente destacado de la CGT, y un séptimo personaje, mexicano y miembro de la confederación cuyo nombre no se ha registrado

## ALGO ASÍ COMO LA VERSIÓN DEL CRONISTA POLICIAL DE *EL DEMÓCRATA*

Obtenida a partir de filtraciones en los medios policiacos, este informador puede establecer, sin lugar a dudas, la lista de los delincuentes buscados por el asalto a La Carolina ocurrido hace una semana. Se tiene la casi absoluta certidumbre de que intervinieron en el atraco los siguientes maleantes: Manuel López San Tirso, de nacionalidad española; Mario Fernández Frank, de nacionalidad española; y un cubano, hijo de españoles, conocido en los bajos fondos por el apodo de El Kewpie; parece indiscutible además por el *modus operandi* la presencia del asalto de los dos miembros de la banda de los «texanos». Este informador quisiera hacer una aportación a las pesquisas policiales y añadir a la lista que la policía está investigando los nombres de Ceferino Vázquez y de los integrantes de la banda de Pollán. Por último, un anónimo llegado a nuestra redacción señala como posible chofer del Packard en que se efectuó el asalto al francés Pedro Laney.

Luis Lenormand (alias Antonio Francia) detenido por el asesinato de un chofer y acusado de haber participado en el robo, ha tenido que ser liberado de sospechas por la policía, puesto que no fue reconocido por los empleados de La Carolina; permanecerá encarcelado por el asesinato del chofer Ignacio Maya.

La investigación ha quedado a cargo de Luis Mazcorro, jefe de las comisiones de seguridad, y bajo su mando no menos de ciento sesenta agentes se encuentran laborando, o simulando que laboran, lo cual es práctica habitual entre nuestras fuerzas del orden. Mucho trabajo han de tener con tan larga lista de sospechosos.


## LOS ERRANTES

Es muy probable que la decisión de asaltar La Carolina haya surgido de Montoya, quien como dirigente sindical había vivido los sucios manejos de la patronal a lo largo de todo el año, en complicidad con la CROM, para destruir el sindicato anarcosindicalista que se había levantado en la empresa textil.

La acción se realizó al margen de la organización, que no tuvo conocimiento de los hechos. Montoya se encontraba en esos momentos sin posibilidades de actuar abiertamente y pesaban sobre su cabeza dos órdenes de expulsión del país por sus acciones en México y Tampico como dirigente sindical; era el mismo caso de Román, cuya organización, la Juventud Comunista Anárquica, había sido reprimida por el ejército y la policía años antes.

Durante el asalto, Durruti fue el autor del disparo contra el empleado que intentaba huir y Francisco Ascaso hizo un tiro al aire.

Tras la acción, los mismo del grupo se reunieron en la casa de Delgado para discutir el destino de los exiguos fondos obtenidos, y tras una breve discusión optaron por destinarlo a colaborar con la fundación de una escuela racionalista que la CGT estaba promoviendo, y ceder una parte menor para la publicación de *Nuestra Palabra*.

Durruti y Francisco Ascaso se presentaron en una reunión del Comité Confederal de la CGT e hicieron entrega del dinero. Como su presencia y el origen de los fondos provocó un cierto recelo, Durruti mostró una carta del patriarca anarquista Sebatián Faure donde este le rendía recibo de fondos entregados a la Biblioteca Social.

La misiva disipó las dudas y se aceptó el dinero que había sido robado de las oficinas de La Carolina, sin que los dirigentes cegetistas supieran su origen exacto, aunque suponiendo que habían surgido de una acción violenta.


ALGO ASÍ COMO LA VERSIÓN DEL CRONISTA
POLICIAL DE *EL DEMÓCRATA*

Mientras un grupo de la venerable colonia española ha reunido veinte mil pesos (ofendidos porque los autores del atraco fueron paisanos suyos) como recompensa a aquellos que den pistas o detengan a los asaltantes de La Carolina, las tensiones siguen creciendo dentro de los cuerpos policiacos a causa de la lentitud con la que progresa una investigación que en apariencia no ofrece dificultad; ayer fueron cesados seis agentes de la reservada por su ineficacia.

Las pesquisas realizadas personalmente por este reportero al margen de las instituciones policiacas, tienden a vincular al grupo de La Carolina con el reciente asalto perpetrado en la persona del general Francisco Romero, al que le sustrajeron veinte mil pesos tras quemarle los pies para obligarlo a dar noticias de la existencia de esos fondos en su caja fuerte. Los que cometieron con el general Romero tan bestial atentado fueron tres enmascarados cuya descripción física coincide al menos con dos de los dirigentes del caso de La Carolina.

Luis Mascorro, jefe de las comisiones de seguridad, tiene su renuncia pendiente de un hilo; las pistas que siguen sus huestes no van a ninguna parte. Ayer mismo se realizó una redada en los billares del teatro Colón en la que fueron detenidos treinta y cinco españoles, los cuales en su totalidad tuvieron que ser liberados por falta de pruebas a las nueve de la noche.

La persecución de Fernández Frank y del Kewpie se ha desplazado ahora al puerto de Veracruz y un nuevo nombre se ha añadido a la lista de los buscados por la policía: Leandro Alonso.


## Los Errantes

Durruti dijo a los miembros del Comité Confederal de la CGT:

—Estos pesos los tomé de la burguesía[...] no era lógico pensar que me los diera por simple demanda.

La suma robada ascendía a cuatro mil pesos, los mismos que fueron entregados a la confederación.


## Algo así como la versión del cronista policial de El Demócrata

Tras diez días de suspenso, una sorpresiva acción de la policía ha producido un arresto que saca del atasco la investigación en torno al robo de La Carolina y aportó sensacionales informes.

Ayer, en la casa de la calle República de Cuba, han sido detenidos José Greco y Carlos Pavia, el primero de nacionalidad argentina y el segundo francés. Aunque no fueron identificados en rueda de presos no se duda de su culpabilidad.

Se habla también de la próxima detención de Sansan, compañero de Lenormand en el asesinato del chofer y es que sin lugar a dudas el hombre que puede vincular el asesinato con el asalto a las oficinas de La Carolina. Sus ropas ensangrentadas han sido encontradas durante el cateo realizado en la casa 18 del Callejón de Medinas.

Por último quiero reseñar que esta febril actividad policiaca ha producido otro arresto sensacional: el de Manuel López San Tirso, de nacionalidad española, temible delincuente que fue arrestado en el hotel Juárez de Veracruz.

## LOS ERRANTES

Durruti y Ascaso, tras el asalto, se refugiaron en el hotel Regis. Allí durante algunos días leyeron con sorpresa la prensa capitalina y siguieron azorados la información sobre los múltiples arrestos que se iban produciendo.

Encubiertos por la falsa personalidad de un par de peruanos de apellido Mendoza, dueños de minas, no fueron molestados. El atraco había resultado un fracaso relativo, pero lo que dificultaba futuros planes es que no encontraban en el medio mexicano un grupo de apoyo. La acción de los anarquistas mexicanos estaba volcada en el trabajo sindical y la acción directa de masas, y resultaba difícil organizar un grupo de anarquistas expropiadores, volviéndose muy peligroso actuar por cuenta propia sin tener un grupo de apoyo nacional. Por eso, a fines de mayo, Los Errantes decidieron continuar su viaje por América.

## ALGO ASÍ COMO LA VERSIÓN DEL CRONISTA POLICIAL DE EL DEMÓCRATA

Manuel López San Tirso, conocido como El Gorra Prieta o El Gallego Grande, de cuarenta y nueve años, fue reconocido por el jovencito que lo vio salir de las oficinas de La Carolina con las bolsas de dinero.

—¡Fíjate bien!— gritó San Tirso montando en cólera.

—Sí, señor, usted era.

Con esta dramática escena, culminaba exitosamente la primera detención realizada en firme por la policía. Mientras tanto, en Pachuca, cayó Francisco Rojas, probablemente uno de los choferes del asalto, y al fin, sí, digo bien, al fin, tras una pista falsa que lo había conducido a Teziutlán, el señor Mascorro vio colmados sus anhelos y puso las manos sobre Mario Fernández Frank, Nicolás Elosague (a) El Kewpie, Antonio el Cubano y Luis Sansan, que fueron detenidos en Nautla, Veracruz, y que fueron conducidos al DF por cincuenta dragones a caballo.


## EPÍLOGO

Los cuatro españoles continuaron su periplo expropiador tras vender el coche que habían utilizado en el asalto y pasaron por Chile, donde robaron otro banco, y la Argentina antes de volver a Europa a reencontrarse con su proyecto revolucionario.

Los inocentes maleantes detenidos sufrieron penas variadas de prisión y uno de ellos, Mario Fernández Frank, quien a juicio de sus aprehensores se encontraba «notablemente enloquecido», se suicidó en la cárcel. El señor Mascorro fue ascendido. La escuela racionalista de la CGT supervivió durante un par de años.

# El regreso del último magonero

El viejo miró hacia el suelo como queriendo confirmar que tenía los pies sobre territorio mexicano, y luego dirigió la vista hacia atrás, a los dos agentes norteamericanos que lo habían traído esposado desde Fort Leavenworth y que ahora volvían a internarse en Estados Unidos de Norteamérica. Había ganado una guerra. Suspiró y sonrió. Fue una pequeña guerra, personal, terca. Una mínima satisfacción dentro de la enorme derrota.

En la cabeza, compuso su primer manifiesto en territorio mexicano: Manifiesto a los trabajadores del mundo dos puntos aparte Soy el felón presidiario de Leavenworth punto y seguido Soy el insoportable coma el trastornador del orden puntos suspensivos Vengo deportado para no volver jamás Interrogación (porque ahora las máquinas de escribir tendrían interrogación de apertura, ¿o no la tendrían?) y que se cierra interrogación Eso también me honra ante vosotros punto Admiraciones ¡A la lucha hermanos! Vengo dispuesto a ayudaros en la continuación de la obra interrumpida…

Porque de eso se trataba, de reanudar, de volver a la guerra social. Ese pensamiento lo había salvado de morir de tristeza cuando asesinaron a Ricardo. Ese pensamiento lo había mantenido en pie.

El viejo (¿es un viejo este hombre que ha cumplido hace un par de meses tan solo cincuenta y nueve años?) sabe que tiene que abandonar las antiguas historias. No son malas historias, por cierto, pero hay que abandonarlas, dejarlas reposar en las noches de sueños de gloria y pesadillas. «Sería lamentable gastar la poca vida que me sobre en comtemplaciones y lamentaciones», se dice.

Yo tampoco voy a volver sobre esas viejas historias para contarlas, ya lo hizo en su día Jmaes D. Cockroft y lo hará pronto mi amigo Jacinto Barrera. El viejo y yo estamos hoy, setenta años después, aquí, reunidos sobre los papeles, para contar una historia que empieza cuando a un hombre de cincuenta y nueve años, desdentado, mermado por la enfermedad («salgo hecho un harapo humano; enfermo, viejo y ya sin dientes»), dos agentes policiales gringos le quitan las esposas y lo dejan en la raya fronteriza. La historia empieza cuando Librado Rivera regresa a México tras dieciocho años de exilio, de los cuales ha pasado once y medio en las cárceles norteamericanas. Cuando Librado regresa a su país a vivir su última gran aventura, a darle forma y contenido a la alucinante saga de la que será protagonista en los próximos nueve años.

Por tanto, esta historia se inicia a fines de octubre de 1923 cuando el último magonero cruza la frontera. Aunque quizá haya que retroceder brevemente, cinco años quizá para ofrecer un resumen apretadísimo de los orígenes de su detención y de la guerra privada y pública que ha permitido que Librado este hoy pisando tierra mexicana.

En agosto de 1918, Librado Rivera y Ricardo Flores Magón fueron sentenciados a quince años de prisión por delitos de prensa en Estados Unidos. Su *Manifiesto a los trabajadores del mundo* fue pretexto para que en medio de una tremenda oleada represiva, que afectó a toda la izquierda radical norteamericana, los mexicanos fueran detenidos y el periódico *Regeneración* clausurado. Su detención marginaba muy oportunamente al ala más radical de la izquierda revolucionaria mexicana. Cuatro años más tarde derrotado Pancho Villa, asesinado Emiliano Zapata, triunfantes los sectores moderados, la revolución en proceso de institucionalización. Los congresos de los estados se hicieron eco de las demandas obreras y presionaron al gobierno de los Estados Unidos para que liberara a los magonistas presos. En abril de 1922, la legislatura yucateca hizo su solicitud a las autoridades norteamericanas y en los siguientes meses se pronunciaron en el mismo sentido los congresos de San Luis Potosí, Durango, Sonora, Coahuila, Querétaro, Hidalgo, Aguascalientes y México. A la iniciativa oficial se sumaron miles de cartas de organizaciones sindicales, acompañadas frecuentemente por movilizaciones, paros y manifestaciones ente los consulados norteamericanos en México. La presión no fue suficiente. Presos estaban y por ahora presos se quedarían ¿Solo presos? El 16 de noviembre de 1922 muere Ricardo Flores Magón en circunstancias muy extrañas. El médico de la prisión extiende un certificado atribuyendo la muerte a una angina de pecho. Librado Rivera es obligado a comunicar la noticia al exterior sin expresar sus dudas. Que ha muerto a causa de la falta de atención médica es evidente pero, ¿ha habido algo más? En la cárcel circulan rumores de que fue estrangulado por un celador. Días después, un preso mexicano mata al supuesto asesino. Todo queda entre sombras. A Librado se le impide no solo investigar, también, informar al exterior («lamento no poder mencionarte nada que se refiera a nuestro común hermano, no tengo la libertad para hacerlo»).

Durante un par de meses, el viejo cae en una tremenda depresión y postración nerviosa en su celda, de la que solo lo sacan las noticias sobre la recepción que se da en México al cuerpo de Ricardo: «Esas manifestaciones de cariño por parte de nuestros compañeros los esclavos del salario me hacen mucho alivio y tranquilidad a la mente.»

Después de todo, la muerte no es el anonimato, la soledad final. Los «otros» que han sido solo imágenes en los últimos días del magonismo, existen. Son obreros, campesinos, comunidades agrarias, sindicatos, banderas rojas y negras en las estaciones del tren, gritos de: «¡Viva Tierra y Libertad!», rumor de multitudes.

Librado Rivera se estremece sacudido por el grito o por el silencio de los grupos de trabajadores que velan el cuerpo de Ricardo al otro lado de la frontera. El último magonero vibra con el homenaje y se apresta para el próximo combate que se dará cuando cruce el río Bravo.

En abril de 1923 la Cámara de Diputados de San Luis Potosí aprueba una pensión de cinco pesos diarios para Librado Rivera mientras se encuentre en prisión; él la rechaza: «No quiero nada del Estado», dice. Ese mismo mes, reafirmando su anarquismo, escribe:

Se me exige obedecer la ley, ¿y qué ley está hecha para ayudar al pobre? Todas las leyes están hechas para proteger al rico, y la más inicua de todas es la ley que considera como sagrado el derecho de propiedad privada, base de todas las desigualdades sociales y de todas las injusticias [...] Si esa ley no existiera, las dificultades se arreglarían fácil y satisfactoriamente en bien de todos [...] Mis sentimientos y mi amor a la humanidad están muy por encima de toda ley.

Las movilizaciones en México, la muerte de Ricardo, el carácter de «precursores de la revolución» ( de «esa» revolución que hoy es poder) con el que el gobierno quiere institucionalizar a los magonistas para sacarlos de la lucha diaria y colocarlos en los libros de historia, permite que se cree un frente amplísimo por la libertad de Rivera. Desde los anarcosindicalistas de la CGT y los sindicalistas ferroviarios, hasta la dirección corrupta de los sindicatos oficiales de la CROM, desde los ex magonistas que integran el ala izquierda del gobierno como Díaz Soto y Gama o Villareal, hasta el propio presidente Obregón o el ex presidente De la Huerta, se movilizan en mayor o en menor grado y presionan a los norteamericanos.

A principios de mayo de 1923, el embajador mexicano en Washington interviene ante el Departamento de Estado pidiendo el indulto para Rivera. El Departamento de Estado pospone su respuesta, hasta que sus enviados sondeen al viejo en la prisión de Leavenworth. El día 9 se le ofrece la libertad bajo palabra, y se niega a aceptarla. No se reconoce culpable, no reconoce el delito por el que ha sido encarcelado («no es un acto criminal sino un laudable acto de justicia»). El día 27 las autoridades insisten en que acepte un indulto condicionado al reconocimiento del delito y solo logran del viejo la siguiente respuesta:

Lejos está de mi mente la idea de abandonar la lucha emprendida desde hace tantos años a favor del pobre. Las amenazas y castigos no me acobardan ni desaniman; mucho menos me convencerá de que he obrado mal. Estas tácticas producirán bellos resultados sobre chiquillos [...] no doblaré la cerviz, nunca me arrepentiré.

El Departamento de Estado decide, por tanto, no conceder el indulto que Rivera se niega a aceptar y lo informa en junio a la Embajada Mexicana. Pero las presiones siguen. Al fin, el 6 de octubre, las autoridades norteamericanas, bastante hartas del «caso Rivera», deciden conmutar la sentencia de quince años por la deportación. Librado ha vencido. La Embajada Mexicana le ofrece, a través del cónsul de México en Kansas City, el pago de los gastos de transporte hasta el punto de México que él elija.

Librado contesta: «No estoy dispuesto a aceptarlo, a pesar de mi pobreza y los escasos fondos con que cuento»; y más tarde le escribirá a un compañero: «Preferí venir preso e incomunicado como me trajeron los esbirros de aquel país, hasta que me entregaron en manos de las autoridades mexicanas en la línea fronteriza.»

En la frontera, el último magonero se encuentra sin dinero, enfermo, sin planes; a no ser que se pueda llamar plan a la intención de ir a San Luis Potosí a ver a su anciana madre («temo que ya no me reconozca la pobrecita»). Su esposa ha muerto durante la etapa de prisión en Estados Unidos y sus hijos se han quedado al otro lado de la frontera; sus compañeros de lucha han caído en combate en infinitos levantamientos y enfrentamientos armados en los últimos veinte años, y los que no, se han rendido ante el realismo cínico de la revolución a medias. Pero Librado, hombre rodeado de derrotas y muertos, velador de principios y de cadáveres intrañables, no se ha rendido. Cualquier observador imparcial podría detectar un brillo en los ojos del rostro moreno y anguloso, una fuerza que irradia la cara rematada por una mata de pelo chino aborregado que tiene ya bastantes canas, y el cuerpo cubierto con un traje que parece estar en el gancho equivocado. Librado dirá en una carta a un compañero al referirse a su situación: «No importa, hermano, energías tengo de sobra para seguir en la brega.»

Nicolás T. Bernal, el hombre orquesta del Comité pro Presos de la CGT, a la desesperada, ofrece libros gratis a los que le envíen una pequeña ayuda económica a Librado. Parece ser que el plan funciona porque Rivera se traslada a San Luis Potosí, y se instala en la casa familiar, en la tercera de Vallejo número 16. Casi de inmediato pronuncia en un club obrero un discurso sobre los presos de Texas, los magonistas aún detenidos, y edita un *Manifiesto a los trabajadores del mundo*, donde después de declararse listo para proseguir la lucha, informa que se encuentra trabajando en un texto sobre la muerte de Ricardo Flores Magón, pero que las enfermedades y la falta de recursos le han impedido terminarlo.

Parece ser que en esta primera etapa se dedica a retomar relaciones epistolares con los grupos anarquistas regados por el país y con sus viejos amigos norteamericanos y europeos, recobrar fuerzas y colocarse en el panorama nacional. Las cosas se ven de una manera harto diferente cuando las rejas y la distancia no alteran y deforman la visión del país lejano: están Obregón y sus ex magonistas en el poder, está la revolución de mentiras, está la oposición obrera anarcosindicalista, la CGT, a la que observó con cuidado, porque sin duda hay afinidades; pero Librado viene de muchos años de vida sectaria en el violado santuario magonero norteamericano, y no es cosa de asociarse con el primer advenedizo. Los proyectos varían, los nombres cambian; está el sindicato amarillo, al que desde la cárcel Flores Magón y él consideraron un aliado potencial por los apoyos que daba a la causa de los presos, pero la CROM vista desde cerca más bien le parece un nido de ratas que ha usado y abusado del prestigio de Ricardo para sus fines de crear un sindicalismo aliado al gobierno; están los grupos, sobre todo Nicolás T. Bernal y su trabajo de divulgación del pensamiento magonista; y está Enrique Flores Magón, el hermano del patriarca, el último desertor, al que hay que vigilar cuidadosamente, sobre todo ahora que se ha embarcado en una gira de propaganda por la República, que le ha producido si no éxitos, sí abundante eco publicitario.

Todo esto hay que verlo con cuidado antes de tomar decisiones, piensa el viejo Librado, mientras el aire de San Luis y la comida lo van revitalizando.

El «enemigo» se acerca al viejo, coquetea con él. La operación de institucionalización de los «precursores» se le aproxima. Obregón practica un método que sus herederos institucionalizarán en México durante décadas:

> Durante mi estancia en San Luis Potosí se me ofreció una curul para senador, otra para diputado y, por último, un alumno mío, actual director de la Escuela Normal para profesores de aquella misma ciudad, me ofreció las cátedras de Filosofía y Pedagogía, ganando un sueldo regular. Pero nada de eso acepté a pesar de la miseria en que siempre he vivido.

¿Qué busca Librado mientras se repone físicamente? Una continuidad del proyecto magonista. ¿Y esa continuidad, por dónde pasa? ¿Qué puede ser el magonismo sin su original razón de ser, el combate a la dictadura de Porfirio Díaz? ¿El enfrentamiento al gobierno reaccionario de Carranza y su piel de oveja? ¿Cuáles son los caminos de la próxima revolución, la que destruirá al Estado, la propiedad privada, traerá el reino de la solidaridad a la tierra?

Algunos amigos lo animan a buscar un entendimiento con Enrique Flores Magón, que durante todo 1923 recorrió el país en una gira de agitación promoviendo el relanzamiento de Regeneración. Le sugieren incluso la posibilidad de animar una Federación de Grupos Anarquistas Mexicanos, reunir las dos docenas de grupos en que se refugian los restos del movimiento magonista y los nuevos hombres que surgen al calor del sindicalismo ácrata de la CGT y que lo proponen como uno de sus tutores ideológicos. Librado se muestra reacio a estas proposiciones. Parece que no cree en las organizaciones centralizadas, por tanto, se niega a impulsar una federación. Viene convencido, sin embargo, de las virtudes de la propagación de la idea, de las magias de la palabra escrita. Simpatiza con la CGT, pero no se une a ella. Las tensiones entre el pasado y el presente son muy grandes.

Hacia fines de junio, su amigo Pierre comprueba que el viejo está «mejor de salud y el equilibrio vital se va operando poco a poco en su quebrantado organismo por el largo cautiverio en Leavenworth.»

Un mes después, Librado participa en la organización del Grupo anarquista Tierra y Libertad en la ciudad de San Luis Potosí, cuya función esencial será hacer «propaganda revolucionaria entre los campesinos», y del que forman parte quince jóvenes militantes.

La hora de volver a la brega se acerca. San Luis Potosí es un escenario limitado para las próximas acciones. Librado, además, en el hogar familiar, se encuentra muy presionado por su anciana madre, que en una crisis de senilidad trata de que su anarquista hijo regrese al seno de la religión. La coyuntura para dejar la ciudad se presenta cuando José C. Valadés, dirigente de la CGT, pasa por San Luis Potosí de regreso de Tampico y rumbo a la capital. El puerto petrolero se encuentra en plena efervescencia a causa del sindicalismo revolucionario, y no es difícil reconstruir los argumentos de Valadés. Tampico es un verdadero baluarte de la confederación, no importa el número de adherentes (cerca de doce mil) sino su valor moral. En primer lugar, su fuerte y valeroso elemento anarquista (es la única parte del país donde hay camaradas de diversas partes del mundo, hasta asiáticos); y en segundo, que la organización obrera en Tampico afecta los grandes intereses de Wall Street.

El principal obstáculo, el económico, parece resolverse con una invitación del floreciente sindicato anarcosindicalista del petróleo para que Librado vaya a Tampico y comience a dar conferencias en las diferentes secciones de la organización. Librado no duda y tras su conversación con Valadés (segunda semana de septiembre de 1924) hace las maletas y se va al corazón de la guerra social. ¡Tampico!

Ciertamente, el puerto y su ciudad gemela, Villa Cecilia, son el corazón no solo de la zona petrolera y portuaria, lo son también de un ascenso de las luchas obreras. Los anarquistas disputan acremente la dirección ideológica del movimiento con otras cuatro tendencias. Un fenómeno solo visto en esa región, mientras que en otras partes del país la lucha tiende a producirse entre tres fuerzas: amarillos cromistas, blancos patronales y rojos (anarquistas, comunistas o *woblies*). En Tampico todo es complejo: hay amarillos cromistas que utilizan sus relaciones con el gobierno central para crearse un espacio de maniobra. Librado aún no lo conoce bien, su radicalismo declarativo, sus homenajes a los próceres magonistas, lo confunden, no los entiende todavía como lo que son: parte del proceso institucionalizador de los «precursores», en el que se quedan apariencias y palabras, pero no compromiso con las ideas y los actos. El centrismo, conocido en Tampico como autonomismo, tiene su punto de apoyo en la gran organización de los alijadores, de relaciones no muy transparentes con la gran figura política local, Emilio Portes Gil. En torno a ellos y a su poder, múltiples sindicatos se organizan. El partido comunista ha colocado una pequeña cuña en el movimiento a través de su organización local, en la que militan algunos cuadros destacados del sindicalismo petrolero. Además existe en el puerto una tendencia de los IWW.

En el campo anarquista, dos grupos brillan por encima de los demás: los Hermanos Rojos, de Villa Cecilia, un grupo dedicado a labores, que ha mostrado su constancia editando primero *El Pequeño Grande* y luego *Sagitario*, y *Los Iguales*, dedicado de lleno a la organización de la federación local de la CGT, que en el último año ha logrado, tras dos luchas tremendas (las huelgas de los trabajadores de aguas minerales y de los petroleros de la Huasteca), levantar la organización anarcosindicalista.

Curiosamente, Librado opta por incorporarse a los Hermanos Rojos. La labor de propaganda está más cerca de su experiencia, de su entendimiento. Pero al mismo tiempo que se suma al anarquismo más cerrado, más de grupo y menos «línea de masas», le inyecta nuevos aires.

Un informe del secretario de la CGT a la Internacional anarcosindicalista (la AIT) registra en solo un mes el cambio que se ha producido: «Los compañeros que en Tampico editan *Sagitario*, por ejemplo, encerrados en su grupismo, tenían completamente abandonado al movimiento obrero, ahora han comprendido su error. El último número de *Sagitario* muestra el cambio.»

Librado, auxiliado por el pequeño grupo de *Sagitario* en el que destaca Pedro Gudiño, se ve de repente en el centro del movimiento sindical antigubernamental del país. Recién llegado, un acontecimiento habría de conmoverlo profundamente, y al mismo tiempo mostrar que el viejo estaba en su mejor forma, dispuesto a pasar a la acción y comprometer su voz en la lucha. El primero de octubre fuerzas del ejército disparan contra una manifestación de trabajadores de la Mexican Gulf que se encuentran en huelga. La represión se realiza contra el segundo gran sindicato petrolero que han organizado los anarquistas. Librado publica, en quince días tres artículos sobre la matanza, que sacan chispas denunciando minuciosamente que los tiroteados (que sufren un muerto y varios heridos, además de posteriores detenciones) iban desarmados en el momento del choque. Su lenguaje no ha perdido fuerza («protestamos contra la maldita soldadesca asesina») y su estilo rompe contra la tradición de *Sagitario* de hacer un periodismo de ideas para hacer un periodismos de denuncia e información.

La sangre vuelve a correr por las venas del viejo.

En sus circulares aparece una dirección en Villa Cecilia. Se trata de un cuarto redondo sofocante. Tenía por cama un jergón de paja cubierta con una piel de res. Allí también estaba la imprenta. Un peinazo con cinco o seis cajas de tipos y una prensita de pedal. Rivera y Gudiño escribían. Aquel componía y formaba las planas; este, tras su jornada de trabajo, pedaleaba la prensa.

Así se gestaba *Sagitario* con sus cinco mil ejemplares que luego eran distribuidos a los grupos anarquistas del país y militantes extranjeros. ¿De qué vivía Librado? Parece ser que apartaba una pequeña parte de los ingresos del periódico por su labor de tipógrafo, pero esta era insuficiente hasta para cubrir los mínimos gastos de la vida miserable que llevaba. Otros pocos centavos salían de la venta de materiales del Grupo Ricardo Flores Magón, que Nicolás T. Bernal le hacía llegar desde la Ciudad de México. A sus sesenta años, Librado vendía, ambulantemente, en las puertas de fábricas y talleres, en las barcas que cruzaban el río para llevar a los obreros a las refinerías, textos de Magón, de Reclús, de Práxedis Guerrero, biografías de Bakunin…

La imagen del viejo anarquista empezó a hacerse popular en asambleas, huelgas, mítines y actos culturales.

Sus artículos, dos o tres en cada número, eran publicados en las páginas de *Sagitario* y *Alba Anárquica* de Monterrey, *Horizonte Libertario* de Aguascalientes y *Nuestra Palabra* o *Verbo Rojo*, que se editaban en el DF.

Aunque concentrado en estas tareas periodísticas, Librado encontró tiempo para pagar deudas emocionales y organizó el Comité de Defensa de los Magonistas Presos en Texas, que se encargó de la difusión de los motivos por los que Rangel y sus compañeros se encontraban encarcelados, y de peticiones de libertad y colectas económicas.

Al mismo tiempo, en torno suyo, en la zona petrolera veracruzana y tamaulipeca, cuyo centro estaba en Tampico, se producían grandes movimientos. La huelga de la Mexican Gulf fue derrotada, pero casi inmediatamente surgió la de la Huasteca Petroleum (febrero de 1925), encabezada también por los anarquistas, y luego hubo movimientos en los campos de la Corona y la Transcontinental donde había una previa organización de la IWW.

Librado fue afinando sus posiciones ante el movimiento sindical y comenzó a denunciar los juegos sucios de la CROM, sus alianzas con el gobierno y los capitalistas para hacerse de la dirección del movimiento.

En febrero de 1925, el viejo anarquista se involucró profundamente en el movimiento de los profesores de enseñanza básica de Villa Cecilia, que dirigía la federación local de la CGT.

Durante los seis primeros meses de 1925, la pregunta de ¿qué fuerza sindical sería determinante en la región petrolera?, permaneció sin respuesta. Librado puso su granito de arena para apoyar a los anarcosindicalistas con su máquina de escribir y con *Sagitario*. En ocho meses editó once números del periódico en colaboración con Pedro Gudiño, y escribió veintiséis artículos. No fue suficiente. Ni la tenacidad publicitaria de Librado, ni la labor de los cuadros de la CGT, Ríos, Valadés y Antonio Pacheco que permanecieron en Tampico varios meses tratando de afianzar el movimiento, ni las tremendas huelgas de los trabajadores de las dragas, los maestros, los estableros y los petroleros. Sometidos a la represión, atacados por los sindicatos blancos, la CROM y los autónomos, presionados por las compañias y el gobierno, los anarcosindicalistas fueron derrotados en esta oleada. Para agosto de 1925, el movimiento estaba reducido a su mínima expresión. Librado y el grupo Hermanos Rojos permanecían en pie y seguía saliendo *Sagitario*, aunque con menos regularidad y con menos fuerza detrás de él.

En mayo de 1925, Librado advertía que la llegada de Plutarco Elías Calles a la Presidencia de la República significaría, tanto para el movimiento obrero y campesino como para su corriente más radical, una negra etapa. En un artículo significativamente titulado «Abajo todo gobierno», comentaba: «Estamos en pleno despotismo. Entramos al periodo álgido de la tiranía.» Y comparando al nuevo presidente con su viejo opositor, decía: «Díaz no se hacía llamar revolucionario ni amigo de los trabajadores.»

La crisis del sindicalismo rojo en la zona petrolera no desanimo al viejo magonero, que en materia de derrotas había reunido mucha sabiduría sobre sus espaldas. Durante 1925 y 1926 hizo suyas varias campañas. Quizá la más importante fue la que emprendió por la liberación de Nicola Sacco y Bartolomeo

Vanzetti, que solo habría de terminar después de la ejecución de los dos anarquistas italoamericanos en 1927. Conectado con ellos a través de la red de publicaciones ácratas existentes en Estados Unidos, Librado intercambió con los dos detenidos correspondencia personal, fragmentos de la cual fueron publicados como parte de la campaña.

Vanzetti le escribía a Librado, a mediados de 1925, una carta agradeciendo la labor de los grupos de Tampico y Villa Cecilia, preocupándose por la suerte de los presos de Texas, y terminaba: «Deposita en mi nombre una flor roja en la tumba de nuestro inolvidable Ricardo.» Probablemente Librado nunca llevó a la Ciudad de México la flor que le pedía Bartolomeo Vanzetti, pero lo que sin duda no olvidó fue a los dos anarquistas italianos. La campaña de *Sagitario*, a la que se sumaron otros periódicos anarquistas mexicanos, sensibilizó a los sindicatos rojos.

En enero de 1926 se produjeron manifestaciones obreras en Puebla, frente al consulado norteamericano. En mayo de ese mismo año, Vanzetti le escribía a Rivera y este reproducía en *Sagitario*.

Mi querido camarada Rivera: hoy todo el tribunal de la Suprema Corte del Estado de Massachusetts negó nuestra apelación para un nuevo jurado. Estas noticias llegarán y sorprenderán como un rayo en cielo raso. Tú conoces a este país demasiado bien para no comprender lo que la negación significa. ¡No hay que forjarse ilusiones! Solamente los trabajadores del mundo y todos ustedes, camaradas nuestros, pueden salvarnos de la silla eléctrica y darnos libertad. Ánimo, camarada Rivera, y que nuestra suerte no te entristezca. Sabremos ser hombres hasta la muerte. Nuestro lema todavía es y será: dadnos la libertad o dadnos la muerte. Con recuerdos fraternales a todos los trabajadores de México[...]

El llamado desesperado de Vanzetti y la campaña de Librado promovieron un acuerdo de la sección local de la CGT de Tampico para que los obreros boicotearan las mercancías norteamericanas, y un acuerdo del congreso cegetista de Julio de 1926 para intensificar la campaña solidaria con Sacco y Vanzetti. Hubo manifestaciones de los IWW y una amplia intervención del PCM en el asunto a través de su Liga Internacional pro Luchadores Perseguidos. A pesar de la movilización internacional, de la que los actos mexicanos representaban una mínima parte, la hora del «asesinato legal» se acercaba. En mayo, Vanzetti y Sacco dirigieron una nueva carta a los anarquistas mexicanos:

> Se ha fijado el día 10 de julio para ejecutarnos: el enemigo no nos ha dejado más que unos pocos días de vida [...] Llevamos vuestro recuerdo al fondo de nuestras sepulturas. Pero permitidnos que también os hablemos de la vida. Camaradas y amigos: vivid alegres y altivos. No hay que doblegarse o detenerse ante el dolor o la derrota [...] el enemigo no puede destruir ideas, derechos, verdades o causas.

La respuesta de la CGT fue una huelga de un día, el 15 de junio de 1927, con movilizaciones frente a los consulados norteamericanos, y envío de mensajes y telegramas. La huelga se repitió el 10 de agosto (doce días antes de la ejecución) y en ella participaron incluso sindicatos cromistas.

Los últimos meses de 1925 y el año 1926, con el movimiento sindicalista revolucionario de la región petrolera en crisis, vieron a Librado concentrarse en labores de propaganda ideológica. A lo largo de esos quince meses, produjo artículos sobre la «farsa de la repartición de las tierras», fijando una posición antipolítica, cooperativista y anarquista ante el problema de la distribución de la tierra y llamando a la defensa armada de los campesinos contra las agresiones de los militares y de las bandas armadas de los terratenientes. Polemizó contra los comunistas con gran violencia y defendió a los indios yaquis, en guerra contra el gobierno central.

En esta etapa, la represión callista comenzó a golpear a los grupos anarquistas de la región, pero dejando en paz a los «viejitos» de *Sagitario*. En octubre de 1925, un mitin del grupo Afinidad fue atacado por la policía y hubo abundantes disparos quedando detenidos tres de los organizadores y un repartidor de *Sagitario*. En enero de 1926 fue detenido Román González, repartidor de propaganda anarquista de los grupos Afinidad y Luz al Esclavo; finalmente, el 31 de marzo de 1927 la policía cayó sobre Florentino Ibarra, uno de los distribuidores de *Sagitario*.

En ese periodo, Librado había producido trece números de *Sagitario*, el último, del 26 de marzo, estaba encabezado por un virulento ataque firmado por él contra la policía gubernamental de llevar la guerra a los indios yaquis en Sonora.

El primero de abril de 1927, un viejo flaco y con un traje astroso se presentó en la oficina del jefe de policía de Tampico. Ante él «un individuo de muy baja estatura, cara redonda, color amarillento de la piel». Era el coronel Rivadeneira.

Librado le preguntó: «Deseo saber la causa de la detención del obrero Florentino Ibarra.» El coronel dijo que lo ignoraba y mandó al viejo a entrevistarse con el preso. Ibarra en la rejilla contó que fue arrestado cuando estaba vendiendo *Sagitario*. Librado no quedó satisfecho y de nuevo fue a ver al coronel. Le respondieron que el jefe de policía no podía tener en la memoria las causas de la detención de un preso y que aquello no era agencia de información pública. Los policías presentes trataron de acallar al viejo que continuó reclamándoles. Librado les respondió: «Esbirros desgraciados.» Lo detuvieron por insultos a la policía. Librado les preguntó: «¿Qué se trata de hacer conmigo?» Se hizo un largo silencio. «Puede retirarse», dijo uno de ellos. Pero el viejo no se quedó ahí. Fue a visitar al juez de distrito, quien dijo no saber nada; regresó con la policía nuevamente y esta es la narración que dejó de los hechos:

Volví a ver al jefe de policía, a quien le referí lo dicho por el juez de distrito.

—Bueno —me dijo—, ¿es usted el que escribe este periódico?

—Sí, yo soy quien lo escribe. Si hay algo malo en él, yo soy el único responsable de todo, deseo que ponga en completa libertad a Ibarra.

—Que se detenga a este hombre, por orden del juzgado de distrito.

—El juzgado de distrito no sabe nada de este asunto —aclaré yo—, ¿o son ustedes los que van a ordenar al juez de distrito?

—Nosotros somos la autoridad y la autoridad manda.

Librado es enviado a la prisión de Andonegui. El día 3 de abril, comparece ante el agente del Ministerio Público. Se presenta en esos momentos una comisión de la Liga Internacional pro Luchadores Perseguidos a pedir la libertad de los dos detenidos. El agente, para amedrentarlos, les pregunta si comulgan con las ideas de *Sagitario*. Uno de los comisionados, Francisco Flores, contesta que sí y es detenido de inmediato; otros dos evaden la respuesta diciendo que defienden la libertad de expresión y a los trabajadores.

A partir de ese momento se inicia un duelo entre el agente del Ministerio Público y el viejo anarquista, que resulta cautivador:

—¿Conoce usted este periódico, señor Rivera?

—Sí, lo conozco, puesto que yo lo hice, y aunque hay artículos que no están firmados también fueron escritos por mí, por un olvido no les puse mi nombre.

—El primer artículo, «Por la razón o la fuerza», así como el segundo traen fases calumniosas para el señor presidente, especialmente en donde dice que es asesino.

—Asesino es toda persona que mata a otra con toda premeditación, alevosía y ventaja. Actualmente ha ordenado Calles el asesinato y exterminio de los yaquis, y aunque él no lo haga personalmente, es el cómplice primero de ese crimen.

—La pretensión de usted de negar la necesidad de gobierno se encuentra en completa contradicción con los hechos. El hombre nunca ha dejado de tener gobierno.

—No es cierto eso, porque el hombre primitivo no tuvo gobierno, nació libre, completamente libre en las selvas y en los bosques de las montañas. ¿O cuál fue ese gobierno? ¡Si lo sabe dígamelo usted!

—Yo juzgo indispensable ordenar la detención de usted, señor Rivera, porque considero a usted un embaucador y un explotador de los trabajadores, a quienes engaña pidiéndoles dinero o usándolos para que le vendan el periódico como acontece a ese pobre obrero Florentino Ibarra que está aquí sufriendo por causa suya. También figuran aquí en la administración del periódico cantidades de dinero, como Manuel Rizo, que envió dos pesos…

—¿Y cuánto de ese dinero recibido es para mí? ¿Puede usted decírmelo?

—Siendo usted enemigo del asesinato, ustedes lo autorizaban para venir a matar gente. ¿Cómo me explica esa contradicción manifiesta en su modo de pensar?

—Nosotros los anarquistas estamos de acuerdo con hacer uso de la fuerza armada para derrocar a la fuerza organizada del gobierno. Sin el ejército y sin esa esbirrada que se llama policía, los gobiernos caerían en menos de veinticuatro horas sin necesidad de hacer uso de la fuerza.

—Yo lo considero a usted un desviado de su cerebro, un extravagante y un vividor del sudor de los ignorantes trabajadores que llega usted a sugestionar predicándoles la igualdad, etcétera. Si usted aconseja esas teorías, ¿por qué no empieza usted a practicarlas con sus mismos compañeros? Veo a usted con corbata y no se la pasa a su compañero que no lo trae, la camisa también se la debería de dar. ¡Vamos! ¿Por qué no lo hace usted que ama tanto la igualdad?

—Porque con esa repartición no conseguiría yo nada más que el beneficio de otro compañero. Las cosas continuarían en las mismísimas situaciones de antes. Nuestra lucha no tiende a remediar las condiciones miserables de unos pocos, sino las de todos los habitantes de la Tierra[...] Un cambio completo[...] un mundo sin fronteras y sin patrias[...] cuyos representantes son los gobiernos de los que usted señor Agente del Ministerio Público es uno de sus puntuales y uno de los parásitos sociales que viven chupando la sangre de los que trabajan.

—¿Ha terminado, usted con sus insultos, señor Rivera?

—Sí, he terminado, aunque no considero como insultos las verdades que estoy refiriendo.

El día 8 declaró la formal prisión de Rivera. Y casi inmediatamente comenzaron a producirse protestas en la prensa obrera y la prensa anarquista internacional, así como movilizaciones para su liberación.

Los cargos de «injurias al primer magistrado de la República» no eran suficientes para mantenerlo en prisión, y el juez se declaró incompetente, con lo que se turnó a jueces de orden común manteniéndose a los detenidos en la penitenciaría de Andonegui.

El gobierno de Calles estaba dispuesto a pagar el costo del desprestigio que la detención del viejo luchador social representaba, a cambio de sentar el precedente de que la guerra del Yaqui era sagrada.

El siguiente número de *Sagitario* salió repitiendo los artículos por lo que Librado había sido detenido y con Pedro Gudiño oculto. Un número más vio la luz en mayo que contenía las múltiples propuestas de los sindicatos nacionales y una reafirmación de fe de Librado.

> No quito ni una sola letra a lo expuesto en los artículos denunciados, que no contienen calumnias de ningún género, sino el mérito de exponer verdades que han lastimado la susceptibilidad del actual mandatario, a quien solo rodea una colmena de serviles aduladores.

De abril a noviembre de 1927, Librado permaneció en una húmeda celda de la prisión de Andonegui. De nada sirvieron las movilizaciones y cartas enviadas a Calles por organizaciones mexicanas y extranjeras. Su mayor dolor era no poder empujar la campaña por la libertad de Sacco y Vanzetti que en esos meses llegaban a su punto más alto con las huelgas generales. Librado estaba en la cárcel cuando se produjo la ejecución.

En junio salió el último número de *Sagitario*. El grupo, con buena parte de sus miembros encarcelados y el resto perseguidos, ahogado económicamente, no pudo sostener la tarea editorial. Librado encontró un nuevo espacio, aunque poco efectivo, para transmitir su mensaje a los trabajadores mexicanos y escribió algunos artículos en *Cultura Proletaria* de Nueva York, desde la cárcel. En uno de ellos decía: «Las verdades que lanzaba en la cátedra contra la dictadura de entonces, hoy las lanzo desde el presidio contra la dictadura de hoy y las seguiré lanzando mientras no me acorten el resuello en sus calabozos regeneradores.»

Tras siete meses de prisión, el 4 de noviembre, Librado Rivera salió en libertad. En vista de que se había negado a aceptar el beneficio condicionado tuvieron que decretar el «sobreseimiento de la causa». En la cárcel había cumplido los sesenta y tres años.

Un día antes de la salida de Librado de la cárcel, un proyecto periodístico, estimulado por él, nació en Monterrey. El nuevo periódico, bautizado *Avante*, incluyó en su primer número dos largos artículos del magonista: uno, la reproducción de un discurso que pronunció en la prisión el 16 de septiembre, donde establecía su singular versión de la independencia de México, y el otro, dedicado a probar un paralelismo entre su primer encarcelamiento en 1902 y el actual. Detrás del diario se encontraba el sindicato metalúrgico de la ciudad, pero duró tan solo tres números. En febrero de 1928, renació ya en Villa Cecilia, iniciándose de nuevo su narración y ya con Librado Rivera como director. Ahí arranca una trayectoria similar a la de Sagitario. Un poema a la terquedad y la irreductibilidad.

*Avante* asume la labor de propaganda, la difusión de la idea: circulares de grupos anarquistas, campañas por la libertad de presos, textos «clásicos». Formalmente es un periódico superior a *Sagitario*, de cuatro páginas apenas, pero de mayores dimensiones. Pero Librado no debe estar demasiado orgulloso de su nuevo hijo. Ya no es un órgano de combate, es tan solo un órgano de propaganda de las ideas, de denuncias aisladas, de resistencia. La CGT, ante la continua ofensiva de los gobiernos de Obregón y Calles, se ha replegado; formalmente mantiene su línea de absoluta independencia respecto al poder central y de acción ofensiva permanente contra el capital, la organización se encuentra desgastada. Muchos de sus mejores cuadros de luchas, despidos, cierres constantes en la industria. La crisis de la CROM la hará revivir temporalmente, pero no encontrará la continuidad de su vieja línea.

Librado persiste. Los ritmos del movimiento no son los suyos. Él solo tiene un ritmo: continuo y pa´ delante.

A la muerte de Obregón, el 17 de julio de 1928, Librado responde con un artículo titulado «La muerte de Álvaro Obregón», en el que declara: «La humanidad de los oprimidos está de plácemes, ha desaparecido un tirano». Sus amigos distantes de *Verbo Rojo* en el DF siguen su ejemplo y publican «Un tirano menos», con lo que los autores van a dar a la cárcel. Suena premonitorio de lo que va a suceder. Dejemos que Librado lo narre:

Como a la una de la tarde del día 22, se presentó en mi modesta oficina una persona de aspecto obrero, con un recado verbal de que me llamaban urgentísimamente los compañeros a la imprenta.

Algo extraordinario ocurre, me dije, porque los compañeros nunca me mandan llamar[...] Pero ya en mi camino noté la presencia de varios esbirros: apostados en las esquinas de la cuadra. Uno de ellos, al verme voltear la esquina se dirigió hacia mí y hablándome por mi nombre me detuvo presentándome una orden de arresto[...] Al llegar a la Jefatura de Policía de Cecilia[...] la persona que me leyó la orden del general Benignos, jefe de las operaciones militares en el puerto, me indicó que me quitara el sombrero.

—No acostumbro hacerlo cuando alguien me lo ordena —le dije—, sino cuando yo quiero. Además, ¿no están ustedes luchando por establecer en México una democracia?

—Está bien —me contestó.

—Entonces sí, ahora me lo quito, por pura cortesía.

Después de leerme la orden que tenía en sus manos fui conducido por cuatro o cinco esbirros que me llevaron al cuartel de la jefatura de operaciones de Tampico, en donde fui encerrado en un calabozo custodiado por guardias armados hasta los dientes, como si se tratara de un asesino feroz.

Cinco horas más tarde me llevaron a la oficina del general, quien a la sazón leía *Avante*. En la primera plana ya se veían marcados con tinta roja los artículos «La muerte de Álvaro Obregón» y «El desbarajuste político.»

—¿Usted publica este periódico?

—Sí —contesté yo.

—En él calumnia usted al general Obregón, ¿por qué lo hace usted?

—No lo calumnio, lo que digo es la pura verdad.

—Siendo usted uno de los precursores de la revolución hoy hecha gobierno, respete usted las leyes emanadas de esa revolución.

—Ahí está el error —le repliqué—, en creer que nosotros iniciamos la revolución para quitar del gobierno a Porfirio Díaz y poner a otro igual en su lugar.

El general Benignos, tras otro par de discusiones similares que Rivera sostuvo con dos de sus subordinados, le informó que quedaba detenido. Sin embargo, poco tiempo después lo sacaron del calabozo y le dijeron que estaba libre. Ocho días más tarde narraba la historia en el número trece de *Avante*.

Librado continuó su labor editorial. A lo largo de 1928 editó veinte números de *Avante* y un extra; inició campañas contra la política de Calles ante el conflicto religioso y denunció las represiones locales contra los anarquistas de los grupos.

Muy ilustrativo de su posición en esos momentos fue el debate en que intervino en torno a la posibilidad de crear una Federación de Grupos Anarquistas en México. Respondiendo a la iniciativa de *Verbo Rojo*, *Avante* se pronunció contra la Federación «por ser esencialmente una idea antianarquista». Volvían los viejos tiempos de la propaganda, no los tiempos de la organización.

Desde diciembre de 1928, ocupaba el poder interinamente, por la muerte de Álvaro Obregón, un hombre que conocía bien a Librado, Emilio Portes Gil, fundador del Partido Socialista Fronterizo de Tamaulipas, gobernador del Estado, abogado de sindicatos en la época carrancista, padrino de la tendencia sindical neutra contra la que habían chocado violentamente la CGT y los grupos anarquistas. Si en el resto del país su política laboral inicial permitió un amplio espacio de movimiento a las corrientes de izquierda (en aquella época el Ejecutivo estaba liberándose de la CROM) e incluso trató de atraerlas, en Tamaulipas la ofensiva contra la izquierda fue más lejos de lo que había ido anteriormente.

El ejecutor había de ser el general Eulogio Ortiz, jefe de la zona militar. Librado cuenta:

Fui arrestado el 19 de febrero; se me sacó en la noche de mi calabozo para ser conducido a las oficinas del general Eulogio Ortiz, jefe de la guarnición militar del puerto de Tampico, se me hizo despóticamente la pregunta siguiente:

—¿Con que usted es enemigo del gobierno?

—De todos los gobiernos —le contesté.

Dirigiéndose luego a su secretario, le ordenó en términos enérgicos:

—Mañana me levanta usted un acta bien detallada sobre la declaración que dé este viejo cabrón[...]

En la mañana del 29 fui llevado nuevamente a la oficina del general Eulogio Ortiz quien se paseaba en el salón con *Avante* en las manos. Se me puso un asiento y comenzó el interrogatorio.

—¿Quién escribió este artículo «Atentado dinamitero»?

—Yo lo escribí.

—Léalo usted para que recuerde bien lo que dice.

Como me negué a hacerlo, por estar seguro de su contenido, el general enfureció y colérico se arrojó sobre mí, diciéndome:

—¡Mire, viejo cabrón, usted me va a decir aquí toda la verdad!

—Siempre que he convenido decirla, la he dicho y la diré, aunque por decirla me cueste la vida.

Esa contestación terminó con dos formidables puñetazos en mi cara, y tomando enseguida un cinturón de cuero se puso en actitud amenazadora.

—¿Por qué hijos de la chingada llama usted parásito al presidente de la República, viejo cabrón?

La pregunta fue acompañada de fuertes correazos en la cabeza.

—Juzgo que mi criterio en el uso de esa palabra es muy distinto al suyo. Yo llamo parásito al que vive del trabajo ajeno —contesté.

—¡Entonces usted también es un parásito porque vive de los que le mandan dinero para publicar su periódico! —arguyó el esbirro.

—Usted no encontrará en el periódico cantidad alguna destinada para mí. Los trabajadores que mandan dinero para publicar su periódico lo hacen por amor a las ideas y con el fin de contribuir a la ilustración del pueblo para propagar y llevar la luz al cerebro de sus compañeros explotados.

—A ver, tráiganme el fuete para arreglar a este viejo loco cabrón —dijo Ortiz a los que le rodeaban.

Se presenta enseguida un ayudante trayendo un diccionario:

—Anarquía —dice— es la falta de todo gobierno, desorden y confusión por falta de autoridad.

—Esa definición es la propaganda por los escritores burgueses y no la anarquía que yo propago en *Avante*, en donde se ve la acción violenta de los gobiernos confirmada en los hechos. Entre tanto, deseo saber el nombre de usted que me ha ultrajado tan infamemente —increpé al general Ortiz.

—Su padre, cabrón —contestó el esbirro.

—Mi padre no era tan bestia.

—¿Qué dice usted?

Y se arrojó sobre mí propinándome varios fuetazos acompañados de nuevos insultos.

—¿Y qué opinión tiene del ejército? —me preguntó.

—El ejército sirve para sostener a los gobiernos en el poder.

—El ejército sirve para defender a la patria, a sus instituciones —dijo Ortiz.

—El ejército es además el pedestal en el que descansan todas las tiranías y considero que los jueces que me juzgan en este momento son mis más feroces enemigos.

Y como sentí que la sangre me chorreaba por las sienes, me paré indignado pidiendo a mi verdugo que me matara de un balazo, pero que no me golpeara tan cobardemente. Y en un momento de distracción mía, el monstruo aquel sacó su revolver y disparó un balazo sobre mí. Creí por un momento estar herido en la cabeza porque debido al adormecimiento causado por la sordera, nada sentía. Pero pasados unos segundos, comprendí que solo se trataba de torturarme para producir en mí algún síntoma de cobardía o arrepentimiento.

Ortiz y sus ayudantes se apresuraron a buscar la bala y por haberse aplastado dijeron que había pegado en parte dura. Mientras a mi espalda esto acontecía, me quedé tan firme y sereno como si nada hubiera sucedido. La noble causa que siento y amo de corazón, me hacía estar muy por encima de aquellos lobos.

—Le voy a leer el acta para que la firme —me dijo el secretario.

—Yo mismo deseo leerla para informarme de su contenido —le contesté. Y como la redacción de aquel documento estaba confeccionada de tal forma que yo mismo me consideraba culpable, me negué de plano a firmarla, aunque firmé dos que yo escribí con mi puño y letra.

Vuelto a mi calabozo, pasé ese día torturado por el insomnio que produce una pesadilla. Al día siguiente fuimos sacados del cuartel, el compañero Santiago Vega y yo, en medio de una fuerte escolta rumbo a la playa. Nos pareció al principio que esa iba a ser nuestra última morada; pero se nos llevó a un tren de pasajeros rumbo a Monterrey.

Los rumores de que Librado había sido detenido y golpeado por los militares salieron de Tampico y recorrieron el país. En la Ciudad de México, el Consejo Federal de la CGT se reunió el 26 de febrero y discutió la posibilidad de decretar una huelga general. «¡Se habían atrevido a golpear al viejo!», decía la voz anónima en el interior de un movimiento sindical que aunque se encontraba a la defensiva aún no había perdido toda su fuerza anterior.

¿Dónde está Librado? El presidente Portes Gil señaló que desconocía el paradero, aunque él había dado instrucciones al general Ortiz para la detención. La imprenta de *Avante* había sido confiscada por el ejército, los grupos de Tampico y Cecilia eran perseguidos. La pregunta seguía siendo: ¿Dónde estaba Librado?

El viejo había sido conducido a una hacienda propiedad de Calles, llamada El Limón y de ahí a una segunda propiedad del ex presidente, llamada La Aguja, mientras los militares decidían qué hacer con él. Librado cuenta:

> Se encuentra allí un campamento militar en donde se nos tuvo secuestrados ocho días; en cuyo tiempo los soldados o sus mujeres nos daban de comer; pero los que mejor se portaron, facilitándonos alimentos, fueron unos chinos. Volvimos a la hacienda El Limón donde se nos hicieron proposiciones de libertad con la condición de que abandonáramos el Estado de Tamaulipas; pero como me negué a aceptar la libertad en esas condiciones, se nos dejó libres al día siguiente, ya sin ninguna condición.
>
> Nos sentíamos orgullosos de nuestro inesperado triunfo[...] abandonados en aquellos campos y sin dinero, tuvimos la suerte de encontrar allí mismo buenos amigos que nos facilitaron dinero para nuestro regreso.

Excarcelado el primero de marzo, llegó a su hogar solo para encontrar que la imprenta de *Avante* ya no existía. Un mes más tarde, el primero de abril, fue detenido nuevamente por unas breves horas. Pero estaban locos si creían que podían impedir su trabajo. El 15 de abril, elaborado en una imprenta saca de quién sabe dónde, aparecía un nuevo número de *Avante*, donde se daba información sobre lo sucedido, en un artículo firmado por el propio Librado, escrito con su prolijo estilo informativo.

Mientras tanto las protestas de los grupos anarquistas se producían a lo largo del país y las autoridades eran inundadas por cartas en las que se pedía la devolución de la imprenta a Librado Rivera. La policía de Cecilia y Tampico y el ejército se dedicaron a perseguir al equipo editor y a otros militantes de los grupos: así cayó encarcelado Emeterio de la O, quien fue deportado al DF y puesto a disposición de las autoridades militares. La muerte del líder amarillo Isauro Alfaro, a manos del alijador rojo Esteban Hernández, el 14 de abril, en medio de una pelea callejera al finalizar una asamblea, dio el pretexto para la detención de Leandro

Porras, que fue apaleado y quedó al borde de la muerte, y aunque Hernández reconoció en su declaración que el suyo había sido un acto individual y en defensa propia, fueron detenidos cuarenta miembros más de los grupos, once de los cuales fueron enviados a la Ciudad de México.

El clandestino *Avante* siguió dando información sobre estos acontecimientos en sus números del 15 de mayo y 10 de junio, lo que motivó que Librado fuera denunciado por los dirigentes amarillos Sergio Venegas y Nicolás González y detenido de nuevo el 11 de junio.

La CGT levantó de nuevo su protesta, y organizaciones sindicales, comunidades campesinas y grupos anarquistas de todo el país realizaron actos por la liberación del viejo anarquista.

Librado salió muy pronto en libertad de su tercera detención en los últimos cuatro meses, pero no había de durar mucho tiempo fuera. La continuidad de *Avante* era sentida por las autoridades militares como una ofensa. El 14 de julio, a las 11 de la mañana, Librado fue detenido y llevado a los sótanos de la jefatura militar de Tampico. Ahí lo mantuvieron sin alimentos y sin agua durante cuatro días. Como se negaba a dar información sobre la imprenta en la que se estaba confeccionando el periódico, tras cuatro días de tortura, los militares lo enviaron bajo custodia a Cerritos, San Luis Potosí, y lo dejaron abandonado sin dinero.

El día 20 fue arrestado Esteban Méndez, que repartía propaganda de los grupos anarquistas contra la detención de Rivera. Se le encerró en un calabozo junto con su hijo de ocho años, que lo acompañaba en el momento de la detención.

El día 21, el general Ortiz lo torturó personalmente, produciéndole varias heridas en la espalda con su sable porque se negó a informar de la ubicación de la imprenta. Ese día los grupos realizaron un mitin en la plaza de la Libertad denunciando ambas detenciones. Nuevamente intervino la fuerza pública y encarceló a J. Inés Mena. Los interrogatorios no dieron resultado; en cambio, los arrestos produjeron una reacción masiva de los sindicatos del puerto, provocando que hasta las asambleas de las organizaciones más blandas se pronunciaran por la libertad de los detenidos. Librado consiguió dinero prestado y regresó a Tampico el 22 de julio. Un día después fueron liberados los restantes detenidos.

Menos de un mes más tarde, circulaba el número veintinueve de *Avante* con una extensa narración de los hechos.

El viejo había derrotado de nuevo a los militares.

En octubre de 1929, Librado Rivera publicó un artículo en su periódico denunciando la ofensiva del gobierno contra la prensa roja. Un mes antes, el 13 de septiembre, se había prohibido la circulación de *Sembrando Ideas*, de Baja California, y el 19 había sido desmantelada y confiscada la imprenta de *Defensa Proletaria* en el DF. Librado, comentando estos hechos, escribía: «Ya en México vivimos en paz. Pero no en esa paz que deseamos todos los revolucionarios de verdad[...] sino la paz seria y monótona de los muertos.»

El 5 de febrero de 1930 se hace cargo de la Presidencia Pascual Ortiz Rubio, y su ministro de gobernación es Emilio Portes Gil. El mismo día, el flamante presidente es objeto de un atentado y sin que venga a cuento, puesto que el detenido pertenecía a una organización conservadora, cae sobre la izquierda radical una nueva ola de persecuciones. El 11 de febrero se prohíbe la circulación de *Avante* (que había llegado a su número treinta y tres en diciembre), de dos periódicos de la Juventud Comunista y de toda la prensa ácrata en español que se distribuía en México, sobre todo la argentina y la uruguaya.

> Por si esto fuera poco, se allanó mi hogar por la policía —cuenta Librado—, arrasando con todo cuanto se encontró en mi domicilio en donde yo tenía una biblioteca con más de dos mil quinientos volúmenes, siendo a la vez las oficinas de *Avante*[...] Dinero (cerca de quinientos pesos), ropa y demás objetos de mi uso personal fueron decomisados, sin dejarme otra cosa con que abrigar mi cuerpo que la ropa que traía[...] y fui conducido al cuartel de la jefatura de la guarnición coronando el atropello con el despojo de anteojos y el poco dinero y estampillas que llevaba en el bolsillo, tomando de este dinero (contra mi protesta) los gastos del automóvil que nos condujo a la jefatura de Tampico.

En la oscuridad del calabozo, Librado trata de hacer un recuento de los daños sufridos por el saqueo policiaco. Se ha perdido una colección invaluable de *Regeneración* y otra de *Revolución*, varios diccionarios, sus dos pares de lentes...

El viejo se tira de los cabellos. Vaya que la pelea que ha entablado contra el Estado es desigual.

Simultáneamente son detenidos Pedro Gudiño, Ángel Flores y Osvaldo Manrique; lo que quedaba del grupo *Avante* ha sido desmantelado. Pero no terminarán aquí las represalias. El primero de marzo, una escolta de veinticinco soldados se hace cargo del viejo y lo saca de la prisión con destino desconocido, lo acompañan siete obreros del partido comunista, también detenidos. Son llevados a la estación de ferrocarril y metidos en un vagón de carga que horas después, será arrastrado lejos de la zona petrolera.

Un día después, Librado aparece en la penitenciaría de la Ciudad de México. Se dice que será enviado a las Islas Marías.

> A ninguno de nosotros se nos comunicó en Tampico la causa del arresto ni aquí tampoco se nos comunicó jamás. Sencillamente, a nuestra llegada se nos alojó en la jefatura de la guarnición de esta capital y de allí a la penitenciaría del Distrito, ingresando ya directamente al hospital de la prisión por haber llegado bastante delicado de salud.

La CGT interviene ante el presidente de la República para que se libere al viejo. El 5 de marzo se entrevistan con el secretario de Ortiz Rubio, quien les dice que nada se puede hacer por el momento; que el secretario de gobernación Portes Gil está muy indignado a causa de un artículo de Librado en que lo acusa de haberse vendido a una compañía extranjera de agua potable cuando fue presidente. Tres días después una comisión visita la penitenciaría pero hay consigna del secretario de gobernación de que Librado Rivera permanezca incomunicado.

### El 20 de marzo

> Fui puesto en libertad dizque porque en las investigaciones que se hicieron no se encontraron datos que justificaran mi detención. Estoy aquí sin dinero y sin otros medios de vida, dada mi avanzada edad, buscando alojamiento en las casas de mis amigos, los que por fortuna siempre encuentro dispuestos a dondequiera que voy. Se me quiere someter por hambre ya que las cárceles han sido impotentes

para convencerme de que estoy en un error y de cambiar el firme convencimiento que tengo de que ningún gobierno podrá resolver el problema de la miseria.

A partir del 20 de marzo, corre el rumor en la prensa del norte del país de que Librado Rivera ha desaparecido en el Distrito Federal. Varios periódicos se hacen eco de la noticia: «Ha desaparecido sin dejar huella de su paradero». Los rumores señalan que posiblemente ha sido deportado a las Islas Marías. Manuel del Río, el coordinador de los grupos anarquistas de la zona petrolera, escribe: «No saben estos imbéciles que Rivera muerto es más terrible y un peligro más inminente para la estabilidad.»

Pero Librado está bien y a salvo. En la Ciudad de México, un tranviario de apellido Vega lo ha llevado a la casa de Nicolás T. Bernal, que le cede un cuartito para que viva.

Un mes y días más tarde da de nuevo señales de vida al publicar un artículo en *Verbo Rojo* titulado «Venganzas ruines», en el que dice: «Las amenazas y persecuciones de nuestros enemigos, lejos de amedrentarnos, nos sirven de aliento, porque ello nos indica que no somos tan insignificantes.»

¿Qué sigue?, se pregunta Librado Rivera en agosto de 1930 al cumplir los sesenta y seis años. Vive arrumbado en un pequeño espacio que le cede Bernal en medio de los amados libros de Ricardo Flores Magón, que Nicolás sigue distribuyendo a un movimiento radical cada vez más mermado. Vende grasa para zapatos como única manera de sobrevivir, intenta recuperar la imprenta de *Avante* para seguir la labor periodística, pero las autoridades solo la ofrecen de regreso en caso de que «no se use para hacer labor subversiva». Se niega a recobrarla y en esas condiciones la imprenta es vendida en subasta pública en Cecilia. ¿Ha llegado la hora de la rendición? Librado recorre los ambientes sindicales rojos del DF. En la CGT se manifiestan fuertes tendencias conciliadoras, los radicales están aislados. Aún así, hay militancia, hay luchas. Librado se propone sacar un nuevo periódico.

La tarea le toma un año. Un año completo. El primero de mayo de 1931, aparece en la Ciudad de México *Paso!*, Librado va a cumplir sesenta y siete años, en los últimos cuatro ha vivido doscientos setenta días en la cárcel, no tiene empleo fijo ni recurso económico alguno; ni siquiera tiene su biblioteca, que ha quedado en manos de los policías en Tampico. Pero ahí está de nuevo, ahora con *Paso!* Al principio es un periódico aislado de las luchas sociales, con un amplio espacio para el recuerdo magonero (¿se vuelve la vista al pasado en estos últimos años?), expresando en largos artículos con el sugerente título de «Aclarando hechos de hace treinta años», donde Ricardo y Enrique Flores Magón, Praxedis y Saravia vuelven a cabalgar con Librado Rivera, vuelven a conspirar, a editar periódicos, a trenzar la red que derribaría la dictadura porfirista. Junto a estos, informes de ventas de folletos, de comités pro presos, y artículos ideológicos que hablan del carácter de los niños, de la intrínseca malevolencia del Estado…

Pero no se quedará ahí. Pronto *Paso!* comienza a intervenir en la polémica sobre la situación de la CGT, apoyando al grupo anarquista; da noticias de luchas y represiones de obreros de Baja California, maestros de San Luis Potosí y militantes anarquistas de la Federación del DF, que se escinde de la CGT. A partir del número ocho, en diciembre de 1931, el periódico, dirigido por Librado, se vuelve el órgano del grupo anarquista más ligado al movimiento sindical, el grupo Ideas y Acción.

En ese mismo mes, sin advertencia previa, el gobierno retira la franquicia postal de *Paso!* El número nueve, de enero de 1932, es prohibido y ya no puede circular por correo. Librado imprime un volante, que se anexa al ejemplar, en el que cuenta el fin del proyecto, ahogado por la censura y por «lo que más nos aflige, nuestra escasez pecuniaria.»

Y ahora, ¿qué? ¿Qué sigue? ¿Qué nuevo proyecto? Librado sale caminando el 19 de febrero de 1932 de la zona textil del sur de la Ciudad de México, donde está recaudando fondos para un nuevo proyecto periodístico. Un automóvil manejado imprudentemente lo atropella al cruzar la avenida San Ángel. Lo llevan al hospital Juárez. Un viejo compañero, el general Juan José Ríos, ordena su traslado al Hospital de Fabriles y Militares en La Ciudadela. Sus amigos quieren que demande al chofer que lo atropelló. Librado se niega; dice que nada ganaría con perjudicar a un trabajador que quizá tenía familia y en el reporte policiaco del accidente se declara culpable. Durante dos semanas padece graves dolores. Un médico, amigo del general Villarreal, lo visita y denuncia que por falta de atención médica ha contraído el tétanos. Los doctores disimulan, ya es tarde para resolverlo. Una tarde, la enfermera que lo cuidaba trata de cubrirle el rostro para evitar que las moscas lo molesten, Librado le retira el brazo de un manotazo: «¿Con que luchando aún, compañero?», «siempre luché contra las injusticias sociales de los fuertes.»

Pocas horas más tarde entra en agonía.

El primero de marzo de 1932 Librado Rivera muere.

Tras nueve años de una alucinante guerra personal contra el Estado, una guerra vivida muchas veces en solitario, en el interior de un calabozo, una guerra en la que la terquedad y el estilo siempre fueron sus mejores armas, Librado Rivera descansa.

El 3 de marzo sale el último número de *Paso!* Impreso anónimamente, aún conserva en el cabezal el crédito: «Director Librado Rivera» y el número de su apartado postal en el DF, el 1563. El periódico solo tiene un artículo: «Librado Rivera ha muerto» y llama a que los obreros de la Ciudad de México acompañen al cadáver desde el local de la Federación de Trabajadores, último reducto del anarcosindicalismo, hasta el panteón de Dolores. El artículo termina con una frase muy al tono de la lírica roja de la época: «Que caiga sobre su tumba una lluvia interminable de flores rojas.»

El último magonero se retira de la escena.

El vacío perdura.

Ya no se hacen hombres así. Los mejores de nosotros somos pálidas sombras al lado del viejo Rivera.

Por lo menos, deberíamos cubrir esa tumba, hoy desaparecida, esa inexistente tumba, con una interminable lluvia de flores rojas.

Menos mal que queda la historia.

Menos mal que queda la memoria.

# El estilo Hölz

# I

Hay personajes que nacieron para la ficción, pero como tienen que moverse en las miserias de lo cotidiano para encontrar un hueco en la historia, se inventan, se rehacen para la luz de la pantalla de cine, para la más alucinante página de la novela, para la más irreal, contradictoria y apasionada canción de gesta. Personajes a los que quedan cortos los escritos biográficos, todas las notas de pie de página y, por tanto, se deslizan por sí mismos y sus tiempos hasta ganar el derecho a ser hoja de calendario mal impreso colocado sobre el fogón en hogar proletario, héroe de película muda que nunca será filmada, tema de conversación a la fantasmagórica luz del alto horno.

Max Hölz es, sin duda, uno de estos personajes, y como tal, no tiene pasado antes de su aparición en la página uno de su novela histórica. Nada hay sobre Hölz antes de 1918 que invite a creer que la infancia es el lugar donde los héroes se cultivan en macetas de miserias y sueños.

Nació en 1889 en Moritz (inútil buscar en el mapa), cerca de Riesa (tampoco el mapa resuelve), en la Sajonia alemana, hijo de una familia de obreros agrícolas que trabajan en un molino. Max Hölz fue otro de los jóvenes alemanes que entraron con el fin de siglo en un mundo agrario y trataron de huir de él, solo para ser atrapados por la sociedad industrial que pretendió moldearlos a golpes de martillo.

A los dos años, la familia, cargando con el joven vástago, se mudó a Hirchstein a la búsqueda de aires nuevos y solo encontró aires más rancios, y trabajo de peones en las tierras de un latifundista.

A los catorce años, Max celebró el arribo a la adolescencia con una fuga del hogar que duró poco. Al mes regresó a la casa familiar gravemente enfermo, con un envenenamiento en la sangre que casi provoca que le tengan que amputar un brazo. Sin embargo, esta fuga inicial le revela su vocación de tránsfuga. Max Hölz ya no podrá detenerse. Sus años de juventud hacen historias que pueden contarse sin dificultad y en las que no hay tragedia ni encanto, solo vagabundeo constante. Un ir y venir por los empleos, las ciudades, los oficios, los destinos truncados. La supervivencia con sentido de la vida. Ni siquiera puede hacerse de una profesión.

Trabaja como sirviente en varios lugares de Sajonia. No hace el servicio militar por estar tuberculoso. Va a dar a Falkenstein, una villa industrial en el Vogtland que años después será escenario de sus mejores hazañas, pero que hoy se le presenta como un cementerio.  Trabaja por las noches en un cine (¿ahí se fabrican los futuros sueños?). Más tarde será aprendiz de chofer. Luego, para seguirse moviendo, aceptará una proposición que termina llevándolo a Inglaterra. Todo es huir, cambiar de empleo sin encontrar oficio, cambiar de vida sin encontrarla. En Inglaterra se hace evangelista, probablemente por motivos estrictamente económicos. Se queda sin empleo fijo. Con un poco de suerte encuentra pequeños trabajos temporales en los que pule pisos y lava ventanas. Finalmente encuentra trabajo en una empresa de construcción de piezas de ferrocarril. En Chelsea asiste como estudiante externo a unos cursos de educación técnica para obreros. No los termina. El tiempo va pasando al lado suyo. En diez años ha huido de todas partes, ha tenido veinte empleos, ha paseado su miseria por dos países. Ya no hay sueños. Poco antes de iniciarse la guerra mundial, Max regresa a Sajonia. Se establece en Falkenstein y se casa con Clara. Tiene veinticinco años, cuando en 1914 se inicia la contienda, es un excelente candidato para ser ocupante de una más de las anónimas tumbas que habrán de ser cavadas en Francia al borde de una trinchera.Los mismos que lo declararon inepto para el servicio militar por tuberculosis, hoy lo reclutan de inmediato. La guerra traga todo, consume seres humanos, cosechas de trigo, toneladas de acero. Engulle todo lo que le permite mantener en activo la carnicería.

Max tiene veintiocho años cuando en 1917 es destinado al frente occidental. Una buena edad para morir.

Como se ha visto, no hay biografía previa. No hay indicios de dónde saldrá la sobre humana audacia, la habilidad para burlar la muerte jugando al escondite, la terquedad y la tozudez. Solo los niños de la aristocracia y la pequeña burguesía ilustrada, y por razones diferentes, obtienen biógrafos que narren las hazañas de la infancia. En el mundo proletario no hay recuento de amores infantiles, de primeras locuras, de masturbaciones precoces o señas de heroísmo. No hay ni siquiera reloj que indique cómo el adolescente Hölz aprendió en la infancia el arte de la puntualidad en el encuentro con la revolución.

La historia empieza a los veintiocho años.

La rutina de la masacre se rompe un día. Un oficial le ordena al soldado Hölz que mantenga bajo vigilancia, pero sin dirigirle la palabra, a un «traidor»; ese tipo que ha sido enviado al frente como prisionero porque se opone a la guerra. Max incumple la orden. Unas primeras palabras con Georg Schumann y la conversación ya no puede detenerse. Georg es un socialista, editor de la *Leipziger Volkszeitung*, ansioso de romper el infierno de silencio al que ha sido condenado. Hölz lo coloca ante su pasado, Schumann lo reexplica, lo desenvuelve, le habla de leyes sociales, de clases, rompe con la buena y mala suerte. Reinterpretada por Schumann, la historia de Hölz se vuelve parte de un paisaje público de explotación e injusticia social; la historia privada se vincula con la historia de los otros, con la gran historia de Alemania, con los accidentales desastres de la historia del vecino, con los fríos del compañero de turno, con las angustias del camarada que viaja con uno en el tranvía. Max se ve bombardeado por un alud de nuevas ideas.

Mientras tanto, en el frente oriental se producen acontecimientos que van a transformar la vida del soldado Hölz. En Rusia estalla la revolución. Febrero, octubre, soviets, obreros armados. (¿Cómo son las calles de Petrogrado? ¿Trotski tiene barba? ¿Qué dice exactamente el decreto sobre la guerra? ¿Van a tener capataces en las fábricas? ¿Son necesarios los choferes en el socialismo? ¿Los porteros de los cines?). Schumann se las arregla para mantenerse informado y comparte con Max las gloriosas nuevas.

Cuando la comprensión del mundo en que ha vivido se está reordenando en la cabeza de Max, el mundo exterior se vuelve loco. Se inicia la ofensiva del otoño del 18. Toneladas de obuses caen sobre las trincheras. Los cadáveres pasan ante él arrastrados por camilleros sonámbulos que chapotean en el lodo. Hölz es afortunadamente alcanzado por una bala que lo hiere en un pie, y la herida permite que lo saquen de la carnicería evacuándolo a un hospital en el sur de Alemania. Queda incapacitado para luchar. Max piensa que ha terminado su vida de soldado. No anticipa que esa incapacidad no le impedirá combatir militarmente otra guerra de carácter radicalmente diferente, que se iniciará en los siguientes años. Le dan una pensión de cuarenta marcos y lo envían a casa.

## II

Su regreso de Alsacia hacia Sajonia coincide con el desmoronamiento de la monarquía alemana. El 4 de noviembre se inicia la revuelta de los marinos de Kiel, el 9 abdica el kaiser. Entre estas dos fechas que señalan el comienzo de la Revolución Alemana de 1918, Hölz inicia el regreso al hogar. Viaja en un tren que es ocupado por millares de desertores. Tiene que meterse en el baño junto con otros compañeros para encontrar un lugar donde dormir y pasar las horas. El espectáculo en cada estación de los militares insurrectos lo va llenado de júbilo:

«Comencé a sentir el enorme poder de la multitud, que era capaz de marchar hacia adelante y actuar sin oficiales», escribiría años después.

Quiere detenerse y compartir las tareas de derribar el viejo régimen, pero sabe que su esposa Clara se encuentra enferma y le urge llegar a Falkenstein. En las estaciones donde el tren de detiene, Hölz ve formarse los primeros consejos de soldados: Frankfurt, Kassel, Halle...

Un Max Hölz derrengado y enfebrecido llega a Flakenstein el 9 de noviembre de 1918 para dar inicio a una nueva historia. Antes de ir a su casa, en la estación del tren, pregunta si existe ya un consejo de obreros y soldados. Por esos rumbos nadie ha oído hablar de tal cosa. sin perder tiempo, Max hace cartelas a mano convocando a una reunión para formar el consejo, los pega en la estación y en el Ayuntamiento. Luego marcha a ver a Clara.

En la tarde, respondiendo a su llamado, treinta soldados se reúnen; entre ellos el dirigente local del Partido Socialdemócrata Independiente Alemán (USPD), Storl. El consejo se integra, pero Max y Storl se enfrentan, ambos reclaman la iniciativa. Max por haber convocado al consejo, Storl por ser el presidente local del USPD. La reunión concilia y los nombra a ambos presidentes del consejo de obreros y soldados. Exigen y obtienen una oficina en el Ayuntamiento. Hölz con un grupo de hombres se traslada a Leipzig para conseguir armas. Obtiene de los miembros del consejo local algunos rifles. Cuando regresa a Falkenstein, ha sido destituido por su copresidente. Pero Hölz es ya un nuevo personaje, de esos que como dice Nazin Hikmer, han sido arrojados a la superficie desde el fondo del océano por la tormenta. Toda su energía tiene un sentido: la revolución. Si no lo quieren en el consejo de obreros y soldados, hay otras muchas cosas que hacer. Se pone a disposición del diario del USPD, el *Vogtländische Volkszeitung*. Su trabajo es conseguir suscripciones. De las que obtiene se le paga un mísero sueldo. Se traslada a Plauen, se afilia al USPD. Organiza mítines para la campaña electoral. Organiza secciones en los pueblos de la comarca. Trabaja para una revolución que ha dejado de serlo. La revolución de los consejos se ha convertido en una democracia parlamentaria que negocia con el capital, pero no por eso hay que rendirse. Aunque la revolución se escurra, se le está escabullendo, ocultando, escapando de las manos, como una esperanza hecha agua, los socialistas mayoritarios (SPD) la están escamoteando. Los consejos que ellos controlan ceden el poder a una República burguesa. En enero de 1919 se produce el primer gran enfrentamiento. El ala más radical del movimiento obrero se levanta en armas en Berlín. Los espartaquistas declaran la insurrección. Hölz se maldice, debería estar en Berlín y no en Sajonia. La revolución fracasa, Rosa Luxemburgo y Karls Liebknecht son asesinados. Hölz se enfurece, se enfrenta con los dirigentes locales del SPD, la discusión termina a golpes. No hay debate más convincente. De poco sirve: la revolución se ha perdido. Un socialista mayoritario, Ebert, es electo el 11 de febrero presidente del Reich, los socialistas son los cancerberos (los perros de caseta, si uno no es adepto a las fórmulas mitológicas tan en boga en esos días) de la República burguesa. Los socialistas independientes no se atreven a romper con ellos.

Hölz busca desesperadamente un punto de apoyo. Le escribe a su amigo Georg Schumann que se ha convertido en espartaquista; le pide que venga a Sajonia a hacer mítines. Quiere que le explique a la gente lo que él no puede explicar con claridad: que eso, esto, lo que hoy existe, tiene que ser destruido para dar paso a una República de trabajadores. No es el único que piensa así. En abril y mayo, comunistas, anarquistas, socialistas independientes, declaran la República de los Consejos en el sur de Alemania, en Baviera. Pero esa revolución también muere ante las bayonetas de los ejércitos blancos y la complicidad del gobierno del SPD.

## III

En la primavera de 1919, un Max Hölz buscando cada vez más un proyecto propio, funda la sección local del partido comunista de Alemania (KPD) en Falkenstein. El KPD había nacido en los últimos días de 1918 fusionando a los espartaquistas y a los nuevos seguidores de la Revolución Rusa. No es suficiente. Hölz se desespera, el KPD de Falkenstein tiene que actuar.

Max Hölz gira la vista en torno suyo. Contempla una zona industrial destruida, en quiebra, millares de obreros desocupados. En la region, tres o cuatro mil al menos. Es invitado a intervenir en un mitin de trabajadores despedidos. El ambiente es tenso. En ese invierno han muerto obreros de hambre y frío. Max invita a la acción directa, a pasar al combate, al lenguaje de los actos. De la palabra vertiginosamente transita a la organización de una manifestación en las puertas del salón donde se celebra el acto. La marcha avanza sobre el Ayuntamiento y lo toma. Se crea el consejo de trabajadores desempleados de Falkenstein. Se exige carbón, comida. Y se exige amenazando con tomarlo. El alcalde reacciona y pide ayuda militar a Dresden. Hölz es acusado de incitar al motín. Años más tarde diría: «Me vi obligado a intervenir más emocional que radicalmente en acciones que estaban bastante alejadas de las tradiciones burguesas». No hay tal, en esos llamados incendiarios, en anteponer la acción, se encuentra el nacimiento del «estilo Hölz.»

El ejército impone el estado de sitio, toma la ciudad, son detenidos varios miembros del Consejo de Desempleados. Hölz se escabulle, pero no se aleja demasiado. Nuevamente el «estilo Hölz». Siempre hay que estar cerca de donde la acción puede resurgir, en la huida siempre hay que mantener la vista y la distancia corta, no hay que alejarse de los compañeros, aunque sí de la policía. Toda una teoría de las distancias en esto de la lucha social.

Las autoridades fijan una recompensa de dos mil marcos por la captura de Hölz. Max decide pasar al contraataque: a la cabeza de un grupo de desempleados que ha reunido precipitadamente, avanza cantando sobre el Ayuntamiento que ha puesto precio a su libertad. En la puerta los soldados han montado un par de ametralladoras. Actuando como si el poder se encontrara en sus manos, Max le pide aclaraciones al oficial a cargo del estado de sitio, acusa al alcalde de haber inventado lo del motín, exige al ejército que abandone el pueblo, no hay razones para que Falkenstein se encuentre ocupado militarmente. El oficial, desconcertado, solicita dos horas para poder consultar con sus superiores. La multitud se ha reunido mientras tanto y ha cercado el Ayuntamiento. Hölz dirige un asalto que mucho tiene de operístico. Los obreros tiran al suelo las ametralladoras, fraternizan con los soldados, los rodean, y a varios les quitan los fusiles (¿de buena manera?, ¿sonriendo?, ¿haciendo válida la máxima de que la muchedumbre es sabia?, ¿o dando con el codo y enseñando la culata de la pistola en el bolsillo?). El ejército se retira, el pueblo amotinado detiene al alcalde. Se exige la liberación de los miembros del Consejo de Desempleados, el alcalde es rehén de la petición. Desde las ocho de la mañana en que se produce la ocupación del Ayuntamiento a las seis de la tarde en que liberan a los presos, los obreros son dueños de la ciudad. Se produce un empate y con él una tregua. El consejo se hace cargo de la distribución gratuita de carbón y comida a los desempleados, en colaboración forzosa con el Ayuntamiento. Luego seguirán varias semanas de paz. Pero Hölz y sus muchachos van más allá y confiscan comida en los hogares de los patrones para distribuirla en las casas de los miserables. No basta. Hölz y los militantes del consejo comienzan a llevar la organización hacia los pueblos vecinos. Durante un mitin en Treun, un viejo granjero se acerca titubeando a los oradores para pedir ayuda. Lo invitan a subir al estrado. Narra que el propietario de la granja donde trabaja le rebajó el salario. Cuando protestó, el patrón contestó: «¡Ve y pídele a Hölz el dinero!»

Max disfrutaba la respuesta del burgués. Esa misma noche le escribe una carta al terrateniente diciéndole que le entregue instantáneamente al mensajero diez mil marcos, dinero que será usado para aumentar el salario de sus peones; «Le escribí que si desobedecía nuestras órdenes sacaríamos sus caballos de los establos, los venderíamos y usaríamos el dinero para pagar a sus peones. El latifundista envió el dinero de inmediato.»

A partir de esta experiencia deliciosa, Hölz y sus hombres comienzan a multar a los capitalistas de la región con la amenaza de aplicarles la acción directa si no pagan. Con el dinero obtenido se financia el reparto de comida para los desocupados. Las cocinas colectivas florecen en la región de Vogtland. Grupos de revolucionarios recorren las casas de los obreros despedidos entregando dinero, carbón, ropa y comida. Se reparten cerca de un millón de marcos obtenidos de las multas al capital.

La experiencia libertaria, el doble poder, llega a su fin. El 3 de julio de 1919 un regimiento del ejército invade Falkenstein. Con el pretexto de que al entrar en la ciudad se ha disparado contra ellos, registran las casas de los comunistas. El blanco de la operación es Max Hölz, el dirigente del consejo. Cien soldados cercan su casa, tiran bombas de mano en el jardín, ametrallan la chimenea. Max los observa desde una loma cercana. Sin sonreír, pero sin angustia. Es mucho mejor que se ametralle una chimenea que a un hombre.

Durante varias semanas se desata contra él una tremenda persecución policiaca. Permanece clandestino en la zona, cambiando de casa constantemente, viviendo en los hogares de sus amigos, obreros sin trabajo. Habla en mítines en otras poblaciones de la Alemania central utilizando un nombre falso. Cuando se encuentra en Flakenstein o en sus inmediaciones evade fácilmente al ejército.

Pasa ante los soldados, que no lo conocen, con la complicidad del pueblo. Es un fantasma ante cientos de ojos que simulan ceguera (¿el pez en el agua?, ¿el nuevo rey mago que reparte billetes entre sus súbditos?). Tiene un rostro vulgar, sin distintivos.

Es un obrero que parece obrero. Cara tosca, bigote que se deja y quita, pelo hirsuto, cubierto por una gorra, una boina bajo la cual solo de vez en cuando la cara anodina muestra una sonrisa; rasgos fuertes, cuadrado de estampa, levemente encorvado de tanto barrer suelos, meterse de cabeza en las trincheras, palear nieve.

El 21 de julio el ejército abandona Flakenstein tras haber fracasado en su ocupación de tres semanas. Menos tardan los camiones militares en irse que Max en movilizarse. Al atardecer, Max Hölz se presenta en el Ayuntamiento con un grupo de amigos, minutos después se celebra un mitin con cientos de desempleados.

El «estilo Hölz» se precisa: su mayor cualidad, la velocidad con la que reacciona frente a los sucesos, su conocimiento del pueblo y del terreno, su increíble audacia.

La milicia local, integrada por la pequeña burguesía de la ciudad, comete el error de atacar el mitin, y es derrotada por los obreros y los desempleados que no solo los hacen correr, sino que les quitan las armas.

Se abren conversaciones. El gobierno exige que se disuelva el Consejo de Desempleados o amenaza con dejar permanentemente en Falkenstein un destacamento del ejército y perpetuar el estado de sitio. Max peca de inexperiencia, descuida la espalda mientras negocia. Cuando las comisiones están discutiendo en el Ayuntamiento, las tropas entran nuevamente a la ciudad y cercan la plaza mayor. Se proclama la Ley Marcial. Los soldados bajan de los transportes fusil en mano y entran al Ayuntamiento para arrestar a Max Hölz. Los obreros salen al encuentro, se llega al cuerpo a cuerpo. No hay disparos, por ahora solo empujones, discusiones agrias, forcejeos; los obreros presionan a los soldados. Hölz es arrestado, la multitud lo libera. Como si la lucha de clases se hubiera trocado en una comedia de Laurel y Hardy, se multiplican los equívocos: idas y vueltas, manifestaciones, negociaciones, abundan forcejeos, conatos de violencia, pistolas que salen a relucir pero no se disparan. Max es rescatado y en medio se la multitud sacado del centro de la ciudad. Tiene que huir.

# IV

Han pasado apenas ocho meses desde que Max Hölz se bajó del tren en Falkenstein, cojeando por una herida en el pie y vestido con el uniforme de un ejército que se trocaba en una fuerza de la revolución. Tan solo en ocho meses. ¿Cuál es el balance? ¿Cuentan más las victorias que las derrotas? ¿En las historias de los eternos derrotados, los momentos de gloria valen doble? ¿Quién puede quitar la memoria a los que la adquirieron? ¿Se huele aún la sopa de aquellas cocinas colectivas? Por ahora hay que tomar distancia. Primero varias semanas en la cercana localidad de Auerbach. Tiene que volver a huir. La policía y el ejército se acercan demasiado. El nuevo destino es la ciudad de Hof en la Baviera del sur de Alemania, donde aún están frescas las huellas de la matanza que acabó con la República de los Consejos. Max en el anonimato busca un empleo, enlaza con algunos camaradas, ronda como sonámbulo por la ciudad. No resiste mucho tiempo encerrado en la soledad, busca la multitud como se busca a la tribu, la familia. Asiste a un mitin de los socialistas independientes; debería quedarse callado, pero lo suyo no es el silencio, toma la palabra y propone que se boicotee a las empresas mineras del Ruhr, en la zona de ocupación francesa. Los desempleados no deben acudir allá a trabajar en las minas cuando la zona hierve de desempleo; y si van, no deben aceptar salarios inferiores a las tarifas fijadas por los sindicatos locales. Y desde luego ofrece una respuesta al desempleo: no buscar trabajo en otras partes de Alemania; algo más simple, organizar a los desempleados y pasar a la acción directa. Los socialistas del USPD lo acusan de provocador policiaco, lo denuncian. Es un agente al servicio del capital. Revelan su identidad al descubrirlo: ¡Es Max Hölz! La cobertura que lo mantiene clandestino vuela hecha pedazos. Una hora más tarde la policía lo detiene. Para su fortuna, en el lugar donde está cenando hay varios obreros que lo reconocen y lo rescatan de manos de los agentes, le cubren las espaldas mientras corre por las calles de Hof.

Una nueva lección. Si va a abrir la boca en un mitin debe tener garantizada la salida, o la fuerza de las pistolas para sostener sus palabras. Una variante de la lección: no se te ocurra ir a comer a restaurantes de clase media, allí no habrá obreros que te rescaten.

Poco después, en Hof hay elecciones para el Consejo Obrero Local. Los comunistas derrotan por mil trescientos tres votos de delegados al USP que solo tiene doscientos sesenta y cuatro y a los socialistas mayoritarios del SPD, que se quedan con doscientos nueve. Hölz no puede regresar a gozar esta victoria indirecta; está vigente la recompensa de dos mil marcos que ha ofrecido el gobierno de Sajonia, y los policías de Baviera quieren cobrarla.

Hölz va a dar al pueblo de Oberhotzau, ahí se esconde. Cuando está a punto de volverse loco a causa de la soledad y el aislamiento, de la inacción, aparece como una bendición su gran amigo de Falkenstein: Paul Popp, uno de los mejores combatientes del Consejo de Desempleados, viene comisionado por el KPD con papeles falsos para Max, que le ofrecen dos nuevas personalidades: puede ser Werner o Sturm (todo un lujo ese doble juego de documentación ilegal). Con los nuevos papeles, Max recorre la Alemania central dando mítines para el KPD. Pronto es desenmascarado por los socialistas del SPD y señalado el falso Sturm como Max Hölz. En Leuna, durante uno de estos actos, la policía intenta arrestarlo. Cuando siente sobre su brazo la mano de uno de los agentes se suelta, sube a un banco y grita:

«¡Trabajadores! ¿Van a permitir que me arresten?»

En el motín que se organiza a continuación, se fuga.

Vieja lección reaprendida: nunca se está solo. La multitud no está formada por rostros anónimos vistos desde un estrado. Son tipos como uno, listos a intervenir y a pasar de espectadores a actores.

Se acaba la tregua, hay que volver a ocultarse. Tiene que abandonar la Alemania central. En Halle se entrevista con el dirigente comunista Otto Rühle, miembro del ala izquierda del KPD, quien le ordena se tome unas «vacaciones teóricas». Max, el hombre de acción tiene que aprender la teoría luminosa de la revolución. El partido lo incorpora a un curso de formación para militantes comunistas que se realiza en el pueblo de Walsrode, impartido por el propio Rühle. Durante seis semanas, Hölz disfruta (¿goza o se le impone?) de una extraña paz. Mientras tanto, aumenta el precio: en el Vogtland y la Alemania central la recompensa por su detención ha aumentado a cinco mil marcos.

Al fin el curso termina. Max no hablará mucho en sus memorias (más bien nada) del rollo teórico recibido en esos días. No hay recuerdos de Marx, Engels o Lenin, no hay reflexiones sobre plusvalía o imperialismo; no hay registro de la teoría del valor o de la negación hegeliana.

Decide prolongar las vacaciones y visita a su familia en Ilten, pero una indiscrecion de su esposa Clara conduce a la policía hasta el domicilio. Lo detienen. No hay nadie ahora a quien apelar.

Max es encerrado en la prisión de Burgdorf cerca de Hanover, a la espera de ser trasladado a Plauen, donde será juzgado. Un descuido de los carceleros le permite enviar una carta a sus amigos en el Vogtland. Los amigos, como siempre en la agitada biografía de Max Hölz, no tardan en llegar.

«Puntuales, en el minuto exacto, cinco hombres arriesgados llegaron a Burgdorf. Uno de ellos era un cazador furtivo famoso por no saber que era el miedo», diría Max en su futura biografía.

Los amigos actúan bajo un plan concebido por el propio Hölz desde la celda: el grupo simularía estar entregando un prisionero y cuando los guardias abrieran las puertas irrumpirían en la cárcel a punta de pistola.

Max había esperado todo el día muy inquieto. De repente, oye ruidos y teme que sus compañeros hayan modificado el plan y estén tratando de aserrar los barrotes de la celda que dan a la calle.

«Repentinamente hubo un ruido terrible. Oí gritos, puertas que eran destrozadas, ventanas que se rompían, incluso tiros. La puerta de mi celda se abrió abruptamente. Mis camaradas gritaron: ¡Max, estás libre!»

Los amigos cumplen.

En medio del tiroteo el grupo se escabulle por las apacibles calles de la villa de Burgdorf; entre parejas de enamorados clandestinos y bebedores nocturnos.

Después de esta escapatoria milagrosa, Max sigue tentando a la suerte (¿o no existe tal cosa llamada tentación sino es la suerte la que lo tienta a uno?, ¿o no se trata de suerte, sino de un método irracional de colocarse en los lugares donde no se debería estar, de violentar el sentido común y la racionalidad policiaca?) e interviene en un mitin en Hanover, días después en Leuna, donde la policía había intentado detenerlo dos meses antes.

# V

No dura demasiado el vagabundo, y Max regresa a la zona del Vogtland en Sajonia. Su corazón no le permite alejarse demasiado de la región deFlakenstein. Max es un comunista sentimental, un revolucionario de patria chica. Lo suyo no es huir, aunque tampoco puede permanecer a la luz o será detenido.

«¿No puedo?», pregunta.

Encuentra un escondrijo, comienza a leer más regularmente textos políticos. No habrá registro en su futura autobiografía de esas lecturas. No deben haberle interesado en exceso. Max solo estudia teoría política cuando no puede hacer otras cosas. Frecuentemente se dan noticias en la prensa y la radio de su detención. Sus familiares reciben telegramas de condolencia y solidaridad que Max lee con gran placer. Pero la cacería no lo inmoviliza. Varias veces interviene en mítines en poblaciones del Vogtland; varias veces está a punto de ser detenido.

El 22 de octubre de 1919 (¿es posible que no haya pasado ni siquiera un año todavía desde su regreso a Flakenstein?) se celebra un mitin del Consejo de Desempleados.

Conociéndolo bien, sus camaradas le prohíben asistir. El propio Max está convencido de que no debe presentarse en el acto, que no hay motivos para el suicidio, ni para forzar en exceso la fortuna. A las ocho de la noche un compañero le lleva el periódico a su escondite. Las autoridades parecen intuir algo, la recompensa por su cabeza ha sido aumentada. «Eso me estimuló a causarle un poco de excitación a los burgueses, a los espías y a los policías de Falkenstein.»

El archiperseguido Max Hölz hace su teatral aparición en el mitin entrando desde el jardín por una ventana abierta. En medio de la sorpresa pronuncia un breve discurso ante millares de rostros en los que se mezcla el placer y el desconcierto. Cuando en el aire aún queda el eco de su última palabra y apenas comienzan a juntarse las palmas de las manos de los obreros para el primer aplauso, Max se arroja de nuevo por la ventana, rueda por la hierba y se aleja del local.

Caminé en silencio por las calles. Los paseantes se detenían y se quedaban sorprendidos. Fui hacia la estación de policía en el Ayuntamiento; estaba llena de agentes. Grité con fuerza: «¡Buenos días! ¿Está todo bien?» Fue un momento fantástico. Los oficiales estaban tan sorprendidos que no se movieron de sus lugares.

Paseando por Falkenstein, Max se encuentra con su amigo Paul Popp. El famoso Paul, el amigo de los amigos. Alguien con quien contar en estos últimos vertiginosos diez meses. Hölz atrae a gente así como un enorme imán; los descubre silenciosos en la multitud, los lanza a la guerra con él. Paul es quizá el mejor de los compañeros de Max, el que tiene como Max un estilo propio. El mes anterior, fue Paul el que salvó a Max de un cerco policiaco cuando estaba hablando en un mitin. Paul rompió las luces del salón a bastonazos provocando un cortocircuito y en la oscuridad, solo quebrada por los relámpagos de los disparos del revólver que lleva en la mano, sacó a Max tomado del brazo e indemne.

Ahora, los dos compadres se abrazan a mitad de la calle. La policía, que se dedica regularmente a impedir toda muestra de efusividad proletaria, se acerca bajo la forma de un par de agentes que intentan detenerlos. Popp saca del interior de su abrigo un garrote y con solo mostrarlo y mostrarles los dientes, los hace huir. Los policías corren a buscar refuerzos mientras los dos alegres compinches se retiran a celebrar el encuentro en la noche de Falkenstein.

Dos semanas después Popp es detenido. Días más tarde, un par de camaradas pistola en mano entran en la prisión y lo liberan. El juez Reitschel, enemigo personal de los obreros rojos, encarcela a la esposa de Paul, a pesar de que la mujer está embarazada y enferma.

Hölz, en ausencia de Paul, decide hacer justicia. Junto con otro camarada localiza al juez Rietschel y en una noche nevada lo apalea sin misericordia, enviándolo al hospital por varias semanas.

Se impone un reposo. Max Hölz se oculta de nuevo. Se inicia 1920.

# VI

En el último año, Max ha sido un hombre clave en la zona del Vogtland para el trabajo comunista, ha realizado además decenas de tareas de agitación en toda la Alemania central. Pero no ha participado en la vida interna del KPD; con excepción del breve curso de formación política, ha estado al margen de los debates del partido. Hölz es comunista porque los comunistas quieren hacer la revolución y todos los demás no. Se ha quedado a un lado de discusiones internas y escisiones. No es de extrañar por tanto que le pase inadvertido el III congreso del KPD en febrero de 1920. El partido se encuentra en una profunda crisis. Siguiendo la tónica de la Internacional Comunista, margina a su ala izquierda y ajusta su proyecto al esquema simplificado de lo que fue el partido bolchevique: partido muy centralizado, parlamentarismo de denuncia, intervención en sindicatos conservadores. El viraje a la derecha pospone la tan anunciada etapa insurreccional. Todo por el partido de masas. Nadie discute con Max estas orientaciones. Sus amigos Schumann y Rühle han quedado separados de la dirección. El KPD de febrero de 1920 no le gustaría demasiado a Max si tuviera tiempo de observarlo.

Pero Hölz, si bien puede estar al margen de la vida interna del KPD; no se encuentra al margen de su vida externa. Incapacitado temporalmente para hacer trabajo de masas o para ir a Falkenstein a romperles la boca a burgueses y policías, que es lo que verdaderamente le resulta atractivo, adopta una nueva personalidad. Se hace llamar, con todo y papeles falsos que lo comprueban, profesor Lermontov. Con ese sugestivo nombre interviene en los primeros meses de 1920 en trabajos organizativos en las zonas obreras de Baviera y en el Vogtland. No faltan en esos días abundantes persecuciones y venturosas huidas «por los pelos», como la que protagoniza el 19 de marzo en Selb, Baviera, cuando escapa de la policía saliendo de un mitin por una ventana, utilizando una escalera de cuerda, de cuyo último peldaño resbala, lesionándose la rodilla.

Ese mismo día se traslada a Oberkotzau, uno de los muchos lugares donde tiene una base de operaciones. Ahí se reúne con un grupo de camaradas (otra vez los «camaradas», los amigos, la red personal de hombres y mujeres de confianza, que ha ido construyendo en el centro y sur de Alemania). En la reunión le cuentan detalladamente los acontecimientos que están conmoviendo al país.

El 12 de marzo de 1920, pocos días antes de que Hölz se haya refugiado en Oberkotzau, los soldados de los reaccionarios «cuerpos francos» se han levantado en armas a su regreso de Rusia por temor a ser desmovilizados. El *putsch* está encabezado por Wolfgang Kapp, a la cabeza de un grupo de militares blancos de la derecha monárquica. El día 13 los militares en armas prácticamente han tomado Berlín, y el gobierno de los socialistas mayoritarios ha tenido que abandonar la capital y huir hacia Dresden. Los tres partidos obreros, por primera vez de acuerdo, han decretado la huelga general contra el golpe, secundados por las centrales sindicales. Berlín se encuentra totalmente paralizada. Pero los acontecimientos rebasan la situación de la capital: en el Ruhr los obreros han atacado a las bandas militares de Lützow, han ocupado Dortmund el 17 y luego Essen.

En otras partes de Alemania, los obreros armas en mano combaten contra los grupos militares. En el mismo Berlín los golpistas se tambalean ante la unanimidad de la huelga general.

Hölz, que había venido recibiendo vagas noticias de todo esto, ante la información que le da idea de la magnitud de la situación, decide que hay que utilizar el golpe reaccionario para desatar el contragolpe obrero. Esa misma tarde toma un tren rumbo a Hof.

No va a ser un viaje tranquilo. Un policía lo reconoce y da la señal de alarma. Los agentes rodean el compartimiento del tren en que se encuentra. Max, con lo que ya se va convirtiendo en habitual sangre fría, saca del bolsillo del abrigo una granada y le quita el seguro. Los policías y los pasajeros huyen despavoridos, corren por los pasillos del tren. Hölz salta del vagón en marcha. La rodilla que tenía lesionada se resiente, se le va hinchando. Así arriba a Hof caminando, aunque sufriendo grandes dolores. No encuentra un automóvil para llegar al Vogtland, de manera que decide continuar a pie; los transportes públicos no le ofrecen seguridad, el policía del tren debe haber alertado a todas las fuerzas de la región. Camina. Varias veces se desmaya por el dolor. Cinco horas de sufrimiento. Al fin detiene el automóvil de un tabernero y consigue, a cambio de un puñado de billetes, que lo lleve hasta Ölsnitz en el Vogtland. Por teléfono avisa a sus amigos en Falkenstein. Acuden, pero se niegan a llevarlo a la ciudad cuando ven el estado en que se encuentra. Se les escapa, en el riesgo ni siquiera el consejo de los amigos es bueno: nuevamente compra a un chofer que lo lleva hasta Falkenstein.

La ciudad se encuentra en manos del ejército, pero hay gran agitación entre los trabajadores. Max no pierde el tiempo y a través de sus compañeros convoca a un mitin. El objetivo: desarmar a los militares, organizar las milicias obreras. Mientras Max espera el resultado de su convocatoria, el ejército abandona la ciudad para ir a apoyar a otro destacamento militar que se bate en Turingia contra los trabajadores.

Hölz está enfadado. La oportunidad de hacerse de armas se le escapa. Con seis camaradas ataca, ante el hotel principal, a un grupo de soldados que se habían quedado rezagados y los desarma. Su escuadra confisca varios tanques de petróleo. Están haciendo bombas cuando los militares alertados regresan a la ciudad. Hölz y su pequeño grupo intercambian disparos con el ejército. Las armas no son suficientes, el grupo es muy pequeño. El miniejército proletario de Max se repliega. Curiosamente su rodilla ha mejorado, ya no le molesta. Max constata el hecho con sorpresa. Sin duda la revolución tiene una magia peculiar, capaz de hacer sanar rodillas luxadas. La naturaleza trabaja para la revolución, se dice, flexionando la rodilla mientras camina por la carretera para abandonar Flakenstein.

En Auerbach, donde han llegado a mitad de la tarde, Hölz organiza un mitin. En esa ciudad el Consejo Obrero Local ha decretado la huelga. Pero Max en el mitin va más allá: ya no se trata de huelga general, se trata de insurrección. Los militares reaccionarios se alzaron en armas, ahora les toca a los obreros devolver el golpe y hacer la revolución. El argumento ya está dado. Max invita a los presentes a marchar sobre la estación de policía, armarse y destruir a los soldados en Falkenstein. Sorprendente. Los trabajadores saben que Hölz habla en serio. Coinciden con él. Dos mil de ellos con Max a la cabeza avanzan sobre el cuartel policiaco. Entre la decisión y la acción no hay mediaciones. Las puertas son derribadas a hachazos. Algunos policías caen heridos en la refriega cuerpo a cuerpo, no han tenido tiempo de reaccionar, la mayoría entrega sus armas sin resistencia. El botín, a los ojos de Max, es monumental: varios rifles, algunas ametralladoras, varias cajas de granadas. Se frota las manos: ¡Con esto sí se puede iniciar una revolución!

Cuando sale a la calle a repartir las armas, las guardias rojas están formadas, grupos con un jefe electo. Max envía un mensajero al ejército en Falkenstein ordenándole a los soldados que entreguen las armas si no quieren que los obreros de los pueblos próximos los cerquen y los masacren.

El oficial a cargo de la guarnición de Falkenstein no cree en amenazas, no tiene muy clara idea de quién es ese Max Hölz; detiene a los emisarios y envía sus tropas contra las guardias rojas que supuestamente están en Auerbach.

Max y sus huestes están a la espera. Una lluvia de luces de bengala cae sobre los desconcertados militares, luego todo el poder de fuego de los trabajadores armados; luego los tiros cruzados de las ametralladoras. Los obreros han aprendido algunas cosas durante la pasada guerra. La noche se ilumina como si la carretera entre Auerbach y Falkenstein fuera el escenario de una fiesta de fuego. El ejército se retira derrotado y se concentra en Plauen.

Las milicias obreras toman Falkenstein.

Max recibe información sobre la situación del golpe militar en Alemania. Las noticias son ahora más precisas: se sabe que la huelga general en la capital ha derrotado el *putsch* de Kapp, que los militares han huido de Berlín y el gobierno socialdemocrático ha tomado el control. Sin embargo, en el Ruhr los obreros armados continúan combatiendo a las bandas militares.

Hölz lleva la información a una asamblea de las milicias obreras. No hay demasiado debate, no hay excesivas dudas. El pequeño ejército rojo decide transformarse en un gran ejército rojo y seguir adelante. Se abren centros de reclutamiento en toda la región del Vogtland. El financiamiento de la operación se realiza de la manera más simple: se expropian cuarenta y cinco mil marcos a los capitalistas locales, con los cuales se pagará al ejército rojo su salario semanal. A la semana siguiente, como el ejército ha crecido, la cuota aumentará a cien mil marcos.

No hay indisciplina. Un mínimo intento de convertir el poder obrero en desmán es frenado en seco. Hölz personalmente interviene para impedirlo. En toda la zona industrial los trabajadores se arman. La guardia roja derrota a las milicias burguesas locales en Markenkirchen.

Ahora se trata de la gran operación. El siguiente objetivo es Plauen, una ciudad de ciento treinta mil habitantes en la que, además de encontrarse el ejército, se hallan los presos politícos de Falkenstein, los veinticuatro obreros que fueron detenidos desde la primavera de 1919 y llevan diecinueve meses en prisión.

Hölz le da vueltas a muchas ideas en la cabeza. No quiere arriesgar su flamante ejército rojo en un combate frontal que puede ser sangriento. Decide actuar con un pequeño grupo. De la forma en que habitualmente lo ha hecho y como se siente a gusto, apostando a la sorpresa y a la audacia y no a la capacidad de fuego.

Se forma una unidad de cinco hombres muy bien armada, con tres ametralladoras, fusiles, pistolas y granadas. Max los encabeza, ¿cómo iba a perdérselo?

El asalto a la prisión de Plauen es exitoso. Toman por sorpresa a la guarnición. La unica dificultad: una gran reja de hierro que se les resiste varios minutos, aunque con las granadas acaba saltando. No solo liberan a los cautivos, también roban el archivo judicial de Plauen. La brigada suicida regresa a Falkenstein con los presos. Las familias de los detenidos y el ejército rojo los reciben en triunfo. «Fue el día más feliz de mi vida», dirá Max Hölz. De pasada se ha traído secuestrado al fiscal, para que les proporcione información sobre los delatores que existían en el movimiento obrero de la región. El hombre aterrorizado da toda la información que posee. Así se conoce que la policía tenía a sueldo a dos miembros del KPD.

Para hacer más feliz esta hora, Max y sus «muchachos», grandes artesanos de la revolución, deciden quemar los documentos judiciales de Falkenstein: actas de propiedad, juicios pendientes, deudas de trabajadores, hipotecas… La hoguera del pasado injusto arde durante tres días y sus noches.

¿Esto es la revolución? ¿Una hoguera del pasado?

El Vogtland está en armas. A la cabeza del ejército rojo, Hölz no tiene muy claro contra quién y cómo hay que proseguir la revolución iniciada. Mientras tanto, el gobierno socialdemócrata ha pactado con el ejército el 25 de marzo. Mutuas concesiones: no disolver las unidades militares, reconocimiento de la legalidad republicana, reconocimiento mutuo de poderes, descubrimiento y sonrisas de ambos como fuerzas del orden.

Los militares pasan al contraataque contra los obreros insurrectos que en el Ruhr habían logrado levantar un ejército de ochenta mil hombres. La entrada de la milicia blanca en la zona desmilitarizada, acordada por el tratado de Versalles, provoca la intervención francesa. El ejército francés ocupa Hamburgo y Frankfurt. Acosados por las Guardias Blancas y el ejército regular, con la retaguardia bloqueada por los franceses, los obreros son derrotados en el Ruhr.

Max Hölz, encerrado y sin mayor información en su pequeño territorio rojo en Sajonia, recibe la confidencia de que solo un capitán y cincuenta soldados custodian el depósito de armas de Frankenburg, y que el Consejo Obrero de la localidad ha ofrecido las armas a los obreros de la ciudad industrial de Chemnitz, quienes no aceptaron. Hölz imagina el depósito durante unos minutos y con treinta hombres sale para Frankenburg.

Al llegar a Zwickau tiene un enfrentamiento con el Consejo Obrero Local, dirigido por los socialistas independientes (USPD). En Chemnitz, el vagón en que viaja la escuadra de Hölz es rodeado por la policía. La cabeza de Max tiene un nuevo precio: treinta mil marcos. Tan solo con la advertencia de que van a comenzar a lanzar granadas por las ventanillas del tren, los policías se retiran. Al fin llegan a Frankenburg, donde los recibe el Consejo Obrero que declara que se encuentran bajo su protección.

Hölz se entrevista con Heinrich Brandler, dirigente del Consejo Obrero de Chemnitz y miembro destacado del partido comunista. Brandler le da cuentas al jefe del ejército rojo. Le pide que hable ante el consejo en el que hay socialistas de las dos tendencias y comunistas, pero que no diga nada sobre la historia de las armas, que no lo mencione; que se limite a decir que ha ido hasta allí con su escuadra por víveres y ropa. En Chemnitz, según Brandler, todo es confuso, por un lado el Consejo Obrero ha desarmado a las milicias burguesas, y los trabajadores se encuentran listos para defender la ciudad, pero están en contra de tomar medidas ofensivas. Brandler teme que Hölz y sus «locos» rompan el inestable equilibrio de fuerzas y los embarquen en una aventura. Max apenas si se toma la molestia de discutir con su compañero de partido. Lo manda al diablo. Toman el depósito de armas y con ellas en las manos regresan a Flakenstein.

El KPD, que se ha unido a la posición de socialistas y socialistas independientes con el fin de acabar con el movimiento armado rojo a cambio del castigo a los militares golpistas, al replegarse políticamente y conociendo la situación del Vogtland, emite un comunicado:

> Declaramos solemnemente que rechazamos las actividades de Hölz, quien ha intentado sustituir la acción de masas con su actividad personal. Con estas actividades, Hölz y sus compañeros se han puesto al margen del partido, el partido solo puede existir cuando todos sus miembros se adhieren a su programa.

Max no se entera de que ha sido expulsado del partido comunista y cuando lo sabe, poco caso habría de hacer a la noticia. Tiene cosas más importantes de qué ocuparse.

El ejército avanza sobre Sajonia. Las milicias rojas y locas de Max Hölz son el último reducto de la revolución social que respondió al golpe de Kapp. Cincuenta mil soldados están preparados para entrar a sangre y fuego y bayoneta en el Vogtland.

A punto de ser cercados en Falkenstein, los rojos se repliegan hacia Klingenthal, cerca de la frontera. Un grupo de comisionados se entrevista con las autoridades checoslovacas. Se ha decidido que en caso de que el cerco se estreche, las milicias se internarán en Checoslovaquia entregando las armas.

En los primeros días de abril de 1920, en la carretera Klingental-Georgenthal un millar de obreros armados, los restos de las milicias rojas, celebran un mitin en la arboleda que flanquea el camino. Se preguntan si la revolución ha terminado. Los soldados los tienen cercados, Hölz está inquieto: al abandonar Falkenstein, contra sus órdenes, fueron incendiadas algunas casas de industriales. Puede haber represalias brutales.

El ejército rojo opta por la dispersión. Solo entonces los militares avanzan.

Hölz se oculta en un pajar. Los soldados entran y rastrean entre la paja; uno de ellos clava varias veces su bayoneta para buscar a los revolucionarios en el heno. Una de esas veces, la bayoneta hiere la pierna de Hölz que a duras penas puede contener el grito. Cuando los militares abandonan la granja, Max se arrastra sangrando por los alrededores. Busca por el campo a alguno de sus compañeros. Oculto entre los árboles, contempla escenas horribles: los soldados asesinan con bayonetas a los detenidos.

Con otros cinco prófugos, Hölz cruza la frontera esa noche. En Egen es detenido por la policía checa. Su fama ha traspasado las fronteras, los policías no se acercan hasta que él no deposite a mitad de la calle un par de granadas. La revolución del contragolpe ha terminado para él.


# VII

Max pasa los siguientes cuatro meses de su vida en la prisión de Korthaus en compañía de otros veinticuatro revolucionarios alemanes. Su comentario sobre esa estancia es parco: «La comida no era mala, pero era insuficiente.»

A los cuatro meses, harto de la forzosa inacción, comienza una huelga de hambre exigiendo a las autoridades checoslovacas que le concedan la libertad y asilo político. Simultáneamente se comunica con sus amigos en Alemania para conseguir fondos para la defensa de los detenidos. Al culminar la intentona de revolución, Hölz y su grupo habían dejado ocultos en Sajonia setecientos cincuenta mil marcos, producto de las expropiaciones. Con una parte de ese fondo «enterrado», Hölz planea organizar una fuerte campaña publicitaria y contratar abogados. No tiene problemas para que el dinero llegue a Checoslovaquia, pero el abogado que organiza la campaña los estafa y roba parte del dinero sin hacerse cargo de la defensa. Max tiene una tormentosa entrevista con el turbio personaje, lo amenaza de muerte y lo despide. La huelga continua. Solo hay un consuelo en esos días de encierro: las canciones checas que escucha desde la ventana enrejada, «son las más bellas del mundo.»

La presión de la huelga de hambre da resultado. Tras 14 días las autoridades le piden que la levante. En agosto de 1920 Max Hölz y sus compañeros están libres.

Max sale a la calle y se encuentra con la realidad del exiliado. Está en Checoslovaquia, no en Alemania, no en Sajonia. Es un exiliado político, fuera de su tierra y sus recursos, lejos de sus amigos. La realidad le confirma su situación. El tren que lo lleva a Praga es apedreado por nacionalistas checos. Por primera vez en dos años, Hölz está desarmado. Al llegar a la capital tiene que ingresar en un hospital privado para reponerse de la huelga de hambre; dos agentes secretos de la policía checa se turnan para vigilarlo las veinticuatro horas. Además de soportarlos tiene que pagar sus gastos. Hölz se indigna. El dinero sagrado de las expropiaciones no puede servir para pagar policías, aunque sean checos. Los nacionalistas inician una campaña de propaganda para que el gobierno acepte la petición de extradición que las autoridades alemanas han extendido contra él. Hölz no duda, pide permiso al gobierno checo y en octubre de 1920 cruza la frontera e ingresa en Austria.

Paralelamente en Alemania se han producido algunos cambios que sin duda tendrán que afectar los próximos movimientos del revolucionario emigrado. En abril de 1920 un nuevo partido comunista a la izquierda del KPD ha surgido, el partido comunista obrero alemán (KAPD), en el que se reúnen algunos de los amigos de Hölz expulsados del KPD (Gorter, Otto Rühle). El nuevo grupo se proclama «un partido de masas, no un partido de jefes». Pero este no es el único cambio. En los mismos días en que Max Hölz arriba a Viena, la mayoría de los socialistas independientes (USPD) deciden incorporarse a la Internacional Comunista en el Congreso de Halle. Poco después, el 5 de diciembre, el KPD y la mayoría del USPD se fusionan para formar el nuevo partido comunista unificado (VKPD). Un partido que reúne cuatrocientos mil afiliados.

Estos cambios en la organización de la izquierda alemana, de los que sin duda ha debido tener noticias, no ocupan los pensamientos de Max, quien se debate entre la paz forzada de Viena y la violencia de sus recuerdos.

Recibe una invitación para viajar a la Unión Soviética, pero la tentación de conocer en vivo la primera revolución socialista del mundo coincide con el arribo de noticias sobre el inicio del juicio en Dresden y Plauen contra los camaradas con los que combatió hace unos pocos meses en el levantamiento contra el *putsch* de Kapp. El tiempo de duda es breve. En diciembre de 1920 decide cruzar ilegalmente la frontera alemana. Consigue un pasaporte falso a nombre de Alexander Matiasek. Una nueva personalidad («Otra más», se dice el señor Hölz que ha sido en los últimos años el señor Werner, el señor Sturm, el señor Lermontov). Pero Hölz no se disuelve tras sus máscaras. Son accidentales, pasajeras (o al menos eso nos parecen a nosotros ahora): bigote afeitado, corte de pelo y lentes sin aumento.

«Debo confesar que estaba un poco nervioso cuando la policía fronteriza me inspeccionaba». No más que eso. Max Hölz está de nuevo en Alemania.


## VIII

Max llega a Hof antes de la Navidad de 1920. Sorprende a sus amigos. ¿Qué redes va a utilizar ahora? ¿Sus amigos están en el VKPD o en el radical KAPD? Qué importa, son los «amigos de Hölz», sus redes, absolutamente personales, absolutamente fraternales. ¿A quién le importa en qué partido estás cuando se trata de hacer la revolución?

Pero sus contactos lo miran de una manera extraña. Hölz siente que hay suspicacia. En Viena se vestía bien (¿mejor?, ¿un poco mejor?, ¿usaba abrigo?, ¿tenía chaleco?, ¿una corbata sin manchas de grasa?), le gustaba la ópera (¿eso es serio y proletario?). Hölz se siente y se confiesa contaminado por la vida de clase media que llevó en la capital de Austria durante un par de meses (¿vida de inactividad?). Se encuentra enfadado consigo mismo por su cambio de apariencia; el disfraz hace que no se sienta el mismo (¿qué es eso de usar lentes que ni siquiera sirven?). Así se explica de sobra la mirada de extrañeza que a veces sus amigos le dirigen (¿existe tal o Hölz se la inventa?). «Tenía que volver a ser como ellos», se dice en aquella navidad de 1920.

«Ser como ellos» es, según la filosofía de la vida de Max Hölz, compartir la explotación en la misma mina, en la misma fábrica o taller; eso, o ser perseguido. La condición de prófugo, la condición de ilegal es para Max la esencia proletaria. Vuelve a ponerse en movimiento, la policía secreta alemana detecta la presencia del buscado Max Hölz (¿cómo lo detecta?, ¿es una especie de niebla roja y difusa que se escurre bajo las puertas?, ¿rumores?, ¿noticias de un fantasma?). Con la policía en los talones viaja a Hanover para ver a su esposa Clara. Logra escapar de un cerco policiaco. Se oculta en Brunswick y establece una base de operaciones.

A fines de diciembre se traslada a Berlín. Quiere discutir con sus amigos (Max tiene «amigos» por todos lados) un gran plan para liberar a los detenidos de Plauen, Hof y Dresden. Tiene varias reuniones con la dirección nacional del KAPD, no encuentra entre los dirigentes de la izquierda comunista buena recepción; las discusiones no llegan a final feliz. Parece como si hablaran dos lenguajes.

Hölz decide construir su propia organización y apela para ello a militantes del KAPD, del VKPD, anarquistas y hombres sin partido. Los que puede encontrar, los que quieren acción y no palabras. Parece ser que este tipo de militantes abunda, porque en unas semanas organiza cincuenta hombres en tres grupos (Berlín, Brunswick y Sajonia). Con los fondos secretos de las viejas expropiaciones compra armas y bicicletas (comprar un automóvil hubiera sido poco proletario). Para que los fondos no se mermen en exceso, porque además se utilizan regularmente para enviar ayuda económica a las familias de los detenidos, se organizan nuevas expropiaciones. Robos en bancos y oficinas de correo. Parte del dinero se entrega a la dirección del KAPD. Hölz mismo planea intervenir en el asalto a una oficina de correos en Berlín que no se realizara por «problemas técnicos.»

En esos días, Max protagoniza una de las más extrañas aventuras de su accidentada vida, que aún hoy no ha podido ser aclarada. En su autobiografía narra que entró en contacto con un personaje singular conocido como Ferry, un hombre que tiene como objeto en la vida volar la Columna de la Victoria en Berlín, el símbolo del triunfo militar prusiano en la guerra contra Francia, una columna situada en el Tiergarten que es conocida popularmente como Else de oro. Para Ferry, Else es el símbolo del militarismo alemán, y como tal tiene que volar en mil pedazos. Hölz cuenta que Ferry (también conocido con el seudónimo de Hering) le ofrece armas y bombas a cambio de la dinamita necesaria. Se produce el intercambio. La historia no terminará ahí. La dinamita la ha obtenido el grupo de Hölz de una serie de asaltos a depósitos en la zona minera del Ruhr y en otros puntos de la Alemania central, el grupo quería utilizarla para la liberación de los presos y para volar varios juzgados. La primera gran explosión habría de ocurrir en Flakenstein (¡Vaya regreso a la tierra nativa! ¡Vaya fiesta de fuego en el hogar original!), pero el plan ha ido variando sin que Max se dé cuenta. Al principio se trataba de liberar a los presos, ahora:

> La explosión y los volantes que planeábamos distribuir eran para atraer a los trabajadores y la atención de la burguesía al hecho de que los comunistas estábamos aún vivos, aunque fuéramos perseguidos por la policía. Queríamos también que supieran que no habíamos olvidado a nuestros camaradas que estaban en la prisión.

Es curioso, Hölz habla de que se quería hacer sentir que «los comunistas estaban vivos», pero en esos momentos el partido comunista oficial (VKPD) tenía en Alemania medio millón de miembros, gozaba de una notable presencia en el parlamento y en gobiernos regionales, tenía una potente prensa y se encontraba inmerso en un debate sobre la viabilidad de una insurrección obrera. Del viraje a la derecha en 1920, aparentemente fortalecido por el ingreso a sus filas de la izquierda socialista, pendularmente el VKPD se ha movido hacia la extrema izquierda con el impulso de la Internacional Comunista. Los que frenaron la respuesta violenta de los obreros al *putsch* de Kapp, hoy quieren desarrollar su propio golpe de Estado.

¿De qué comunistas habla Hölz? El partido comunista disidente, el KAPD, aunque sus fuerzas son mucho menores (puesto que solo cuenta con cuarenta mil miembros), están colocadas estratégicamente en los sectores más combativos del movimiento obrero, y también se encuentra en una posición insurreccionalista.

¿Entonces? ¿A qué comunistas se referirá más tarde Hölz en sus *Memorias* cuando justifica su plan de acción? ¿A él mismo y sus amigos? A los únicos tipos que se toman en serio eso de hacer la revolución.

En febrero de 1921 la dirección del VKPD, con la presencia de un delegado de la Internacional, el húngaro Bela Kun, discute un plan insurreccional para después de la pascua. ¿Lo sabe Hölz? No, no puede saberlo el expulsado Max, no tiene acceso ni remotamente a esos niveles de decisión. No puede saber, por tanto, que curiosamente la Internacional Comunista ha elegido como foco para detonar la revolución la zona de correrías del propio Max: Alemania central y en particular Sajonia. No paran ahí las coincidencias. La dirección del VKPD ha desarrollado su «propio plan dinamitero» para comenzar a «calentar los ánimos». Un plan muy similar al que Hölz tiene en mente, aunque el hombre que estará a cargo de la operación por el partido comunista será Hugo Eberlein, conocido como «Hugo el de la mecha» por los militantes de base del VKPD; un singular dirigente que no rehuye los riesgos de la acción directa. Max, sin duda, se encuentra ajeno a los planes del partido. ¿Conocerá el VKPD los planes de Max?

El 6 de marzo de 1921, ignorante de que el VKPD pretende usurparles su proyecto y, por tanto, actuando por la libre, Hölz y sus muchachos llegan a Flakenstein. Sin dudarlo demasiado atacan la estación de policía.

> Losse tenía que arrojar una granada de mano tan pronto como yo hubiera puesto la bomba en el interior de la estación; en caso de que la mecha no funcionara, la granada la haría explotar. Mientras ponía la mano en la manija de la puerta de la estación de policía encendí la mecha con el cigarrillo. En cuatro segundos la bomba explotaría. El camarada Loose le había quitado el seguro a la granada. Entonces me di cuenta horrorizado de que la puerta estaba cerrada. Estábamos perdidos.
>
> Sostenía la bomba encendida en mi mano mientras que Loose sostenía su granada. Las arrojamos instantáneamente hacia la esquina. La granada explotó.

La explosión deja a Max casi ciego. Richard Loose, uno de los eternos camaradas de Hölz, lo toma del brazo y lo saca del maremágnum que se ha armado en torno suyo. Suenan las ráfagas de ametralladora, los hombres del grupo de Hölz lanzan granadas como quien reparte dulces por toda la ciudad. Max conducido por su lazarillo decide dejar un recuerdo de despedida y ordena que con seis granadas sea volada la casa del comandante de las milicias burguesas.

Huyen en bicicleta. Espectáculo alucinado el de Max Hölz pedaleando como un hombre poseído por el demonio; el rostro ensangrentado, medio ciego; a sus espaldas la ciudad ardiendo, mientras la bicicleta vuela por la carretera.

Hölz se recupera de las heridas en Berlín. Su grupo ataca los juzgados de Freiburg, Dresden y Leipzig con éxito. «Estaba satisfecho con la confusión que había causado; no con el resultado.» Max ha creado una banda terrorista que tiene en jaque a la policía alemana, pero su proyecto revolucionario no avanza, los presos siguen tan presos como siempre, el movimiento obrero se ha vuelto espectador de los actos de su grupo, no participante.

Mientras tanto, el proyecto insurreccional del VKPD toma forma. El pretexto para iniciarlo será la movilización policial que el gobierno ha decretado en la zona minera de Sajonia. Fuerzas paramilitares de la policía de seguridad, conocida en los medios obreros como Sipos, ingresarán a la región con la consigna de desarmar a los oberos de las guardias rojas e impedir los robos de dinamita. «Las fuerzas policiales tratarán con igual firmeza a los criminales y a los que intenten evitar que las fuerzas lleven a cabo su deber», declara el ministro del Interior.

En estos momentos de tensión un atentado fallido va a capturar la atención de la prensa mundial y a calentar más el ambiente: el 13 de marzo, una carga de dinamita colocada en la Columna de la Victoria en Berlín, no explota a causa de una mecha defectuosa. La carga que por su abundancia hubiera pulverizado el monumento, es retirada por la policía. Else se salva de milagro. Se suceden oleadas de arrestos. Muchos detenidos son trabajadores del KAPD. Entre los detenidos varios confiesan su intervención en el atentado fallido. Al ser interrogados reconocen el dirigente de la acción (Ferry, alias Hering) en una foto que les muestran de Max Hölz. ¿Hölz y Ferry son el mismo hombre? ¿Ha existido realmente el tal Ferry? ¿Para qué quería Hölz volar el monumento de la guerra franco-prusiana?

El único testimonio (y que permite dudar de su veracidad de que Ferry existe como una persona diferente, lo proporciona años más tarde Max en su autobiografía. Todo el mundo piensa que Hölz es el dirigente del atentado. La policía está convencida. Así lo denuncia en los periódicos. La recompensa por la cabeza de Max asciende a cincuenta y cinco mil marcos.

El día 20 comienza la ocupación policiaca de la zona minera de Alemania central. Bandera Roja, el diario del VKPD, llama a los trabajadores a tomar las armas. En los dos días anteriores, la central del VKPD ha hecho circular de una manera singularmente confusa la orden insurreccional. El diario socialista Vorwärts advierte que se trata de una provocación comunista y da órdenes de no secundar ni siquiera la huelga convocada por los comunistas del distrito de Mansfeld que lentamente comienza a extenderse. El 21 de marzo en la zona industrial de Leuna se realiza un mitin contra la ocupación policiaca en el que participan dieciocho mil de los veinte mil trabajadores de la región.

El 21 de marzo de 1921, en su escondite, Max Hölz toma en sus manos el periódico. Es un hombre de treinta y dos años que lleva los tres últimos de su vida envuelto en la vorágine de la revolución, alimentándose de ella, inventándola cuando se esconde o rehúye, encontrándola cuando salta y se hace clamor de masas armadas. Ha sido un amor profundo, lleno de ramos de rosas en los amaneceres. Un recorrido en bicicleta por una carretera llena de baches, pero sin desvío. ¿Por lo menos hasta los últimos meses? Los últimos meses en que Max ha perdido el pulso de los trabajadores y se ha dedicado al terror en solitario.

El periódico le cuenta que la huelga general ha estallado en Alemania central. Las letras pasan por sus ojos más rápido que de costumbre, no hay tentación, hay reencuentro. «Decidí ir allá y estudiar la situación de primera mano», dirá años más tarde Max Hölz en su parca narración.

Como siempre, el estilo Hölz caracteriza la forma cómo organiza su «viaje de estudios» a la Alemania central: con cinco camaradas armados con pistolas y granadas y evadiendo la persecución policiaca, inicia el viaje.

El tren se detiene en Kloster-Mansfeld. Hölz se pude mover con cierta libertad en esa ciudad. No se le conoce en Mansfeld por su verdadero nombre, allí es Sturm, el hombre que recorrió la región realizando actos de propaganda en 1919. Bajo ese seudónimo interviene en la noche en un mitin convocado por las organizaciones obreras locales. Según el testimonio de alguno de sus oyentes, Hölz hace un llamado a generalizar la huelga, armarse y combatir a las patrullas policiales.

Al día siguiente, el 22, interviene en otros mítines en Hettstedt, Mansfeld y Eisleben. Ese mismo día se presenta Hugo Eberlein en Halle, el hombre designado por el VKPD para dirigir la insurrección.

Hölz se encuentra en pleno delirio. Mitin tras mitin, asamblea tras asamblea; no importa si las convoca el VKP, el VKPD, los socialistas del USPD o los sindicalistas revolucionarios de la AU, Max interviene presentándose como un perseguido político, y manteniendo su posición: huelga general, organización de la insurrección. Las asambleas van aprobando acuerdos de huelga general contra la intervención policiaca en Sajonia.

Max colabora en el creciente movimiento formando brigadas de choque que recorren la zona Kloster-Masfeld para organizar la huelga e impedir la entrada de los esquiroles a las fábricas.

Han pasado solo dos días. A las siete de la tarde del 22, Hölz, acompañado de su amigo Richard Loose, parte hacia Eisleben donde se va a realizar un mitin importante. Forman parte de una brigada de ciclistas. En la carretera se encuentran con la policía armada, los Sipos que el gobierno ha enviado a Sajonia. Hölz apela a su sangre fría y dirige su bicicleta hacia ellos.

—Terminen con toda esa agitación, basta ya de basura comunista —le dice al oficial, quien responde absolutamente desconcertado con una sonrisa bobalicona. Max y sus ciclistas cruzan sin problemas el bloqueo de la carretera.

En Eisleben interviene en el mitin, donde se decide continuar la huelga. Ahí conoce a Josef Schneider, dirigente local del VKPD y editor del periódico obrero de la región. Gracias a él, Max se entera del proyecto del partido comunista de provocar un choque armado que conduzca a la insurrección.

Durante esa noche, en toda la región fabril, la policía entra en las casas de los trabajadores y se practican arrestos. Los comités obreros alertados, dan la alarma. Grupos de trabajadores intentan rescatar a los detenidos. La consigna de Max Hölz prende durante esas horas nocturnas: «¡Armarse! Atacar a las patrullas policiales y mejorar el armamento.»

Hay en la región de Mansfeld ciento veinte mil huelguistas.

Al amanecer del día 23 de marzo, Hölz se quita la careta ante los asistentes a un mitin. El rumor ha precedido la identificación: «¡Hölz ya está aquí!» Y Max comienza a darle forma a los grupos de combate en las afueras de Eisleben. Forma una compañía de cincuenta hombres con fusiles y ametralladoras. Envía enlaces a Berlén, Hanover, Brunswick y Halle (sin saber que en ese lugar se encuentra Eberlein, el hombre del VKP) pidiendo instrucciones y apoyo.

«Tenía una revolución en las manos. ¿La hacíamos?» Poço dura la duda. Hölz no espera el regreso de los enlaces con la respuesta. «Comencé a organizar a los trabajadores en grupos de combate». No descuida tampoco el financiamiento de la revolución y encarga a «cuatro hombres responsables», los que lo han acompañado desde Berlín, la obtención de fondos. Se producen los primeros asaltos a bancos, establecimientos comerciales y oficinas gubernamentales. Hölz recuerda que una buena revolución necesita buenas expropiaciones.

A pesar de que se ha coordinado con el VKPD, Max no renuncia a su independencia y a una relación abierta con todos los que están por la revolución, y entrega parte de los fondos a la dirección local del KAPD para periódicos y propaganda.

Hacia las tres de la tarde los obreros chocan contra la policía en Eisleben. El ejército de Max se compone en esos momentos de noventa hombres armados con rifles. Se decide pasar a la ofensiva. Actuarán dos grupos. Uno atacará el seminario y otro el hospital, los dos puntos donde se han establecido los cuarteles de la policía armada. Hölz se pone a la cabeza del segundo grupo. En la ciudad hay cuatrocientos Sipos para enfrentar a los noventa obreros.

Max actúa como de costumbre, enviando primero un ultimátum tremendista. Sus mensajeros le informan al jefe de la policía que si no abandona el pueblo, este será incendiado. Para enfatizar la amenaza, Hölz pone en llamas un edificio de las cercanías del hospital. Además, un grupo de trabajadores recorre las calles elegantes de la ciudad destruyendo las cristaleras de las tiendas para obligar a los policías a que abandonen su refugio y salgan a proteger los sacrosantos derechos de la propiedad. La maniobra fracasa ante la pasividad policiaca. Hölz se ve obligado a ordenar que apaguen el edificio en llamas.

El miniejército rojo desiste del ataque y planta sus cuarteles en Helbra. Allí la policía había atacado los locales de los huelguistas y matado a dos de ellos que se encontraban desarmados, uno era un joven de dieciséis años. La llegada de Hölz hace huir a los Sipos.

La región entera está movilizada. Cientos de hechos aislados se producen, los Sipos están a la defensiva.

Corre el rumor de que Max Hölz ha sido detenido. El origen de la falsa información se encuentra en que uno de los hombres que participaron en las expropiaciones, y a quien Max ha enviado fuera de la zona de combates con el dinero y con su sello personal como identificación, ha sido capturado. La policía piensa que se trata de Max y el detenido no lo desmiente pensando que así protege al jefe del movimiento.

En la noche, desde los cuarteles generales del miniejército rojo, se envía a un grupo por dinamita a Leimbach. La situación fuera de la zona de combates es incierta. Tanto el VKPD como el KAPD han llamado a la huelga general nacional con la oposición de socialdemócratas y los restos del USPD, pero la huelga no ha sido secundada. Apenas hay unos ochenta mil huelguistas en otras partes de Alemania, incluso dentro del VKPD una facción boicotea la convocatoria con el argumento de que se trata de una aventura militar. En la zona de Leuna dos mil hombres se encierran en el complejo industrial, se levantan las barricadas. La orden de insurrección no se aprueba y el movimiento mayoritariamente dirigido por el KAPD permanece a la defensiva. En Hamburgo hay algunos choques originados por problemas laborales locales. En Halle, donde se encuentra Eberlein, se llama a la insurrección sin que haya respuesta entre los trabajadores. En Berlín hay pequeñas manifestaciones organizadas por los dos partidos comunistas. Solo en Hamburgo, tras el primer día, el movimiento crece y hay algunos mítines masivos y tomas de los astilleros por los trabajadores.

¿Podrán los partidos comunistas extender la insurrección que se esta gestando en la Alemania central? Allí en la zona donde opera Hölz y en otros muchos centros industriales, solo hacen falta las armas. El gobierno decide mantener al ejército en reserva y tratar de contener el brote insurreccional con los Sipos.

Al amanecer del jueves 24 de marzo, los grupos de Hölz, que han aumentado hasta llegar a cuatrocientos obreros armados con rifles, pistolas granadas y seis ametralladoras, pasan a la ofensiva. Atacan primero Eisleben donde los Sipos, con la moral muy baja por los acontecimientos del día anterior, se retiran dejando sus armas a los trabajadores.

Hölz, años más tarde, recordaría la clave de su liderazgo: «Los trabajos difíciles los hice yo.»

En la tarde se combate e Hettstedt. Los grupos de obreros armados van cercando la población, combaten en pequeñas guerrillas muy agresivas que van forzando a los Sipos a encerrarse en el casco central de la ciudad. La lucha se prolonga hasta que anochece. Los Sipos lanzan un tren armado contra los rebeldes. Estos no dudan y lo vuelan. El ejército rojo comandado por Hölz inicia a altas horas de la noche una última ofensiva. Se organiza un pequeño grupo de combate para entrar al centro de Hettstedt. Avanzan sobre el cuartel policiaco volando los edificios que tienen enfrente y cubriéndose en los escombros. Al cuarto edificio volado, en medio del estruendo (porque el miniejército rojo no desprecia el ruido como arma psicológica en su avance), la policía armada se aterra y huye.

Más armas para las milicias rojas se obtienen en la toma del cuartel. Algunos prisioneros informan a Hölz que vienen refuerzos policiacos de Sangershausen. Son las cuatro de la madrugada. El ejército rojo se retira a Helbra.

«Nadie sabe nunca qué vamos a hacer», comenta Hölz. Esa es la clave del éxito. Movilidad y respuesta inesperada. Pero no solo la policía armada desconoce por dónde aparecerán los revolucionarios, también ellos mismos lo desconocen. No hay plan, a no ser que golpear, retirarse, volver a golpear, sea un plan. Si lo es, está dando resultados. Con las armas tomadas se ponen en pie de lucha nuevas escuadras de combate. Hölz continúa asaltando bancos y comercios. En una fábrica reparte a los trabajadores el dinero encontrado en la caja fuerte.

Ese día se produce la única comunicación que existió entre Halle y el movimiento. Es un mensaje conjunto del KPD y el KAPD dirigido a Hölz, en el que le informan que aprueban sus actos y le piden que se mantenga. Será la única relación que el miniejército rojo tenga con los partidos que han desencadenado la insurrección.

El gobierno declara la Ley Marcial en Berlín. Los dos partidos comunistas llaman a la huelga general. Nuevamente sin eco. De la Alemania central llegan noticias confusas a las direcciones partidarias. Hay un ejército rojo operando allí. ¿Quién lo dirige? Max Hölz. ¿En nombre de quién? De la Revolución Alemana. Pero, ¿de qué partido? No, eso no se sabe... En el Ruhr hay una respuesta más amplia, en cambio en Hamburgo se va apagando el movimiento. ¿Quién preparó la insurrección? ¿Cuál insurrección?

El 25 de marzo, al atardecer, el ejército rojo ataca Eisleben nuevamente. Ahora sí la ofensiva desmorona las defensas de la policía. Se ocupa el Ayuntamiento. Vuelan la casa del almirante Ever. Encuentra en ella armas en abundancia y documentos de las organizaciones paramilitares de derecha. Se lo llevan de rehén. El ejército rojo se retira a Wimmelburg. Ahí se concentran algunos grupos de obreros de otras zonas, incluso algunos enviados por Eberlein desde Halle. Hölz tiene bajo su mando dos mil quinientos obreros armados.

La movilidad, siempre la movilidad. Un par de horas después de haberse concentrado en Wimmelburg, se mueven hacia Tautschental, donde Hölz pretende concentrar su ejército y unirlo al de los trabajadores de Leuna.

Los Sipos entran en Wimmelburg a sangre y fuego una vez que los rojos han abandonado la ciudad. Se asesinan obreros indefensos.

Los Sipos controlan Eisleben, Hettstedt. ¿Sirve esto de algo? No hay guerra de posiciones, toda la región es escenario de combates. No solo actúa el ejército rojo de Hölz, también brigadas sueltas de huelguistas que se han armado y un pequeño ejército rojo dirigido por un «amigo de Max», Torgler. Si los obreros de Leuna abandonan la concepción defensiva en la que se encuentran, la insurrección puede crecer enormemente. En Halle el VKPD hace esfuerzos enormes para extender el movimiento, pero siguen siendo acciones minoritarias: se vuelcan tranvías, se producen algunas explosiones.

El sábado 26 de marzo, al cuarto día de combates, nadie es capaz de explicar la situación. Los Sipos han tomado Mansfeld, pero la clave no es dominar terreno sino poner al enemigo a la defensiva. Para la policía el controlar una ciudad obrera la obliga a destacar en ella fuerzas y mantener vigilados a los trabajadores. Para el miniejército rojo tomar una zona obrera es un acto de propaganda, una forma de obtener recursos económicos, más fusiles de los policías derrotados con los que armar a los obreros de las fábricas locales, un punto de apoyo.

Ese día avanzan sobre Sangershausen. Tienen pensado comer allí. Media hora después aparece un tren con soldados. Se producen duros combates en la estación. Hölz y sus hombres se ven obligados a contener su ataque por miedo a quedarse sin munición. Los soldados son derrotados y dejan en manos de los rebeldes rifles y una ametralladora. El tren abandona Sangershausen. Esa misma noche el ejército rojo hace lo mismo.

El gobierno socialdemócrata declara en Berlín: «No se negocia con obreros armaos.»

Otros grupos obreros enviados por el VKPD combaten y toman Tautschental dirigidos por los comunistas Lembke y Bowitzki. Se encuentran desconectados de la organización, no saben donde está el ejército de Hölz.

El domingo 27 el ejército de Hölz se encuentra descansando en Schraplau. Ahí, con toda formalidad, se paga a las tropas obreras un pequeño salario.

Al final del domingo, después del primer día sin combates en una semana, se decide ponerse en movimiento. El ejército rojo se encuentra desde el primer día motorizado. Camiones con banderas rojas y ametralladoras.

En la noche se avanza hacia Ammendorf. Se trata de concentrar al grueso de las partidas de obreros en armas que existen en la región y de que se les incorporen ahí los obreros de Leuna. Con esto se podría levantar un ejército rojo de más de quince mil trabajadores. El complemento será la obtención de la artillería que se encuentra en Halle. Esos cañones podrían ser rescatados mediante un ataque sorpresa. Ambas operaciones se deciden antes de la marcha nocturna. El día 28 será la jornada clave de la insurrección en la Alemania central.

En la mañana del 28 se espera ansiosamente a los hombres de Leuna que traerá Lembke. Sobre todo las municiones que deben llegar, y que escasean entre los obreros. Se decide iniciar la operación sobre Halle, no perder el factor sorpresa.

Dos mil soldados rojos avanzan en un inmenso abanico sobre la ciudad de Halle en un frente de más de dos millas. Un par de kilómetros antes de llegar a las afueras de la ciudad se producen los primeros choques con los Sipos. Hölz ordena que se rehúya el combate a la espera de las municiones y los refuerzos. Los Sipos van cercando a los trabajadores. Cuando el fin aparece Lembke con las municiones no hay tiempo de repartirlas. Hölz se dirige a la vanguardia para dar el aviso. Comienza el combate. Su presencia impide que se produzca una desbandada. Cuando regresa a la posición donde está la dirección del pequeño ejército casi cae en manos de los Sipos. Unos mineros lo ocultan medio desmayado en una bocamina de carbón. Cuando al fin sale, ya repuesto, busca a sus hombres cerca de Groebers. No los encuentra. Se da de narices, en cambio, con el grupo de combate de Gerhard Tiemann, un comunista de Werdau que dirige obreros de Bitterfeld y Holzweisig. Acaban de derrotar en Groebers a los Sipos. Anochece el día 28.

A lo largo del martes, Hölz trata de recuperar contacto con el ejército rojo acaudillando la partida de Tiemann. Se encuentra al financiero de la revolución Josef Schneider y distribuyen grandes cantidades de dinero entre los obreros de los pueblos por los que pasan. Se dice que el ejercito de Hölz se encuentra en Mansfeld.

Hacia allá se dirigen.

Sin que Hölz lo sepa, ese mismo día la policía asalta el complejo industrial de Leuna donde los obreros habían permanecido a la defensiva con las fábricas ocupadas. Hay cuarenta trabajadores muertos. En Berlín también se producen otros acontecimientos trascendentes para el movimiento: el Comité Central del VKPD discute si debe continuar el llamado a la huelga general e impulsar la rebelión. Se decide darle dos o tres días más a la acción y luego, si no hay cambios, tratar de levantar el movimiento ordenadamente. ¿Cuál movimiento? Las fuerzas movilizadas están fuera de control.

El grupo de Hölz continúa vagando por los pueblos industriales. Es un gran espectáculo: banderas rojas, camiones con obreros armados de fusiles. Un blindado al frente con ametralladoras en el que viajan Hölz y su financiero. Asaltos a las fábricas, a las pequeñas estaciones de policía. La dinamita abre las cajas fuertes, de las empresas; asaltos a oficinas de correos, bancos, comercios, casas de grandes burgueses, confiscación y reparto de víveres. Eso es sin lugar a dudas el fin del mundo, la revolución. Robin Hood ha llegado. El grupo de Hölz crece. El día 30 combate en Wittin contra la milicia, los derrota. Reparte entre los trabajadores treinta mil marcos. Al día siguiente atacan y toman Besenstedt. Se reparten alimentos y ropa confiscados de la mansión de un terrateniente.

Se llega así al viernes primero de abril. esa mañana el VKPD llama a levantar la huelga general. Hay siete mil detenidos en la Alemania central y todavía más de tres mil trabajadores en armas fragmentados en pequeños grupos. La labor de los Sipos, reforzados por unidades militares que han llegado del sur de Alemania, es impedir que los pequeños grupos vuelvan a reunirse y levanten un nuevo ejército.

El plan de Hölz, que dirige un grupo de unos cien hombres, era llegar hasta el distrito de Mansfeld y si no hay noticias de los partidos comunistas, desbandarse tratando de ocultar las armas. Schneider se había fugado la noche anterior con los fondos producto de las expropiaciones. No ha podido obtener noticias de dónde se encuentra la fuerza más importante del ejército rojo. ¿Sigue en pie? ¿Ha sido derrotada?

A mediodía la escuadra armada sale de Eiesenstedt. A tres millas de ellos hay un gran cordón policiaco. Los revolucionarios montan sus ametralladoras. Faltan municiones. Comienza el tiroteo. «Ni uno solo de nosotros pensó en salir vivo de esa batalla». Veinte hombres del grupo de Hölz caen muertos en el enfrentamiento. Algunos logran cruzar a nado el río Saale; Hölzy Tiemann entre ellos. Todo el campo está lleno de patrullas de la policía. Ocultan sus armas y tratan de romper el cerco. En Koernern son detenidos por milicias blancas. Hölz dice llamarse Reinhold König. En medio del caos, Max queda detenido con cientos de trabajadores más.

Nuevamente la revolución ha escapado de sus manos. Hölz piensa en los escasos días de gloria, mientras la policía apalea a sus compañeros en las celdas vecinas. Otra vez fracasó la revolución. «Será la próxima», se dice Max.

«¿Dónde está Max Hölz?», preguntan los policías a los trabajadores mientras los torturan. Nadie lo delata a pesar de las palizas. Cientos de hombres saben que él es Max Hölz y ese secreto compartido no se filtra a los policías. Nuevamente el pez en el agua, aunque sea agua encarcelada. El propio Max responde a la pregunta sobre el paradero de Max Hölz. Dice simplemente «No lo sé». Exige que lo juzguen, él no ha combatido. Tiemann es apaleado por los policías, Max interviene para impedirlo y recibe varios culatazos. El 3 de abril Max es liberado. No hay cargos contra el tal König. En la confusión, abandona la cárcel, huye de la región y llega a Berlín. El precio por su cabeza es en esos días de ciento ochenta y cinco mil marcos.


## IX

Max no cree en la suerte. Todos los que lo conocen creen en la magia. Comienza a correr el rumor en la Alemania central de que Max Hölz se la ha ido de entre las manos a la policía. Sin embargo las cosas no son fáciles para él. Pasa su primera noche en Berlín caminando por las calles, no encuentra a nadie que quiera ocultarlo, tiene que dormir al aire libre.

El hombre que siempre ha tenido amigos, ahora no los encuentra. Sus redes están quemadas. Tras el atentado contra la estatua en Berlín de hace dos semanas (¿solo dos semanas?), el espacio militante ha desaparecido bajo los pies de Hölz. Sus relaciones con el KAPD y el VKPD son las de un extranjero que los encuentra en el camino, no puede utilizar su aparato.

En la segunda noche, milagrosamente enlaza con una pareja de camaradas que aceptan ocultarlo. La policía de toda Alemania lo busca. No saben aún que lo tuvieron detenido y lo liberaron por error. Hölz comienza a meditar en cuáles serán sus próximas acciones.

El VKPD hace su primer balance del movimiento derrotado: «La dirección militar no ha actuado en concordancia con la dirección política». Max Hölz no puede reprimir las carcajadas: ¿Cuál dirección política? ¿De qué están hablando?

Comienza a rehacer sus redes informativas. Le cuentan que durante el movimiento, en Leipzig se hicieron expropiaciones utilizando su nombre. Incluso se entregaron recibos firmados por

Max Hölz. Max sabe quiénes fueron. Localiza en Berlín al grupo y les exige que entreguen el dinero al KAPD para labores de propaganda y para la defensa y apoyo de a los presos. Se cita con un tal Henke, que ha estado vinculado a estas acciones, en la Rankeplatz de Berlín. Henke no aparece, en cambio sí lo hace la policía.

!—¡Alza las manos! —le grita un policía mostrándole el revólver. Max protagoniza su último acto de resistencia. No levanta las manos, tampoco huye. No alzó las manos en su día én Koerners o Sangershausen, no, no lo va a hacer ahora.

«Mi arresto no fue una sorpresa. Lo esperaba cada día.»


# X

Durante las siguientes cuarenta y ocho horas la policía lo tortura. La suerte se ha terminado. Max Hölz la ha estirado tanto como ha podido. Ya no da más de sí. La prensa celebra la caída del dirigente revolucionario.

Hasta el día de la audiencia se niega a hacer declaraciones públicas. Lo presentan ante un tribunal especial. Él es uno más de los cinco mil obreros que han sido juzgados en Berlín y en la Alemania central. Se le acusa de robo, alta traición, secuestro, incendio, asesinato de un terrateniente, destrucción de un ferrocarril... Todos los testigos que pretenden declarar a favor de Hölz son enviados junto con él al banquillo de los acusados. El KAPD le consigue un abogado y organiza su defensa.

El VKPD en cambio, abandona a Hölz en el tribunal; el presidente del partido comunista mayoritario declara que Max no es miembro del partido, y que su organización repudia la violencia individual, que es inaceptable.

La fiscalía utiliza esta declaración para acusar a Hölz de gangsterismo.

Max se defiende: «La violencia es un recurso social, no es un fin en sí misma». Acepta todos los cargos menos el haber asesinado al terrateniente Hess, capitán de Guardias Blancas. Afirma que él ordenó que no lo fusilaran. Que él ni siquiera fue testigo de los hechos.

El tribunal lo condena a cadena perpetua. Hölz tiene su última posibilidad de hablar en publico, la aprovecha para gritarle a los jueces: «¡Vendrá el día de la libertad y la venganza. Entonces nosotros seremos los jueces. La justicia es una puta y ustedes son sus chulos!»

Max Hölz sale del edificio del tribunal empujado por las culatas de los fusiles de los Sipos.


# XI

Poco después del juicio, una vez salvadas las responsabilidades del VKPD, la Internacional Comunista en su III Congreso (junio de 1921) emite una declaración pública sobre Max Hölz. No se avalan sus actos en la insurrección de marzo, pero se trata de capitalizar propagandísticamente su figura:

> La IC es adversa al terror y a los actos de sabotaje individual que no ayudan directamente a los objetivos de combate de la guerra civil y condena la guerra de francotiradores llevada acabó al margen de la dirección política del proletariado revolucionario. Pero la IC considera a Max Hölz como uno de los más valientes rebeldes que se alzan contra la sociedad capitalista [...] El congreso dirige, por tanto, sus saludos fraternales a Max Hölz, lo recomienda a la protección del proletariado alemán y expresa su esperanza de verlo luchar en las filas del Partido Comunista por la causa de la liberación de los obreros, el día en que los proletariados alemanes derriben las puertas de su prisión.

Notable documento. Max es acusado de haber actuado de forma muy similar a la del VKPD dirigido durante marzo en Alemania central por Hugo Eberlein.

Pero no ha de ser esta declaración la que preocupa a Max Hölz en la prisión mientras comienza a sufrir un encierro para la eternidad. Los primeros meses, sigue siendo el proletario rabioso de siempre, con la violencia a flor de piel. Un día se indigna ante una respuesta cínica que le da el director del penal de Sonneburg donde se encuentra encarcelado y le escupe después de abofetearlo. La agresión le cuesta cuatro semanas de confinamiento en solitario. Y no será esa la única vez en que escupa a un guardián de prisiones.

Para millares de trabajadores, Max es la figura, el hombre que representa sus mejores sueños, el gran vengador de todas las injusticias. A la prisión de Sonneburg comienzan a llegar visitas de todos los lugares de Alemania, llegan cartas y paquetes en tales cantidades que la administración postal local está desbordada.

El partido comunista se hace cargo de su defensa y organiza un comité de intelectuales en el que participan Thomas Mann y Ernst Toller, que infructuosamente tratan de que se revise el proceso.

Poco consuelo es para Max. La prisión lo enerva, lo destruye. La inacción lo consume. Se va debilitando, ablandando. Tras los primeros cinco años de cárcel comienza a escribir cartas al gobierno solicitando la amnistía, chantajea al KAPD recordándole que parte de los fondos expropiados fue a dar a las arcas del partido y les pide que se muevan para sacarlo de la cárcel. Max necesita el aire libre. ¿Para qué sirve un revolucionario sin revolución? En la cárcel él no es Max Hölz, es otro hombre débil e inútil, una sombra que camina un recorrido sin fin consumiendo el suelo de la celda.

Así se suceden siete penosos años. A diferencia de otros revolucionarios radicales, el paso por la prisión no le ha servido para cultivarse políticamente. En la cárcel apenas si lee y se limita a ejercitarse físicamente y a dar largos paseos. Tiene todo el tiempo del mundo para recordar los agitados meses de combates que trancurrieron de noviembre de 1918 a marzo de 1921.

Siete interminables años recordando.


## XII

Al fin, el 14 de julio de 1928, el gobierno alemán concede una amnistía a los presos políticos. Max Hölz vuelve a la calle. Le faltan tres meses para cumplir los treinta y nueve años.

Su liberación se vuelve una gran fiesta. El KPD (las siglas partidarias que vuelve a adoptar el movimiento comunista en Alemania y donde se han reagrupado la mayoría de los militantes que siguen las directrices de Moscú) pasea a su heroe, se suceden los mítines, los festivales, los agasajos.

Max se encuentra en la calle, pero no en la calle conspirativa de antes, no en la preparación de las nuevas acciones. Es más bien el gran elefante de un circo propagandístico.

> «Durante un año el KPD lo utilizó como cartel publicitario, paseándolo en giras de conferencias donde relataba su vida[...] Dejó de constituir una sensación cuando su fuerza de atracción comenzó a declinar a la misma velocidad que aumentaba su espíritu de independencia», recordará más tarde una militante del aparato del KPD.

Los tiempos son otros. El KPD ha crecido enormemente, se ha convertido en un gran aparato, una gran fuerza electoral. El partido tiene una organización de choque, el Frente Rojo, que combate regularmente a los grupos nacionalistas, en particular a los nazis, en un país que comienza a ser azotado por una brutal crisis económica.

En ese año Max escribe su autobiografía, pero no encuentra su espacio político en las nuevas situaciones, y le falta vigor para iniciar desde la base, escindirse del KPD y comenzar a preparar la próxima revolución, tan necesaria como siempre. Ha sido un revolucionario profesional, luego ha estado siete años desconectado de la vida diaria de su clase viendo el mundo o dejando de verlo desde una celda en la prisión, y luego un año de festejos y gloria barata. Las bases del Frente Rojo lo consideran su héroe, pero la dirección no le permite unirse a la organización paramilitar en el trabajo diario. Para el KPD, Hölz es una buena leyenda cuya mayor virtud es que no se inmiscuya en el funcional aparato partidario, que no estorbe. En el fondo no se le tiene aprecio, su historial de 1918 a 1921 hace desconfiar a los jerarcas de la disciplinada organización. Hölz es cada vez más un héroe de juguete, «un héroe corrompido» (como lo llamará su biógrafo Phillip). Max busca salidas en los espacios personales, se vuelve un mujeriego que utiliza su gloria para hacer conquistas fáciles al final de los mítines y acostarse con sus admiradoras. Se divorcia de Clara y se une a Ada, ex esposa de un periodista de un diario de derecha. Se torna irascible, todo lo enfada y no encuentra con quién pelear.

Si Max Hölz se viera con los ojos de 1921, diría que este hombre «ya no es de los nuestros.»

El KPD resuelve el problema del héroe incómodo y lo envía a Moscú. Ahí Hölz se entierra vivo en las labores de un burócrata partidario, vive en el hotel Lux donde se encuentran los funcionarios de la Internacional Comunista, y acepta la asignación de rutinarias tareas menores. Se hunde en el autodesprecio. Ya no es más, aunque así hablen de él, un «revolucionario proletario.»

En 1932 sale de la crisis depresiva en la que se encuentra y parece recobrar el gusto por la vida. Juega futbol con un equipo de obreros en una liga industrial en Moscú (¿en qué posición?, ¿portero?, ¿delantero? Es difícil imaginar a Max como defensa). Lleva una doble vida sentimental. En el día la fiesta y las múltiples relaciones con mujeres, en los atardeceres un esposo amante que hace vida hogareña con Ada.

En el verano del 33 Max es convocado a una reunión por un alto funcionario del KPD en Moscú. Max se preocupa. Tiene razón. Lo critican por el modo de vida que ha llevado, su «falta de disciplina partidaria». Hölz les pide que lo envíen a Alemania para hacer trabajo clandestino, no le hacen caso. Hölz apela a las más altas autoridades de la Internacional Comunista. Se entrevista con Manuilski, quien le comunica que la IC le ha autorizado el regreso a Alemania para hacer trabajo militar clandestino contra el ascenso del nazismo. Max llora de emoción. Volverá a la lucha. Manuilski le pide que entregue su pasaporte, Max lo hace. El tiempo pasa, el trabajo prometido no llega.

En Alemania los nazis están en el poder. Arde el Reichstag, es el pretexto para la cacería de los militares del KPD, los socialistas y los sindicalistas. El Frente Rojo se derrumba. Ya es tarde.

Hölz se avergüenza ante sus compañeros de la inactividad en la que se encuentra. Para los emigrados alemanes, para los residentes en la clandestinidad, Hölz es el futuro general revolucionario de Alemania, ¿por qué no está en la línea de fuego? Hölz se siente obligado a actuar. Su pasado lo arrastra, ¿hacia dónde? Vuelve a solicitar oficialmente a la Komintern que lo envíe a Alemania para realizar trabajo clandestino contra los nazis. El KPD contesta que Hölz no es el indicado, es demasiado conocido y muy popular, lo descubrirían rápidamente. Hölz tiene una entrevista muy violenta con Heckert, dirigente del KPD en Moscú:

—¿Soy entonces prisionero en la Unión Soviética?

—Sin permiso oficial, tú puedes hacer lo que quieras.

—Pero no tengo pasaporte.

—Eso es cosa tuya.

¿Por qué no le permiten ir a Alemania? La dirección del KPD tiene miedo de que Max logre reorganizar la resistencia comunista en el interior de Alemania y esta escape al control de la democracia emigrada. Lo prefiere inútil y cerca de ellos.

Max, absolutamente desquiciado, se dirige a la Embajada Alemana en Moscú. Pide una entrevista con el embajador nazi Pfeiffer, quien lo conoce vagamente y está al tanto de su fama, y pide que lo envíen a Alemania, quiere repatriarse. Los nazis piensan que se trata de una provocación. Pfeiffer le pregunta: «¿Es usted judío?» Hölz responde: «Cuando me preguntan con ese tono si soy judío, me siento judío, por lo demás soy ario». El embajador responde formalmente a la petición diciéndole que tiene que cursarla por los canales burocráticos. Hölz abandona la embajada.

Durante los siguientes días se siente vigilado, perseguido. Llega a un estado cercano a la paranoia. Sus amigos le dicen que no haga más tonterías. El clima político en la URSS no es bueno. La policía política es ama y señora de las vidas diarias de rusos y emigrados. La oposición ha sido encarcelada y desterrada. Max decide sincerarse con Manuilski, pide una nueva entrevista, le cuenta al dirigente de la IC lo que hizo en la Embajada Alemana. Asegura que lo hizo para poder volver a Alemania y combatir a los nazis, insiste en que es la pasividad la que lo ha desquiciado, vuelve a insistir en que reclama un destino en el trabajo clandestino. Manuilski le responde pidiéndole tiempo. Días después le comunica que el KPD y la Internacional han decidido que se quede en la Unión Soviética. Le ofrecen un empleo como director de una empresa constructora estatal, tiempo completo, buen salario; pero no el regreso a Alemania.

Max quiere congraciarse con la Internacional Comunista, y aunque no acepta el empleo, se acerca a la dirección del KPD para denunciar amigos suyos que han hecho críticas a la política del partido. Algunos de sus camaradas son desterrados o encarcelados a causa de sus denuncias, pero la GPU no se contenta con eso. Comienza a cercarlo. Detienen al yugoeslavo Olrom, uno de los pocos amigos que le quedan y que ya había ido a dar con sus huesos a la Lubianka por defender a Hölz. Max trata de salvarlo, escribe una carta a Stalin exigiendo su liberación y que a él lo envíen a Alemania para combatir a los nazis, termina la carta advirtiendo que si las cosas siguen igual se encerrará en su cuarto de hotel con un revólver, resistirá a la policía política mientras quede una bala y la última la utilizará para «poner fin a su despreciable vida.»

Mientras espera respuesta a su carta, tiene un enfrentamiento terrible en el bar de un hotel con un grupo de periodistas extranjeros que hacen críticas a la Unión Soviética. A gritos les advierte que los matará, muestra el revólver. La GPU lo obliga a entregar su pistola. Hölz lo hace. Ya no tiene pasaporte, ya no tiene partido, ya no tiene revólver.

Para la KPD ha llegado el momento de liquidarlo. Heckert lo cita y le muestra un *dossier* secreto sobre él. En ese expediente hay copias de cartas de Max al gobierno alemán pidiendo la amnistía, críticas al partido en cartas a sus amigos, correspondencia donde chantajea al KPD exigiendo que actúe para sacarlo de la cárcel o hará públicas historias sobre las acciones de marzo del 21, que el partido rçpreferiría que no se conocieran; denuncias hechas a la GPU por contrabando; denuncias contra él por cohecho de empleados, denuncias policiacas sobre abusos cometidos por Max utilizando su inmunidad revolucionaria.

Max Hölz, el hombre que dirigió la revolución en Alemania central en 1921, se desploma. Le ponen enfrente una carta en la que avala la política del KPD en los últimos años. Hölz, sin mirarla, la firma. En los próximos meses centenares de militantes y funcionarios partidarios se verán obligados a firmar la misma carta.

Max pide que le permitan lavar sus culpas en la lucha clandestina en Alemania. Los burócratas del KPD le informan que ha sido destinado a un pueblo cerca de Gorki para realizar un trabajo administrativo en una industria soviética. Max baja la cabeza. Ha sido derrotado. Por primera vez, ha sido totalmente derrotado.

# XIII

En los primeros días de septiembre de 1933, unos niños descubren asombrados un cadáver flotando en las aguas del río Oka. Se trata de un hombre fornido, de entre cuarenta y cincuenta años; su rostro está desfigurado por los golpes. Los niños avisan a los milicianos de la cercana ciudad de Gorki y estos rescatan al muerto.

El cuerpo es identificado como el de Max Hölz.

La prensa soviética informa que «el gran revolucionario alemán Max Hölz se ha ahogado en las cercanías de Gorki de manera accidental». En la versión oficial se decía que Max había estado con unos amigos hasta las diez de la noche y que de su cuaderno de notas se desprendía que tenía una cita con una trabajadora en la estación eléctrica de Gorki. Para cortar camino había tratado de cruzar el Oka, un pequeño afluente del Volga, en un bote, y que al ser sorprendido por una tormenta, la barca se había volcado y él se había ahogado.

Pero en medio de la versión oficial, el rumor se abrió paso.

Días antes de su muerte, Max Hölz había confesado a un grupo de amigos que tenía miedo, que sabía que pronto iban a intentar matarlo. En ese momento sus amigos lo atribuyeron al terrible estado nervioso en que Hölz se encontraba. Ahora lo recordaban. Pero este era un dato menor.

Pronto se supo que horas antes de que el cuerpo apareciera en el Oka, un par de agentes de la GPU, ayudantes personales de Yagoda, habían entrado al hotel Metropol, registando el cuarto de Max, recogido unos papeles personales y sellado su maleta. A las preguntas del encargado, respondieron con un: «Hölz sale de viaje por tiempo, guárdele la maleta.»

En los círculos de la militancia comunista europea en Moscú comenzaron a circular nuevas informaciones que ponían en ridículo la información oficial: Hölz nunca había tenido cuaderno de notas. Esa noche no había habido tormenta alguna en el Oka. Nadie dejaba su bote en la ribera del río para que el primero que pasase lo tomara, y por último, Max era un excelente nadador.

El KPD y la IC hicieron circular una nueva versión: Hölz se había ahogado con otras cuatro personas en un naufragio accidental. Esa fue peor que la anterior. Trabajadores alemanes que vivían en Gorki reafirmaron que la noche de la muerte de Max, el Oka era un riachuelo apacible; este rumor corrió como reguero de pólvora.

Una explicación médica oficial trató de acallar los rumores sobre las heridas en el rostro de Hölz diciendo que las piedras del fondo del río lo habían golpeado después de muerto. Dos médicos del KPD hicieron circular una contraversión subterráneamente: Hölz tenía el cuero cabelludo muy grueso, no había fractura y cuando un cadáver recibe golpes en la piel, las laceraciones no aparecen hasta que se inicia el proceso de descomposición. Por lo tanto: Hölz había recibido los golpes antes de ahogarse.

Para nadie quedaron dudas. El triste presentimiento de Max se había cumplido: la GPU lo había asesinado.

La forma en que Max Hölz encontró la muerte no impidió que la Internacional Comunista organizara un aparatoso entierro el 9 de septiembre de 1933 para despedir al «gran revolucionario alemán.»

Buena parte de los asistentes desfilaron en silencio ante el féretro. Negras nubes sobre sus cabezas. Varios de ellos serían «purgados» en los próximos cuatro años.

## XIV

En el futuro inmediato Max Hölz fue considerado por los socialdemócratas un aventurero peligroso, por los comunistas oficiales un irresponsable y un traidor, por la izquierda comunista un anarquista y por los anarquistas un leninista. Los que combatieron a su lado fueron masacrados por el nazismo y por los campos de concentración estalinistas. Su nombre y sus historias se perdieron en el olvido.

## XV

En la decada de los ochenta, la burocracia postestalinista de Alemania oriental decidió realizar un rescate descafeinado de Max Hölz y en la ciudad de Hettstedt, territorio de sus correrías, colocó una estatua del personaje en una de las plazas. En marzo del 90 triunfaron los conservadores del CDU, tras las primeras elecciones después de la caída del muro de Berlín, y una de sus primeras acciones fue el retiro de la estatua para depositarla en el sótano del museo. Una pequeña nota apareció en la prensa nacional. Un grupo, aún anónimo, viajó hasta Hettstedt y en una operación relámpago nocturna «liberó» la estatua. Las leyendas dicen que fue encontrada más tarde en una casa ocupada de Halle, pero el hecho es que la estatua fantasmal hasta hoy está desaparecida.

Mirian Lang me cuenta que en ese mismo año, 1990, en la Mainzerstrasse, en Berlín, en un zona de casas ocupadas por el movimiento, se creó una librería de usado, la Max Hölz y que durante una intervención policiaca que desalojó a los ocupantes, tras un saldo de tres días de combates callejeros y que produjo trescientos detenidos, terminaron tomando la librería.

Los policias entraron en la Max Hölz y comenzaron a tirar al suelo las estanterías, patearon novelas de aventuras y ensayos sobre la anarquía, destruyeron folletos de poesía y manuales de contraconcepción y biografías, pisotearon ensayos y revistas y finalmente organizaron un concurso de tiro y comenzaron a disparar sobre los libros.

Max hubiera sonreído ante tal hazaña.

Es más, desde las páginas de un folleto donde se cuentan sus hazañas, perforado ahora por las balas, Max Hölz nos sonríe.

# El hombre que inventó el maoísmo

## P'eng P'ai y la revolución
proletaria que venía del campo
(una autobiografía apócrifa)

# I

Mi historia personal es la de un eterno combate contra los dragones que devoraban las cosechas, esclavizaban a niños de cinco años, consumían a los hombres hasta llevarlos a un estado próximo a la total imbecilidad y destruian la chispa de la vida en sus ojos; para derrotarlos crecí y me cubrí con su sangre, que en cierta medida era la mía.

Nací el 22 de octubre de 1896 en Haifeng, a menos de doscientos kilómetros al este de Cantón, en la provincia de Kwantung, al sur de China. Me habré de llamar P'eng P'ai aunque nací con el nombre de P'eng Han Yu, que cambiaré en mi adolescencia. A la muerte de mi padre, sucedida cuando tenía diez años, mi abuelo tomó el control de mi vida y mi crianza, me rodeó de maestros, tutores y vigilantes; decidió que yo era inteligente y que debería serlo más.

Mi abuelo era el dueño de la vida, del destino, del futuro y sobre todo del presente, de mil quinientos campesinos pobres y sus familias. Él decidía dónde vivían , si se podían casar, cuándo sembraban y qué, cuándo podían hacer fiestas y cuándo era el sol el que determinaba el fin de la jornada. Mi abuelo pensaba que este era el orden natural de las cosas. A mí me tomará algunos años comprender el significado de estas historias, y varios más rebelarme frontalmente contra la esclavitud agraria. Hacer de esa rebelión destino.

En 1912, a los dieciséis años, siguiendo las tradiciones feudales, mi familia decidió casarme con una adolescente de la burguesía local, Tsai Su-ping. Poco después del matrimonio se produjo el primer choque serio con mi familia, lo habitual habían sido los naturales enfrentamientos de un joven rebelde con un mundo conservador y cerrado, que negaba respuesta a las preguntas y que imponía como solución la fuerza de la costumbre. Me negué a que Su-ping siguiera la tradición y deformara sus pies con vendas, convirtiéndose en una inválida. Los campesinos no lo hacían, sus mujeres eran compañeras de trabajo en el campo, entre los Haka no existía tan absurda costumbre. Me opuse firmemente y lo logré; no solo eso, sino que, tras quitarle las vendas, nos mostramos frecuentemente en público en las calles de la aldea tomados de la mano y comencé a enseñarle a leer. No quería por compañera a una esclava de lujo. Nuestra actitud causó escándalo, sensación y molestia entre la oligarquía agraria.

Crecí en un país en revolución en el que el viejo régimen feudal saltaba en pedazos en lo político pero se preservaba en lo económico y se anclaba fieramente al pasado en las costumbres; un régimen que se negaba a morir y que conservaba y conservaría durante muchos años los tristes lazos coloniales del pasado. Crecí en un mundo dominado por noticias lejanas de triunfos y reveses de señores de la guerra que dominaban provincias enteras, en un país que aparentemente era infinito y cuyos males parecían incorregibles.

Mis rebeliones se limitaron en aquellos primeros años a combatir los símbolos. Me negué a dejar de pensar y un día destruí con un cincel la estatua que querían inaugurar en Haifeng de un caudillo militar al que yo no tenía ningún respeto. En 1917, a los veintiún años, fui a Tokio a estudiar un año en la Academia Seijo, luego estudiaría Economía Política en la Universidad de Waseda. Lo hice con una beca del gobierno del señor de la guerra local, Chen Chiuming, que daba mucha importancia a la educación de los hijos de las clases superiores, porque veía en ello la clave de la modernización de China. Mi familia se opuso y se negó a colaborar en los gastos, de manera que en Tokio llevé la vida de un estudiante pobre.

En el mundo estudiantil japonés había una cierta efervescencia y me ligué a grupos socialistas y agraristas que veían en la destrucción del feudalismo japonés la clave del cambio y desarrollo de su país. Entré en contacto con una sociedad mucho más moderna y al mismo tiempo tan peligrosa como la nuestra en materia de tradiciones conservadoras, pero rodeado de jóvenes que creían en el futuro y que tenían una conciencia política que a mí me faltaba. Con mis compañeros oí hablar por primera vez de sindicatos campesinos y comunas agrarias.

El 4 de mayo de 1919 fue el día en que se inició el nacimiento de la nueva China cuando en la zona más desarrollada del país, los puertos del Sur, se desarrollaron potentes movilizaciones y huelgas estudiantiles protestando contra los tratados de Versalles que cedían las concesiones alemanas, verdaderos reductos coloniales extranacionales en nuestros puertos, a los japoneses, sin considerarnos ni tomarnos en cuenta a los chinos. Esta oleada de huelgas y manifestaciones estudiantiles, que arrastraron a trabajadores y pequeños comerciantes fue, en cierta medida, el nacimiento de la conciencia de la nación.

En Japón, los estudiantes chinos que nos encontrábamos estudiando allá salimos a la calle y el 7 de mayo fui herido por la policía en la cabeza y las costillas cuando participaba en una demostración. Un centenar de compatriotas resultaron heridos por los japoneses ese día.

En julio de 1921 me gradué y retorné a China. Viajé s Cantón donde casualmente entré en contacto con Chen Tu-shiu, quien había participado hacía muy poco en la formación del partido comunista chino, creado al calor de la Revolución Soviética por una docena de estudiantes y profesores de Shanghai y Pekín y que me ofreció un porvenir luminoso de compromisos y sufrimientos al servicio de la causa de los pobres. En aquellos momentos yo estaba listo para poner mi vida en juego, solo necesitaba que la causa valiera la pena. Concordamos en que mi militancia sería clandestina y que debería promover en Haifeng el estudio del marxismo, con algunos de cuyos textos ya había tomado contacto en Japón.

Un par de meses más tarde había creado en mi tierra natal un pequeño grupo de estudiantes organizados en la Sociedad para el Estudio del Socialismo y publiqué en el periódico «Nueva Haifeng», un artículo: «Llamado a todos mis conciudadanos», en el que de manera muy general señalaba las virtudes de una sociedad que aboliera la propiedad privada, la ley, el gobierno, el Estado.

El primero de octubre de 1921 Chen Chiu-ming, el señor de la guerra local, me nombró director de la Oficina de Educación de Haifeng.

Conociendo el mundo agrario como lo conocía, sabía, aunque de una manera muy inocente, que la educación podía romper la primera cadena que nos ataba a la esclavitud, a los campesinos y a los jóvenes hijos de los terratenientes. Este trabajo con el señor de la guerra no era contradictorio con mi reciente posición política. En mis primeros días de labor no me limité a impulsar el desarrollo de las escuelas y a vigilar la calidad de la enseñanza, también incorporé a los estudios la gimnasia, la ópera y las danzas tradicionales.

Mientras tanto impulsé con algunos compañeros una revista llamada *El Corazón Sincero* que se autoproclamó voz de obreros y de campesinos, aunque estaba manufacturada solamente por estudiantes, y no había obreros y campesinos en Haifeng que supieran leer. Nuestra revista se enfrentó acremente al periódico oficial.

El primero de mayo de 1922 organicé una obra de teatro y un gran desfile con los adolecentes de la escuela secundaria. La marcha iba precedida de una bandera roja y pancartas a favor del bolchevismo, címbalos, tambores y cohetes. No logramos que nos acompañara ningún obrero o campesino. Fue muy infantil y solo logró que se creara una fuerte reacción contra mi persona.

Pocos días más tarde los terratenientes presionaron, comenzaron a correr el rumor de que mis objetivos eran la introducción del comunismo y la nacionalización de las mujeres. Una delegación tras otra se acercaron a Chen Chiu-ming con quejas. A causa de esto fui despedido el 9 de mayo. Había durado siete meses en mi cargo. En cierto sentido, me sentía liberado.

## II

El partido entonces propugnaba que sus militantes promovieran círculos de estudio y se ligara a los obreros estimulando el surgimiento de sindicatos, pero yo intuía que la revolución nunca podría desarrollarse en China y mucho menos en Haifeng, si no destruía la esclavitud agraria. Decidí entonces salir a trabajar al campo.

«Es una pérdida de tiempo y energía —me dijeron mis amigos de Haifeng—. Los campesinos están asustados y no pueden ser organizados. Además son tan tímidos que no se puede hacer propaganda entre ellos.»

Me quedé solo, aquellos socialistas primerizos no creían en los campesinos. Cuando se dieron cuenta en mi casa que pretendía organizar un movimiento campesino, todos los miembros de mi familia, hombres, mujeres, viejos y jóvenes, con la excepción de dos hermanos, que se negaron a dar su opinión por el momento, me odiaron con violencia. Mi hermano mayor pareció que iba a matarme. Pero no le hice caso.

A fines de mayo decidí realizar mi primer intento y me detuve en las afueras de una villa en el distrito de Chishan. Estaba usando un traje estilo extranjero, del tipo que usualmente llevan los estudiantes, y un sombrero redondo de paja. La primera persona que encontré fue un campesino de unos treinta años que estaba murmurando cerca de un montón de estiércol.

—Siéntese señor —dijo sin dejar de trabajar—. Ha venido por los impuestos, supongo, porque aquí no tenemos teatro.

Me apresuré a responderle.

—No vengo por los impuestos. Solo quiero hacerme amigo de los campesinos. Sé qué dura es la vida para ustedes. De manera que pensé... Bueno, podríamos hablar de cosas.

—Oh, sí, es muy dura, pero ese es nuestro destino. Tome una taza de té, señor, por favor, pero no tenemos tiempo para hablar.

—No se enfade con nosotros, por favor.

Y con estas palabras el campesino de fue.

Después de un rato un joven de veinte años se acercó. Parecía más brillante que el anterior, comenzó a hacerme preguntas.

—¿A qué batallón pertenece? ¿En qué trabaja? ¿A qué ha venido aquí?

—No soy oficial ni empleado público —repliqué—. Soy un estudiante, solo he salido para dar un paseo y conocer a alguno de ustedes.

El joven se río.

—Oh, no somos buenos, muy mala compañía para un caballero, de cualquier modo. ¿Quizá quiera tomar una taza de té?

Y él también, como el primer campesino, huyó sin mirar alrededor. Quise decir algo más, pero no podría oírme.

Estaba muy enfadado, recordaba lo que me habían dicho mis compañeros y mi ira crecía aún más. Me fui al siguiente pueblo. Ahí fui recibido por el ladrido de los perros. Me mostraron los dientes, rugieron, una demostración suficientemente hostil, pero equivocadamente lo tomé por una bienvenida y seguí obstinadamente mi camino.

Las puertas estaban todas cerradas y no había alma viviente en la villa. Algunos habían ido a trabajar al campo, otros al mercado. Fui a un tercer pueblo. El sol se estaba hundiendo en el horizonte. Estaba oscureciendo, de manera que decidí no entrar al pueblo porque tenía miedo de levantar las sospechas de los campesinos, de manera que me fui a casa.

En mi hogar me trataron como a un enemigo. Nadie me quería hablar, ya todos habían comido y solo me habían dejado un poco de sopa. La comí y me fui a mi cuarto. Abrí mi diario, pensando en escribir los resultados de mi primer día de trabajo, pero no había resultados. Me arrojé sobre la cama y di vueltas toda la noche pensando en varios planes. Tan pronto como vi la luz me levanté. Tomé algo para desayunar y volví a la villa que había visitado el día anterior.

—¿Ha venido a cobrar lo que le deben, señor? —me pregunto un campesino viejo.

—No, no —protesté—. Al contrario, he venido a ayudarlos a que cobren ustedes sus deudas. Se les debe mucho, ¿saben? Quizá lo han olvidado. Pero yo he decidido ayudarlos para que lo recuerden.

—Estaría bueno que no le debiéramos a otros, pero, ¿quién le debería dinero a gente como nosotros?

—¡Cómo? ¿No lo saben? Los terratenientes les deben un montón. Desperdician su tiempo año tras año mientras ustedes se doblan de tanto trabajo. ¡Y luego son ustedes los que tienen que pagar la renta! Un *mow* de tierra (un sexto de acre) les costó a los terratenientes no más de cien dólares. Y ustedes campesinos, tienen que trabajar ese *mow* cientos de años. Trate de calcular cuánto les roban en todos estos años. Hemos decidido que eso no es justo, de manera que he venido a discutirlo con ustedes y ver cómo sería posible recobrar lo que los terratenientes les deben.

El campesino se rió.

—Es demasiado bueno para ser verdad. Si tan solo les debes un *sheng* de arroz, te apalean y te llevan a la cárcel. Pero así es como lo quiere el destino. Unos cultivan arroz y otros se lo comen. Perdóneme señor, debo ir al mercado ahora.

—¿Cuál es su nombre? —pregunté.

—Oh, yo soy de esta villa. Venga cuando tenga tiempo un día.

Vi que no quería darme su nombre y no lo presioné.

Solo habían quedado las mujeres en el pueblo. Los hombres trabajaban en los campos. Sería inconveniente para mí que me vieran hablando con las mujeres. Me quedé indeciso un buen rato y luego caminé hacia otro pueblo. De hecho recorrí varios ese día pero con tan pocos resultados como el anterior. Poco pude poner en mi diario.

En la noche se me ocurrió que cuando hablamos con los campesinos usamos expresiones complejas. Probablemente una buena parte de nuestros discursos son incomprensibles. Tomé una serie de expresiones abstractas y términos librescos y traté de ponerlos en lenguaje llano. Luego ideé un nuevo plan de acción. Decidí no entrar en los pueblos sino pescar lo que pudiera de la vida en un cruce de caminos e iniciar mi propaganda ahí. Eso hice.

Por la mañana caminé al templo de Lun-shan. Los principales caminos de varios distritos cruzaban este punto. Los campesinos que tomaban estos caminos solían detenerse ante el templo para descansar. Comencé a hablarles sobre sus condiciones de vida. Hablé sobre las causa de su pobreza y cómo librarse de la opresión. Di ejemplos de cómo los explotaban los terratenientes y expliqué la necesidad de la organización.

Al principio hablé solo con dos o tres campesinos, luego el círculo gradualmente se ensanchó. Se produjo un pequeño mitin. Escuchaban a medias dudando, a medias creyendo. No más de cuatro o cinco se unieron a la conversación. Cerca de diez se limitaron a escuchar. Pero aun esto no era un triunfo pequeño. Traté de explicar por qué los campesinos deberían de organizarse.

—Si los campesinos se unen pueden asegurar un descenso de las rentas. Los terratenientes propietarios no podrán enfrentarlos. Los impuestos ilegales y todo tipo de opresión deben cesar. Los propietarios no podrán seguir tomando la ley en sus manos.

—¿Qué estás parloteando? —grito un campesino viejo enfadado—. Mejor deberías pedir a Ming-ho que no ande cobrando las rentas atrasadas. Entonces quizá te crea que no estás burlándote de nosotros.

Ming-ho era un pariente mío, mercader y propietario. Iba a replicar cuando, repentinamente, un joven sentado atrás de mí saltó:

—Esa no es manera de hablar —amonestó a mi oponente—. Tú trabajas en tierras de Ming-ho. Si Ming-ho reduce la renta, tú serías el único que recibirías algún beneficio. ¿Y qué conmigo? Yo no le rento a él. El asunto no es pedirle algo a alguien, sino descubrir si nos podemos organizar. No tiene que ver solo contigo, tiene que ver con todos.

Yo estaba fascinado al oír esta respuesta. Averigüé el nombre del que había hablado y le pedí que me fuera a buscar por la noche. Vino y tuvimos una larga conversación en la que me contó que había un grupo de campesinos que apoyaba lo que decía, pero que los demás tenían miedo. Le pedí que trajera al grupo de los creyentes. Mientras tanto comencé a preparar té. El agua estaba empezando a hervir cuando volvió Chang Ma-an con sus amigos. Eran todos jóvenes campesinos, ninguno de más de treinta años, pero a juzgar por sus modales y su conversación, todos ellos muy despiertos. Comencé a hablar del movimiento campesino, lo que me parecía la cosa más urgente.

—Salgo todos los días a hacer propaganda y los campesinos no me hacen caso y no quieren hablar conmigo. ¿Qué debo hacer? —les pregunté.

—Una razón es que los campesinos no tienen tiempo que perder —dijo Leng-pei—. La otra es que tus discursos son muy complicados. Yo, hay veces que no los entiendo. Y además, es que no tienes amigos entre los campesinos. Lo mejor es que fuéramos juntos a la villa una tarde hacia las siete u ocho. A esa hora se terminó el trabajo. Y que trataras de hablar simplemente. Y recuerda, cuando hables en la villa deja de lado el asunto de dioses y santos.

No puse objeciones. Cuando mis visitantes se fueron escribí en mi diario: «El éxito no está muy lejos.»

# III

Comencé a entrar en las casas de los campesinos introducido por mis nuevos compañeros y pronto pudimos celebrar un mitin en el distrito de Chishna. Trabajé con el sistema de preguntas y respuestas y hablé de la esclavitud del campo, de la crueldad de los latifundistas y de los caminos para la liberación. Fue un éxito, me pidieron que el siguiente mitin llevara un gramófono y pusiera música.

Siguieron otros pueblos y todo funcionaba muy bien; pero encontrábamos una traba, en el momento en que les proponíamos que se unieran a la asociación, los campesinos contestaban:

—Todo está muy bien, si los otros se unen yo lo haré.

—Si van a esperar que otros lo hagan pasarán mil años antes de que alguien se decida a dar el primer paso. Supongan que muchos campesinos están esperando para cruzar el río por un vado pero todos tienen miedo y nadie se decide a dar el primer paso. Ninguno podrá cruzar el río. Tenemos que tomarnos de las manos y empezar a cruzar. Si uno duda, si uno es arrastrado por la corriente, los demás podrán sostenerlo.

El ejemplo funcionó. Les pedía nombres y varios aceptaron darlos; comencé a anotar en un pequeño cuaderno, pero esto provocó recelo. Resolví no anotar nada. El reclutamiento fue de todas maneras muy lento aunque la propaganda era eficaz, en un mes no habíamos incorporado a la unión a más de treinta miembros. Un hecho extraño rompió la inercia del proceso. Actuábamos en un conflicto entre dos familias que estaban a punto de acuchillarse porque se acusaban de la muerte de una niña, la intervención de nuestro grupo impidió que la cosa fuera a mayores y al mismo tiempo nos enfrentamos al delegado de los latifundistas que quería intervenir sacándole dinero a ambas familias y casi lo apaleamos. Eso hizo que nuestro prestigio creciera enormemente y comenzaron a adherirse nuevos miembros.

Hicimos nuestras primeras reglas. Ninguno de los miembros de nuestra unión podría tomar en renta la tierra que antes tenía otro campesino, aunque así nos lo propusieran los latifundistas; aquel que cometiera este error sería gravemente multado. Los miembros de la unión frenaban el aumento de rentas y conseguían nuevas tierras a aquellos que eran desplazados. Nuestras acciones impidieron en varios distritos el aumento de las rentas al evitar la competencia entre los propios campesinos.

No había día o noche en que no realizáramos un mitin en alguna aldea y comenzaron a incorporarse campesinos a la asociación a razón de dos decenas por día; abrimos un dispensario médico en Haifeng y conseguimos que un doctor que simpatizaba con nuestra causa lo atendiera. Creamos una escuela campesina. En principio enseñábamos a los niños rudimentos de aritmética para que los latifundistas no los engañaran y los caracteres básicos que daban nombre a cereales e instrumentos de labranza. La escuela tenía su propio sembradío, que los padres de los alumnos aportaban y que era trabajado por los alumnos, sacando de ello para la subsistencia del maestro. Comenzamos con una, y pronto había diez escuelas en nuestro territorio.

Además la unión decidió poner en marcha un programa de reforestación: hubo resistencia entre los campesinos, diciéndole que lo único que hacíamos era beneficiar a los propietarios, pero pronto se convencieron de que era en beneficio de los que realmente trabajan la tierra.

El primero de enero de 1923 fundamos la Asociación de Campesinos de Haifeng con casi cien mil miembros. Asistieron sesenta delegados que representaban veinte mil familias. Fui elegido presidente en medio de banquetes de pobres (mucho arroz y poco más), sonaban los tambores y címbalos y ondeaba la bandera de la asociación de cuadros rojos y negros.

El centro del congreso estaba en los problemas de organización y dedicamos mucho tiempo a discutir cómo arbitrar los conflictos, cómo hacer que la asociación interviniera justamente amparando a los campesinos en los enfrentamientos con los latifundistas y cómo debía participar en las disputas entre los propios campesinos regulando de la manera más justa las diferencias. Le dimos una gran fuerza al departamento de propaganda y a las escuelas campesinas, gracias al apoyo de los estudiantes. Sentimos que a pesar del enorme crecimiento no teníamos aún la fuerza para impulsar la demanda que más nos importaba y que hubiera llevado a una guerra abierta con los latifundistas: la reducción de rentas; de manera que se acordó aplazar la demanda por cinco años. Algo había aprendido en este último año, a moverme con cautela. Pero la presión era muy grande y siempre ejercida por latifundistas ausentistas que ejercían su poder a través de jueces corruptos, extorsiones, matones alquilados. Levantamos por tanto la demanda de «alto a la corrupción» y decidimos no pagar coimas a policías y funcionarios.

Organizamos un gran festival de año nuevo y prometimos que se haría una Danza del Dragón nunca vista. Cerca de diez mil campesinos se concentraron en una gran explanada frente al templo de Ling Tsu. Tras la música, la danza y el discurso, gritamos: «¡Vivan los campesinos!» Un grito simple, pero que no había cruzado los aires de esa región en toda la eternidad, y miles de voces respondieron a mi voz. Habíamos construido un poder.

En febrero de 1923 los latifundistas pasaron a la acción. De alguna manera la actitud prudente del magistrado de Haifeng, que había mantenido una posición neutral, permitió el crecimiento de la organización. Pero más tarde o más temprano habría de suceder, porque nuestra organización crecía sumándose centenares de campesinos todos los días, y nuestra influencia llegaba hasta la región vecina de Lufeng.

Chu Mo era un latifundista que vivía en una casa suntuosa en la ciudad y sin que hubiera razones exigió aumento de rentas. Uno de sus campesinos se negó a pagarlas, influido por las acciones de nuestra asociación. Chu mandó colaboradores que amenazaron y golpearon al campesino. Este apeló a la asociación. No podíamos permitirlo, teníamos que actuar. Me reuní con cinco familias que le rentaban a Chu y los convencimos de que abandonaran las tierras. Chu las llevó a juicio. Pero el juez era un viejo compañero de colegio mío que además le debía favores a las asociaciones y excepcionalmente no hizo caso de las demandas del latifundista.

Chu convocó a los terratenientes, quinientos se reunieron en un mitin. Más tarde me enteré de esta reunión y de los argumentos que usaron:

Hemos comprado nuestra tierra con buen dinero y pagamos nuestros impuestos al gobierno y ahora estos criminales de las asociaciones campesinas quieren nuestra tierra y nuestras mujeres y han comenzado a comprar a los jueces para que maltraten a los terratenientes. Si a ese vándalo local de P'eng P'ai no se le pone en su lugar, sufriremos grandes pérdidas y también el gobierno.

Se formó una sociedad de propietarios llamada Sociedad Protectora de la Industria de Granos. Reunieron cien mil dólares y apelaron en el caso de Mu. El juez se asustó ante las presiones y encerró a los seis compañeros de la asociación.

Esperábamos ese movimiento y convocamos de inmediato a las masas. Los activistas de la asociación recorrieron los pueblos y al día siguiente legiones de harapientos campesinos comenzaron a entrar en la ciudad concentrándose en el interior. Tomé la palabra en el mitin subido a un carro de yerba. Dije cosas muy simples: que los seis detenidos eran inocentes y que si no los liberábamos nos estábamos condenando a sufrir su mismo destino. Ofrecí mi vida y mi persona por la de los detenidos, y dije que lo haría gustoso. Era mi responsabilidad y debía asumirla. Otros oradores denunciaron que el dinero de los latifundistas venía de los granos que ellos cosechaban y llamaron a una huelga de rentas. Incluso hubo compañeros que levantaron la voz hablando del reparto de las tierras.

Fui a ver al juez como presidente de la asociación. Estaba muy asustado, atrapado entre dos fuegos, no sabía dónde esconderse. Llovía cuando salí de la casa del juez. Lo había amenazado con quemar las cosechas si no se hacía justicia. Cedió. Poco podía hacer para enfrentarnos contando solo con una docena de policías mal armados, sobre todo ante aquellas masas que estaban enardecidas. Soltó a los presos. Cuando los detenidos salieron se armó una gran fiesta, comenzaron a volar cohetes por el cielo y la ciudad retumbaba. Los chinos con el ruido asustamos a los demonios del miedo que traemos dentro. Por eso nuestro pueblo inventó la pólvora.

Le pedí a la multitud que dijera quién era el responsable de la victoria. Unos gritaron mi nombre, otros dijeron que la asociación, otros que los trabajadores. Les dije que sin los seis mil campesinos que estaban allí poco podía hacer un P'eng P'ai.

# IV

Tras la victoria, la asociación se extendió a las regiones de Ch'aochou, P'uning y Huilai en dos meses. Al inicio del verano de 1923 la asociación llegaba a seis condados y contaba con ciento treinta mil miembros. La oficina central tenía diez cuartos, hacíamos nuestras propias publicaciones, se realizaron estadísticas e investigaciones. Habíamos logrado incluso milagros: a través de las asociaciones neutralizamos a los bandidos locales, que dejaron de robar a los campesinos pobres.

Y entonces un tifón arrasó las costas y las tierras del sur del mar de China. Cuando la inundación cedió, los cuarteles generales de la asociación estaban repletos de un mar humano de dolientes cuerpos. Millares llegaban al día mendingando o narrando horrores.

Hubo una reunión de los cuadros de la asociación. Se tenía miedo de que si se pedía la reducción de rentas, los terratenientes contraatacaran y no tuviéramos fuerza para derrotarlos. Un sector opinaba que se podía pedir la reducción de rentas solo en los casos extremos en los que las familias hubieran perdido todo, pero se trataba de una proposición absurda, la enorme mayoría de los campesinos habían sido gravemente afectados por las inundaciones. Acordamos levantar la demanda del treinta por ciento de reducción de las rentas, y tuve que poner mi prestigio sobre la mesa para que la demanda no fuera más alta, porque sentía que ir más allá nos llevaría a una confrontación a muerte con los latifundistas. Escribí a Chen, el señor de la guerra de la región, explicándole la terrible situación que se vivía en las aldeas, donde se moría de hambre y enfermedad, y pidiéndole que no creyera en los rumores. Mientras tanto los latifundistas atizaban el fuego.

Hicimos una enorme propaganda e impedimos la recaudación de las rentas en algunas zonas. Los cuadros más débiles se retiraban de la asociación, entre ellos varios estudiantes hijos de latifundistas, como nuestro secretario de Educación.

La reacción no se hizo esperar, el 15 de agosto, bajo presión de los poderes latifundistas el magistrado Wang declaró: «El jefe de los bandidos, P'eng, P'ai, está planeando una revuelta», y ordenó a la policía detener a los campesinos en las calles.

La reacción de nuestra gente fue unánime, los campesinos con palos y piedras dispersaron a la policía y rompieron en las calles la declaración de Wang. El juez pidió refuerzos, se encerró con la policía en el cuartel y comenzó a fortificarlo. Nuestra victoria fue efímera, hasta la noche controlamos la ciudad, veinte mil campesinos se reunieron con un mitin que provocó un gran entusiasmo, pero las tropas de Chen entraron esa noche en la ciudad.

Al día siguiente pasaron a la ofensiva. Las tropas, las bandas de los latifundistas y la policía de Wang atacaron los cuarteles generales de la organización y arrestaron a veinticinco de sus cuadros, incluido el presidente Yang Ch'i-shan. Tuve que huir saltando a los campesinos, pero otros miembros de la asociación me convencieron de que sería un suicidio, que debería hablar con el señor de la guerra y ganar tiempo.

Viajé a Laolung y me entrevisté con Che Chiu-ming. Le hice tres peticiones: que se liberaran los presos, que se permitiera la reorganización de las ligas y que se redujeran las rentas mientras existiera esa situación de desastre causada por el tifón. El señor de la guerra aceptó devolver la legalidad a la asociación y la reducción de rentas, pero dijo que los presos deberían ser juzgados.

Regresé clandestinamente a Haifeng y me entrevisté con los dirigentes de la asociación. La situación de nuestros pesos era terrible, les confiscaban en la cárcel los paquetes de comida, habían destruido nuestro dispensario y no se podía ayudar a los heridos. El ambiente para una insurrección se respiraba, pero no podíamos avanzar solos. Se decidió que viajara a las ciudades para conseguir fondos de apoyo a los presos.

Hice alguna labor en Hong Kong vinculado al partido comunista, pero la mayor parte de mi tiempo la dediqué a la causa de los presos. En una de las tantas visitas al cuartel de Chen para reiterar nuestras peticiones vi en la antesala de su despacho a los campesinos ricos, los terratenientes; los capitalistas, los funcionarios, los compradores: me di cuenta de que nada tenía que hacer allí. Un montón de tipos con caras redondas, monstruos gordos aullando alrededor de Chen como moscas. Herví de ira. Quise tener una ametralladora en las manos para acabar con ellos. Me fui de Huichow.

Comencé a trabajar en los condados del este de Cantón organizando asociaciones campesinas, me hacía pasar como funcionario de Chen y armé unas oficinas en Swatow. Allí me enamoré de una joven estudiante, Hsü Yü-ching, de la que poco más tarde tuve una hija. Más tarde, la vida es extraña, viviríamos juntos con mi primera esposa y nuestros hijos.

Chen Chiu-ming intentó reclutarme y me ofreció un puesto en su Estado Mayor; aprendí de su ambigüedad ante las demandas campesinas y no le respondí en ningún sentido. Manteniendo así una cierta cercanía con él para presionar por las demandas de la asociación. Viajé en esta extraña situación de nuevo a Haifeng. Los propietarios no se atrevieron a enfrentarme porque parecía que yo tenía la gracia de Chen y esa confusión me protegía. Hablé con la gente y le llevé a muchos el mensaje de que mantuvieran la organización, que ya vendrían tiempos mejores. Comencé a organizar clandestinamente y se creó una oficina con una tapadera cualquiera. En una de las visitas de Chen le organicé una recepción, para presionar y que viera nuestro punto de vista, pero los campesinos en su sabiduría no quisieron participar. No reunimos más de cincuenta personas. Uno de nuestros dirigentes que había salido de la cárcel le preguntó a Chen por qué si los obreros y los estudiantes podían organizarse los campesinos no podían. No logró una respuesta. La situación era ambigua de nuevo. Intenté reconstruir las asociaciones, la primera fue la de Chiesheng, en la costa.

En marzo de 1924, Che-Chiu-ming regresó a Haifeng y fue persuadido por los terratenientes locales de que lo correcto sería desbandar a las ligas campesinas por su proximidad política con el gobierno procomunista de Sun Yat-sen en Cantón. Chen me convocó a una reunión en la que se encontraban el juez y algunos terratenientes.

—El profesor Peng es un buen hombre pero sus acciones son extremistas, como proponer la reducción de la renta y hacer llamados a la violencia —dijo el juez Wang.

—La cuestión de mi carácter no viene al caso aquí, lo que está a discusión es el cargo de extremismo. Si algo hemos sido es excesivamente moderados. Son los propietarios los que han sido extremistas en un año de desastres. ¿No ha reducido la asociación voluntariamente sus demandas al treinta por ciento? El general no les cree, no cree en sus absurdos cargos de que estamos preparando una rebelión campesina. Él cree que el verdadero extremismo consiste en destruir la asociación y arrojar a sus dirigentes a la cárcel.

Chen asintió con beneplácito a estas palabras. A partir de ese momento avancé acusando a Wang y a su primo que se estaba metiendo en el bolsillo el dinero que enviábamos a los presos. Chen pareció indignado. Los latifundistas reaccionaron y me acusaron de haber estado reuniendo dinero para comprar armas. Wang intentó suavizar todo recordando nuestras relaciones familiares. Le contesté que aunque fuera mi padre o mi madre no le perdonaría los crímenes que había cometido contra el pueblo.

La reunión se disolvió, quedé solo en la sala con uno de los guardaespaldas de Chen. Cuando todos se hubieron ido, el hombre me dijo que solicitaba humildemente afiliarse a una de nuestras uniones campesinas.

Aprovechando la situación organicé entonces un festival de tres días en Haifeng, y bajo él, encubierto, un congreso campesino. Chen me mandó un mensaje pidiendo que no hiciéramos representaciones de ópera popular; parecían tenerle más miedo a dragones, que a la propaganda directa.

La presión creció y el 17 de marzo aparecieron en los muros de la ciudad carteles que decían:

Feng y la asociación favorecen la propiedad común de bienes y mujeres, inventan mentiras para confundir a las masas. El magistrado ya ha ordenado una vez su disolución, si desobedecen de nuevo serán duramente castigados. Que todos los aldeanos estén advertidos.

Tuvimos una reunión y decidimos pasar la organización a la clandestinidad, nuestra hora todavía no había llegado.

Mi hermano y el editor del periódico se quedaron a cargo y dejé Haifeng rumbo a Cantón.

# V

Cantón no era la misma ciudad y el partido comunista no era el mismo. Éramos los hijos bastardos y sin embargo privilegiados de una alianza entre el nacionalismo progresista de Sun Yat-sen, encarnado en el Kuomintang (HMT), y la Unión Soviética. Como tales, los comunistas integrábamos el ala extrema izquierda del KMT y nos avalaban no solo nuestra creciente organización entre los obreros de las ciudades del sur de China y Pekín, sino los asesores soviéticos y los pertrechos que llegaban para el ejército nacionalista.

La revolución nacional al derrotar a los señores de la guerra y el feudalismo que los sustentaba, abriría las puertas de la revolución social. En ese contexto el partido había definido la lucha agraria como subordinada a la lucha militar. El centro político se establecía en la liberación militar de las regiones en el Norte y el Este para inducir la lucha agraria y no a la inversa; la liberación militar era condición para poder desarrollar el agrarismo dentro de las garantías de una democracia burguesa.

Esto no implicaba que en las zonas bajo control de la provincia de Kwantung, donde dominaba el KMT, no pudiera desarrollarse un amplio movimiento agrario, y como toda propuesta política era susceptible de interpretación por las propias masas y en los márgenes por los activistas del partido.

El partido comisionó a la organización agraria en las afueras del Cantón. Di conferencias y mítines y subí la afiliación a las ligas campesinas en dos semanas de cuatro a siete mil hombres, me enfrenté a los jefes militares de la zona y logré el apoyo del gobierno local del KMT.

El partido comunista y el ala izquierda del KMT habían decidido crear un instituto para cuadros campesinos, formados de organizaciones y militantes, y lograron el acuerdo del Comité Ejecutivo KMT. Mis acciones en Haifeng y mi último trabajo me avalaban y fui nombrado director del Instituto del Movimiento Campesino que nació el 30 de junio de 1924. Iniciamos con un curso de un mes con treinta y tres alumnos. Los participantes del primer curso eran mayormente activistas conscientes, estudiantes que se habían unido durante el movimiento del 4 de mayo y deseaban ir hacia el pueblo y organizarlo. Muy pocos de ellos eran campesinos, y casi todos miembros del partido comunista o simpatizantes.

Los estudiantes deberían evitar ofender el pensamiento mágico o religioso de los campesinos. Evitar hablar abiertamente de revolución o baños de sangre. Había una gran cantidad de actividad práctica y entrenamiento sobre el terreno. Yo sabía que organizar campesinos no era tarea de un aula. Cada domingo los guiaba al campo a realizar labores de organización. El entrenamiento incluía marchas, viajes a caballo y la organización de grandes mítines.

Hacia fines de julio la escuela no solo estaba creando cuadros, sino que fortalecía las ligas agrarias en la provincia. El 28 de julio organizamos un gran mitin campesino en la Universidad de Kwantung, donde habló Sun Yat-sen, al que acudieron dos mil hombres. Sun Yat-sen promovía una política blanda en materia agraria y llamaba a la moderación, a poner en el centro la revolución nacional: llegaba incluso a decir que deberíamos ganar para nuestra causa incluso a los terratenientes. Se decía que tenía simpatías por los campesinos, pero que este discurso moderado tenía como objeto balancear la influencia de los comunistas. En resumen pedía que buscáramos una solución pacífica a los problemas de la tierra. Los terratenientes no lo entendían así.

Trabajé con mis estudiantes en una nueva línea que no solo incluía la habilidad para moverse en las aldeas y la sensibilidad hacia las demandas de los campesinos y organicé que nos diera entrenamiento militar la policía de Cantón. Luego pasamos a formar milicias de autodefensa en las comunas. Se trataba de organizar fuerzas de apoyo para las futuras batallas contra los señores de la guerra, pero también de fortalecer el poder de los campesinos. Fui nombrado comandante de las milicias agrarias.

Hacia finales de agosto se graduó la primera generación de militantes del instituto y entró la segunda. Comencé a colaborar como secretario con la Oficina Campesina del KMT que laboraba en lo que había sido una vieja fábrica de cemento en las afueras de Cantón. En septiembre se nos asignaron recursos económicos para propaganda. Nuestras actividades y las del instituto chocaron muchas veces en la región cercana a Cantón con la ausencia de política agraria real del KMT, con sus negociaciones y conciliaciones.

Durante los últimos meses del año viví una verdadera guerra contra los latifundistas locales mientras las asociaciones crecían vertiginosamente, pero cada vez que los poníamos ante el borde del precipicio el ejército del KMT intervenía y negociaba una solución de conciliación. Las demandas de los campesinos se contenían y los latifundistas ausentistas se llenaban la tripa en Hong Kong a costa del hambre popular.

Al iniciarse 1925 el KMT lanzó su tan anunciada ofensiva, la campaña del Este. Se trataba de limpiar la región de señores de la guerra y el objetivo de esta primera acción era mi conocido Chen Chiu-ming. Le pedimos al comandante del ejército Chiang Kaithek que no se abasteciera de granos en ruta, que no reclutara cargadores y porteadores forzados y que no usara casas particulares como cuartel. A cambio pusimos a disposición del ejército del KMT a las ligas agrarias y a nuestros organizadores.

Avancé por delante del ejército organizando la insurrección agraria, con cuatro o cinco días de ventaja. Cuando llegó la división de vanguardia del KMT a Haifeng habíamos dado un golpe, y una multitud de treinta mil campesinos recibió a los soldados con música y fiesta; las escuadras campesinas armadas con lanzas y cuchillos habían liberado la región.

En los enfrentamientos en Taipu estuve a punto de morir cuando colocaba una mina en las afueras de la frontera. Fue mi discutible estreno como combatiente. Mucho más interesante fue la manera en que aprovechamos el avance del ejército nacionalista promoviendo entre los campesinos la reducción de las rentas en un veinticinco por ciento y la organización de las milicias. Hacia abril de 1925 había en los alrededores de Cantón ciento sesenta organizaciones campesinas con casi doscientos mil miembros.

La muerte de Sun Yat-sen durante la expedición exacerbó aún más las contradicciones entre el ala derecha del KMT y su ala izquierda, en la que nos apoyábamos para sostener la alianza. Una facción de la derecha se rebeló en Cantón, pero fue derrotada.

En mayo de 1925 se celebró el Congreso Agrario del KMT, impulsado fundamentalmente por fuerzas organizadas por los comunistas; pero bajo los ojos de la alianza con el KMT, a pesar de que éramos los propulsores de la gran lucha agraria, los comunistas seguimos la línea oficial de subordinación del movimiento campesino a la lucha política y a las ciudades. La dirección de nuestro partido no entendía dónde se encontraba el corazón de la Revolución China, por más muestras que los campesinos hubieran dado de su voluntad y entrega. En parte se debía a que el partido había crecido enormemente en las ciudades pero solo el cinco por ciento de su militancia era campesina. Y eso dominaba su visión, por más que tres meses antes el V Pleno de la Internacional Comunista había declarado por boca de Bujarin que el campesinado se había tornado una fuerza consistente y fundamental en la Revolución China. Por lo tanto, en el congreso no se apoyó la reducción del veinticinco por ciento en las rentas que se había logrado de hecho en Haifeng y en el distrito cercano de Lufeng. Sin embargo el movimiento avanza y las medidas organizativas lo fortalecerían.

En octubre de 1925 se produce la segunda expedición al Este. El ejército del KMT liberó Haifeng y llegó hasta Swatow. Con el paso del ejército la ola de la movilización agraria se desató. Llamé a la reducción de rentas en mil mítines. Mi viejo empleador, Chen Chui-ming, huyó a Hong Kong, pero no sacábamos partido de la derrota de los latifundistas. El KMT obligaba a moderar las alternativas agrarias. Y en Haifeng decidimos avanzar, llamando primero a una reducción de las rentas en un cuarenta y nueve por ciento y más tarde en un sesenta y cuatro, y golpeando fuertemente a los latifundistas que en el último año habían destruido aldeas, quemado vivos a los campesinos que se habían organizado y asesinado a cuarenta y ocho de nuestros dirigentes.

Éramos la más radical de las tres tendencias que se actuaban en el movimiento. Mientras nosotros en Kwantung avanzábamos en guerra contra los latifundistas, la izquierda del KMT quería un movimiento lento y pasivo que apoyara el esfuerzo militar, y la línea de dominante en el PCCH era conciliar con el KMT y frenaba la extensión a otras regiones de nuestras propuestas para asegurar la alianza nacionalista-comunista.

En mayo de 1926 se produjo el II Congreso de los campesinos de Kwantung. Hablé con las ideas y el corazón. A veces la voz se me escapaba y se volvía un graznido, cuando narraba los horrores que los latifundistas, los jueces y las milicias de los señores de la guerra, cometían contra las asociaciones campesinas y las aldeas; hablé de que hay límites en la historia y en los comportamientos de los hombres y que estos límites en el horror se habían rebasado; no podíamos frenar la justa demanda de los campesinos por la reducción de las rentas, ni siquiera estábamos, a pesar de las voces que cada vez se escuchaban más intensamente, proponiendo un reparto agrario, tan solo la moderación de los excesos de los latifundistas. Me avergonzaban las felicitaciones que me dirigían por el profundo avance del movimiento en mi tierra natal, en Haifeng, al que por aquella época llamaban el «pequeño Moscú», cuando no éramos capaces de extender su ejemplo. Obtuve la conclusión de que la revuelta agraria avanzaba a pesar de la situación.

En junio de 1926 se produjo la expedición al Norte del ejército del KMT. Aunque en principio me quedé en Kwantung como jefe de la oficina, terminé dirigiendo una tropa de seiscientos milicianos campesinos que llegó con el ejército hasta Hankow al fin del año.

En el intermedio actué como mediador de los conflictos de Hua. En agosto de 1926 las Guardias Blancas de los latifundistas hicieron estragos en esa región, treinta millas al norte de Cantón: veinticinco aldeas fueron quemadas y sus habitantes asesinados; el Comité Central del partido me envió y logré movilizar a las milicias campesinas y el apoyo del ejército para destruir a las Guardias Blancas de los latifundistas, un ejército irregular de asesinos y saqueadores. Militarmente pudimos aislarlos, pero la red de conciliaciones que existía impidió que liquidáramos una fuerza que era devota a los latifundistas. Aunque fuimos recibidos en Cantón como triunfantes el 14 de septiembre, un día más tarde se producía un nuevo ataque en Hua que culminó con una masacre y varias villas campesinas ardieron hasta los cimientos; la represión prosiguió y un día más tarde fueron fusilados varios dirigentes; se produjeron secuestros, saqueos e incendios que prosiguieron en los siguientes días en todo el condado.

¿En nombre de qué pacto podría permitirse esto? La fuerza del movimiento campesino era nuestra fuerza. Sus demandas eran justas y no se podía permitir que en territorios controlados por el KMT los latifundistas masacraran a los aldeanos. En nuestro partido, mientras tanto, predominaba una de las líneas más conservadoras que habíamos tenido, aquella que conciliando con el KMT llamaba a dejar entrar en las organizaciones a «los latifundistas buenos». Esta situación estaba generando un fuerte debate. Los consejeros de la Internacional Comunista en China, encabezados por Borodin, llamaron en noviembre a una conferencia a la dirección del partido en Shangai y se aprobó un plan más radical que los anteriores: incluía la demanda de confiscación de la tierra a los latifundistas «malvados», los *shenshi* malvados que estaban aliados con los militares reaccionarios, y también confiscar las tierras de monasterios y templos; se hablaba por fin de la creación de las milicias campesinas. De cualquier manera el acuerdo fue papel mojado y no circuló por el partido. Donde la organización agraria existía, avanzaba, pero no se promovía su crecimiento. Llegó a decirse en un pleno del CC del PCCH que la demanda del reparto agrario era infantilismo.

Al inicio de 1927, la vanguardia del agrarismo revolucionario estaba en la escuela de cuadros de Cantón, que dirigía un hunanés, el camarada Mao Tse-tung, con el que yo colaboraba. Estábamos formando a la sexta generación, la quinta, graduada el pasado octubre, había aportado al movimiento trescientos dieciocho cuadros, entre ellos varios que habían nacido en las aldeas. Mao había escrito varios reportes apoyando la línea de impulsar la revuelta agraria, pero no habían tenido eco en la dirección partidaria.

Mientras tanto, las tensiones entre el ala derecha del KMT y el partido explotaron, desde a muerte de Sun Yat-sen se habían venido recrudeciendo. El KMT podría querer la unificación republicana de China y su modernidad, pero su idea de la nueva China incluía como actores principales a los grandes comerciantes que estaban en contra de la organización obrera y a los latifundistas que odiaban al movimiento agrario.

El instrumento de la contrarrevolución fue el general Chiang Kai-shek y su golpe fue dirigido contra los comunistas y las organizaciones populares. La sangre corrió por las calles en Shangai y Cantón. Nuestros militantes fueron fusilados sin juicio alguno, arrojados los mejores cuadros del movimiento obrero a las calderas hirviendo de las locomotoras, acuchillados por cientos con los sables de los verdugos los sindicalistas y los soldados progresistas. El 12 de abril comenzó la reacción. Y es cierto, lo esperábamos, sabíamos de las tensiones, pero creímos que conciliando podríamos evitar la ruptura, y lo único que hicimos fue fortalecerlos. Creíamos lo que queríamos creer. Millares de militantes pagaron con sus vidas la ingenuidad del partido. Los mejores hijos de China fueron arrojados con la cabeza cortada o el cuerpo lleno de balas por las calles. El partido quedó destruido en las ciudades del Sur.

El Comité Central propuso una línea de reorganización tratando de mantener la alianza con los restos de la izquierda del KMT y el 27 de abril se celebró el V Congreso del PC en Wuhan. Los agraristas, Mao y yo, propusimos una línea de alzamientos campesinos, crear un ejército rojo, radicalizar las demandas agrarias. Persistía la alianza con la izquierda del KMT donde esta existía. Había un estado general de confusión y caos. La derecha del KMT, con el ejército que ayudaron a entrenar los soviéticos, prosiguió la cacería.

¿Deberíamos replegarnos? Un partido de cuadros puede pasar a la clandestinidad, pero, ¿cómo se repliegan las organizaciones de masas? La trampa estaba creada, retrocedimos avanzando. Se produjeron alzamientos coordinados y más o menos espontáneos. El primero de mayo se levantaron los campesinos de Haifeng como reacción al golpe. Estaban dirigidos por mi hermano Hai Yuan. Nueve días duró la comuna de Haifeng, luego los hombres se tuvieron que replegar a las montañas dejando detrás a una base campesina que sufriría la represión.

Pero nuestro proyecto seguía siendo incoherente y contradictorio. El congreso aprobó contra nuestra opinión un programa agrario moderado para intentar mantener los restos de la relación con la izquierda del KMT cuando esta era irrelevante y la mayoría del KMT solo quería poner los dientes de la fiera en nuestra yugular.

La política de los levantamientos fue un fracaso y desgastamos en ella a nuestras mejores fuerzas. Nos alzamos en Nanchang el primero de agosto y a partir del 8 de septiembre se produjeron los levantamientos de la cosecha de Otoño, descoordinados entre sí, repletos de heroísmo, pero inútiles. Tras las primeras efímeras victorias se producía la brutal reacción del ejército. Dentro de estos alzamientos nos volvimos a levantar en armas: palos, picas, lanzas y piedras en Haifeng con una victoria parcial y una nueva represión.

El partido me envió a Hong Kong, donde me establecí clandestinamente para crear una red de apoyo con emigrados de Cantón y Shangai y reconstruir el partido.

## VI

La línea de las insurrecciones a toda costa dominaba a un partido disgregado, obligado a la clandestinidad, aisladas sus fuerzas entre sí, ferozmente perseguido.

Así, fui comisionado por la dirección del partido en noviembre de 1927 para preparar un nuevo levantamiento en la zona de Haifeng y Lufeng. Al menos la directriz partidaria permitía llevar a su límite las demandas de los campesinos.

Tras un breve trabajo de organización, por tercera vez se alzaron las asociaciones. Con un rápido golpe de mano destruimos la pequeña base militar del KMT. Pero lo sorprendente fue la iniciativa de las masas agrarias dispuestas a liberarse. Por iniciativa propia los campesinos se levantaron en armas en toda la zona de Haifeng y Lufeng. Nacieron catorce soviets en otros tantos departamentos de la región. Quedé a la cabeza del gobierno soviético cuya sede establecimos en un templo budista en las afueras de Haifeng.

El 18 de noviembre, con una inmensa región liberada a nuestras espaldas y bajo los eternos sonidos de los instrumentos de música campesinos y los grandes gongs robados a los templos, iniciamos las sesiones constitutivas del Soviet de Hai-Lifeng.

Y entonces, en la primera sesión del soviet, a los cientos de delegados campesinos, les conté el mundo. Un mundo que ellos nunca verían y que yo no habría de conocer. Les hablé de los demonios blancos ingleses, pero no en Hong Kong, en la lejana Inglaterra, y de aquellas máquinas de cosechar que dejaban a los campesinos sin trabajo y de los demonios amarillos japoneses y los enormes barcos de guerra de acero, y de un cine en una ciudad que se llamaba París y de Marx y su discípulo y buen amigo Lenin y de la red de la telaraña del ejército rojo que nacía en Moscú y llegaba hasta nuestras montañas.

Y conseguimos las primeras victorias militares y pusimos a los prisioneros ante la multitud y le preguntamos qué castigo deberíamos darles a los que atentan contra la sagrada propiedad comunal de las tierras. La multitud respondió que les cortáramos las cabezas, y el campesino duda permanentemente de su fuerza, de su habilidad y su destino, y por tanto, les cortamos las cabezas a todos, y la sangre nunca ha sido buena, pero la revolución es también un joven dragón furioso y terrible que en nombre del futuro se come el presente.

Discutíamos con hombres y mujeres que titubeantes, de manera torpe, estaban ensayando el destino y se preguntaban con nosotros: ¿la tierra confiscada debería repartirse o trabajarse en colectivo? ¿Y los que habían apoyado a las ligas agrarias desde su origen no tenían prioridad en el reparto? ¿Y los que tenían tierra que no podían cultivar no debían ceder esa parte a otros para que la cultivaran? ¿Y las familias que creían o disminuían no obligaban a una constante redistribución de la tierra? ¿Qué parte de las ganancias de las cosechas debería dedicarse a pagar a jueces, funcionarios, administradores, a los hombres del soviet? ¿Y la tierra no debería medirse por su fertilidad y no por su tamaño? ¿Y no era cierto que un campesino hábil hacía la tierra más fértil?

Y teníamos que organizar la vida y tomamos decisiones sobre las viudas de los enemigos y cómo el soviet debería encontrarles marido y mejoramos las condiciones del ejército rojo, al que había que conseguirle no solo armas, sino calzado, y decretamos el derecho al divorcio con la oposición de muchos hombres y el apoyo de las nuevas organizaciones de mujeres, y si cuando los latifundistas quemaban las aldeas con los campesinos dentro de las casas, las mujeres morían igual que los hombres, ¿por qué no iban a poder combatir? Y se formó una brigada femenina de trescientas combatientes. Y pusimos nuestro sello a los billetes y organizamos el contrabando de nuestra mayor producción industrial, la sal, a través de las líneas enemigas. Establecimos la jornada de diez horas en el campo y ocho para mujeres y niños y se procedió al reparto de las tierras y la entrega de tierras colectivas para el trabajo.

En materia de organización traté de simplificar al máximo la administración, centralizando lo más que podía las decisiones en esta etapa de guerra. Todo ello basado en la democracia de las asambleas.

Fue una época en la que apenas sonreía. Supe por los camaradas del partido que mi esposa había sido muerta por el KMT y mis hijos estaban desaparecidos; no conocía el destino de mi hija con Hsiao. Estaba unido con sangre a los campesinos a los que representaba.

Levantamos un hospital y una pequeña armería que solo podía reparar viejos fusiles y organizamos el terror rojo. Los campesinos eran menos crueles que los latifundistas, pero teníamos que eliminar la base de los terratenientes para que no pudieran volver a levantar cabeza.

Los jóvenes socialistas iniciaron una campaña contra la religión, pero fueron moderados por los campesinos, que se negaron a que se destruyeran templos venerados por las aldeas; aunque no pusieron inconveniente en que se destruyeran los ídolos de monasterios o templos de latifundistas. Esta sabiduría de las comunidades campesinas fue apoyada por el soviet.

A fines de enero se produjo la primera ofensiva militar del KMT contra la zona soviética. Nuestras milicias mal armadas pudieron derrotarlos, pero el aislamiento crecía y no había manera de mantener una relación con otras zonas donde el partido era fuerte o reagrupar los restos de los ejércitos rojos de las insurrecciones del otoño pasado, hoy desmembrados y destruidos.

Nuestra suerte estaba sellada por destinos incontrolables. En febrero el ejército avanzó y sus cañones destruyeron a nuestras milicias. El soviet se hundió en nuestra sangre.

Pude huir a Shangai. Allí en noches terribles de soledad clandestina, cambiando de nombre y de sentimientos pude escribir un pequeño libro en que recogía aquellos meses de libertad agraria. Y me enteré de que en el VI Congreso había sido nombrado miembro del Comité Central del partido en ausencia.

Regresé clandestinamente a la zona soviética de Hai-Lufeng en 1929 y traté de reorganizar las bases, pero era prácticamente imposible en el clima de terror existente.

Desde el primero de agosto se habían sucedido mítines para conmemorar el alzamiento de Nanchang en Shangai y los blancos estaban muy inquietos. El 26 de agosto a causa de una delación se produjo un raid policiaco en la concesión francesa de Shangai y fuimos detenidos los miembros del Comité Militar. Caí junto a Yang Yin, el dirigente del alzamiento de Cantón.

Fuimos llevados a la Oficina de Seguridad Pública y el 28 a los cuarteles policiacos de Lunghua. Traté de ocultar mi verdadera personalidad con el alias Wang Tzu-an, pero fui descubierto por un soplón. La prensa se alegró de mi captura. El demonio rojo de Haifeng estaba en sus manos.

Tenía esperanzas de que el partido preparara un golpe de mano para liberarnos, pero las esperanzas se iban desvaneciendo conforme pasaban las horas. No sabía que un grupo especial de combate había sido enviado por Chou En-lai a rescatarnos. El grupo logró introducirse en Shanghai y tuvieron acceso a un depósito de armas oculto en las cercanías de la puerta Norte. Las armas estaban cubiertas de parafina para preservarlas; mientras las limpiaban se perdieron unas horas decisivas.

Descubierto, no tenía sentido simular desconocimiento y no iba a darles el placer de mostrar arrepentimiento. Se vive por lo que se muere. Utilicé el juicio para señalar que el futuro caminaba de la mano del partido comunista, que nuestros muertos serían vengados y nuestras demandas sociales reinarían sobre China. Terminé diciendo que en Hai-Lufeng habíamos llevado ante el sable del verdugo a muchos jueces como los que ahora nos juzgaban, que no tenía caso seguirme interrogando, era una pérdida de tiempo, que me sacaran fuera y me fusilaran de una vez.

El 30 de agosto fui torturado durante cinco horas. Los interrogatorios eran muy torpes y no sabían exactamente qué era lo que estaban buscando.

En la soledad de la celda y ayudado por uno de los carceleros pude hacer una nota para Chou En-lai: «No podemos salvarnos del terror blanco esta vez. Tres de nosotros hemos admitido abiertamente nuestra identidad y hemos hecho el mejor trabajo de propaganda que hemos podido entre los soldados.»

Ese mismo día fui sacado al patio del cuartel de policía de Lunghua, dos soldados me llevaban casi cargando porque no podía caminar. Me colocaron de espaldas a una pared blanca. Hacía calor. Hablé con los soldados que iban a fusilarme, les dije que antes de apretar el gatillo pensaran bien lo que estaban haciendo, que ellos eran campesinos. El oficial dio la orden de fuego y los soldados no dispararon. Entonces el oficial le quitó un fusil a uno de los soldados y me apuntó. Traté de gritar «¡Viva la revolución!», pero fue más veloz la bala y la frase quedó incompleta.

Los hombres que se preparaban para asaltar el cuartel, cuando finalmente lograron poner las armas a punto, supieron que yo ya había sido fusilado. El hombre que me delató, Pai Hsin, fue ajusticiado de un tiro por un comunista en las calles de Shangai días más tarde.

Tiraron mi cadáver en una fosa sin nombre junto a mis compañeros. No podía aspirar a mejor compañía.

Esta es mi historia.

# De italianos y memorias

# I

El padre del padre de mi madre fue italiano. Solo sé de él que era marino. A mediados del siglo pasado naufragó en las costas del mar Cantábrico en el norte de España, enamoró a una mujer, la dejó embarazada y desapareció. Su hijo, años más tarde, embarazó a otra mujer y huyó también. Esta segunda mujer murió en el parto y su hijo Adolfo, mi abuelo, creció en un hospicio, del que salió en la juventud para ser marinero.

Mi madre se cambió el apellido paterno durante la adolescencia intercalando una h, convertido el Maojo en Mahojo. No era la primera vez que el apellido cambiaba, antes de ser Maojo, había sido Malochio. Mi bisabuelo había sido hijo sin padre de un tal Malochio, «mal de ojo», el apodo del italiano original.

Mi madre fue contrabandista de ropa infantil en los años sesenta, oficio del que siempre me sentí muy orgulloso y que años más tarde descubrí que había heredado de su padre, quien a su vez lo había heredado de su abuelo, el italiano. Adolfo, mi abuelo, siendo capitán de marina mercante en la década de los años treinta, se dedicaba al contrabando de encajes de Brujas y Malinas, azúcar de caña refinada y licores. Una vez escuché a un viejo marinero, en el barrio gijonés de Cimadevilla, contar admirado una de sus hazañas: aquella en la que el capitán contrabandista Adolfo Maojo, cuando a punto de ser capturado por los carabineros con una carga de azúcar en las cercanías de la costa (en aquella época el gobierno español protegía impositivamente el azúcar local hecho de remolacha, de más baja calidad y más caro que el de caña de azúcar) comenzó a alimentar las calderas de su barco con el polvo blanco, y los fogoneros palada va palada viene a las calderas, dejando el vapor tras de sí un potente penacho de humo negro con olor a maleza y caramelo, con el que entró orgullosamente al puerto de Gijón burlando a los guardianes del Estado y haciendo las delicias de los niños.

En 1934 mi abuelo Adolfo se dedicó al contrabando de pistolas belgas para los grupos de la juventud anarcosindicalista que preparaban la revolución. Fue descubierto y detenido, cuando en un registro domiciliario, la policía encontró decenas de pistolas en la caja donde se enrollaba una gran persiana de madera. En el cuartel de la guardia civil fue torturado para que confesara a quién iban destinadas las armas. Durante una semana lo ataron a una mesa, lo descalzaron y le apalearon las plantas de los pies. Se declaró contrabandista de armas, pero según las actas, jamás dijo a quién iban destinadas. Tuvo que ser llevado en brazos a su casa días más tarde. Era un contrabandista con principios y por él jamás habría de saberse el nombre de sus clientes.

Durante la guerra civil se incorporó a la marina de guerra roja y tripuló un pequeño bou, un pesquero de veinticinco metros artillado, el José María Martínez, que hacía incursiones en la costa gallega para romper el bloqueo del ejército franquista, dedicándose fundamentalmente a infiltrar guerrilleros y robar vacas para mejorar la alimentación del ejército miliciano. En una de esas incursiones, una noche de enero, su buque fue atacado por un *destroyer* y hundido.

Mi madre conserva de su padre una sola foto, en la que mi abuelo sonríe, y también recuerda que una vez le trajo de regalo de reyes unas botas de plástico cuando el plástico no existía, y una muñeca rusa.

Yo reconstruyo la historia familiar repleto de amores por los míos, y como siempre ya no sé cuánto es verdad y cuánto leyenda familiar, material del que se construyen las tribus como la nuestra. Y retorno al marino Malochio, el contrabandista original, mientras en el recuerdo se me mezcla con la historia de otro italiano: Malalengua o Lamaboca, lo llamaban.


## II

Hubo una guerra en España.

Siempre me la contaron, siempre la he leído como nuestra guerra. Sus canciones cruzaron generaciones y sesenta años después del cerco de Madrid mi hijo las canta con su abuelo y las cantamos cuando la tribu se reúne, y con el quinto quinto quinto, con el quinto regimiento, aúlla Sepúlveda y el Arpaía; y Laura Grimaldi y Tropea se saben la letra de la fonda donde se reparte metralla, y los cuatro generales que se han alzado que se han alzado muy serio canta el Gordo Cavaría. Y Paloma recuerda que con las bombas se hacen, manita mía, tirabuzones, las madrileñas.

Fue la guerra de los libres contra todo lo demás: latifundistas, clero-oscurantistas, generales, tropas profesionales, aviones de Hitler, blindados de Mussolini, falangistas y requetés.

Y los nuestros eran los ejércitos populares, y el frente, el último frente antifascista. Luego habríamos de conocer la complejidad de las historias, los matices; pero aun así seguiría siendo nuestra guerra.

En julio de 1936 se alzaron los generales y tras una semana de retorcidos engaños y maniobras, combates callejeros, indecisiones y definiciones, se podía establecer un mapa político del país: las grandes capitales, Madrid, Barcelona, Valencia, estaban en poder de la República, que conservaba Aragón, el País Vasco, la costa de Levante y Asturias con la excepción de Oviendo. Galicia, Navarra, parte de Andalucía, Extremadura, parte de Castilla y el territorio de Marruecos donde se aposentaba el viejo ejército colonial, estaban en manos de los militares.

A fines del 36 Madrid, su defensa o su conquista, se había vuelto el centro de la guerra. Una intervención alemana mínimamente enmascarada y una potente intervención italiana daban a los militares sublevados la ventaja; el fascismo se la jugaba en el gran tablero de ajedrez europeo. La República contaba con un limitado apoyo de franceses y soviéticos y con las brigadas internacionales constituidas por voluntarios antifascistas del mundo entero. En diciembre se dio la primera batalla por la defensa de Madrid, luego la batalla del Jarama y más tarde la toma de Málaga por los fascistas, en la que intervino un potente cuerpo expedicionario italiano.

# III

En junio de 1965 mi madre se fue al Sanatorio Español de la Ciudad de México para tener a su tercer hijo. Los trabajos del parto se adelantaron durante más de un mes porque se le había roto la bolsa de agua y se vio obligada a permanecer en reposo en el pabellón de maternidad, a la espera del nacimiento del que sería mi hermano Carlos.

El Sanatorio Español es una extraña isla en medio de una ciudad alucinada, incluso en aquellos años más apacibles; en las estribaciones de la colonia Polanco, un barrio de clases altas y dineros surgidos del comercio y la usura, por un lado, y haciendo frontera con una zona industrial de armadoras de automóviles y empresas cerveceras. Está rodeado de una enorme barda de ladrillos y tiene en su interior, desperdigados en medio de un enorme jardín, muchos pabellones aislados entre sí. La vida tiende a volverlos islas, y a ignorar que a treinta metros del alborozo de la maternidad, está el pabellón de los enfermos terminales.

Yo tenía quince años y muchos libros aún por devorar, y aprovechaba las largas tardes a la espera de que mi hermano naciera para pasear por los parques, leer y fumar en pipa, un vicio medio pendejo, pero interesante en materia de estética, e incluso del olor del tabaco que dejabas a tu espalda. Yo pensaba que fumar pipa me daba el tan importante aire de futuro escritor que en aquella época, a falta de escribir, necesitaba.

Vagando encontré a Eusebio Carranza, que se escapaba de unas monjas, y que a pesar de que tenía una tuberculosis muy avanzada quería morir fumando. Carranza debería tener entonces cerca de los sesenta y cinco años. Yo le suministraba cigarrillos a escondidas y él me daba algo mucho más importante, me contaba historias. Pequeño, con una bata gris con cuyo cinturón suelto siempre tropezaba y un pijama azul claro mal abotonado, tenía una mirada terrible, que cuando se fijaba en ti asustaba, hasta volverse lentamente una mirada cariñosa, conforme se le iba debilitando el foco y pasabas de ser el enemigo, a ser aliado borroso.

Era uno de esos narradores esenciales, que son capaces de poner el adjetivo clave en medio de los recuerdos, la metáfora que se queda en la cabeza muchos años más tarde y retorna a explicar muchas cosas; fumábamos, jugábamos ajedrez y me contaba historias. Yo debería ser el único interlocutor interesante que tenía por ahí, porque sus hijos no lo visitaban (había una extraña historia de terribles, verdaderamente terribles, rupturas familiares que lo habían dejado aislado y de la que nunca me explicó gran cosa). Eusebio, tras cerciorarse de que yo era de izquierda, después de un agotador interrogatorio en el que tuve que confesar que creía en las virtudes del socialismo y que certificaba la existencia de la lucha de clases, me contó la batalla de Guadalajara.

## IV

A sesenta y cinco kilómetros de Madrid, sobre la carretera del noroeste que iba de Zaragoza a Francia, el sector del frente de Guadalajara había sido muy pasivo en los últimos meses; apenas su se habían producido algunas escaramuzas en diciembre del 36, cuando la primera gran ofensiva contra Madrid. Era tan tranquilo que entre las líneas enemigas se canjeaban periódicos y cigarrillos.

La batalla del Jarama había dejado extenuadas a las fuerzas republicanas, y algunas brigadas que tenían un cincuenta por ciento de bajas estaban reponiéndose en pueblos entre Alcalá de Henares y Madrid, no esperaban ser las protagonistas de la futura historia; entre ellas estaba la XII Brigada Internacional dirigida por un húngaro que había combatido en la Revolución de Octubre, el mítico general Likács y cuyo comisario político, el alemán Gustav Regler, había de mostrarse como un soberbio escritor. Estaba integrada fundamentalmente por el Batallón Garibaldi, que reunía a los italianos antifascistas de las brigadas y un grupo internacional de caballería eslavo; para la futura batalla deberían anexarse dos batallones españoles al Garibaldi. Los italianos de la XII venían de todos los rincones del planeta, un exilio nutrido por la persecución que había producido la dictadura de Mussolini. El exilio antifascista había aportado a sus hombres desde París y Bruselas, pero también de Los Ángeles y Nueva York, de Argentina, África y Australia.

El día 8 de marzo la aviación republicana detectó un sorprendente avance en un amplio frente por la carretera de Sigüenza a Guadalajara, un altiplano con un espeso bosque a mitad de camino. Tres columnas motorizadas con tanques y camiones progresaban en abanico. Los rumores habían estado hablando de una potente concentración del cuerpo expedicionario italiano, el CTV, que había intervenido con éxito apoyando a Franco y a los generales en la reciente batalla de Málaga. Efectivamente, Mussolini quiere ganar la guerra de España. Si Franco y sus tropas de élite se estrellan contra Madrid, él, estrategia a la distancia, con el ejército fascista italiano que se ha probado en las guerras coloniales, podrá romper el empate.

A mediados de febrero el CTV italiano dejó las posiciones de Málaga a reservas españolas y se movilizó para lo que habría de ser su operación gloriosa, la ruptura del frente al noroeste de Madrid y la toma de la capital. Los expedicionarios italianos contaban con cuatro divisiones blindadas y dos mixtas bajo el mando del general Roatta; doscientas cincuenta tanquetas Fiat Ansaldo, mil trescientos camiones.

El trabajo de reorganización ha sido muy serio, pero abunda el exceso de confianza. La línea de frente que atacarán y que forma parte de la defensa global de Madrid está cubierta por posiciones fijas bastante pobres, con algunos nidos de ametralladoras. El avance italiano anticipa una ruptura del frente en Mirabueno y un despliegue por carreteras y caminos secundarios para abrirse paso hacia Guadalajara. Dos divisiones y los cuerpos de artillería intervendrán en la acción y se mantienen otras dos en reservas para un segundo empujón; noventa aviones con la misión de obstaculizar la llegada de refuerzos republicanos van a participar en la operación. La orden del día de Roatta es en extremo eufórica: «*Domani a Guadalajara, dopo domani a Alcalá de Henares e tra due giorni a Madrid*».

Durante cuarenta minutos un ataque de artillería señala el inicio de la ofensiva que se produce en un terreno enfangado y bajo un frío extremo.

Sorprendentemente, el día 8 fracasa la ruptura del frente; las fuerzas republicanas se quedan sin municiones y en algunos sectores contraatacan a bayoneta. Se producen repliegues, aunque ordenados. Pero la presión de la fuerza fascista es tremenda, el segundo día el frente se rompe. La situación para la República es terrible, los refuerzos que se pueden enviar ponen la situación en diez mil contra cincuenta mil.

El mando republicano, que sabe que en esta operación se juega el destino inmediato de la guerra, envían a sus mejores tropas, a las XI y XII Brigadas Internacionales y las divisiones de Loster, Mera, Galán y Nanetti. Son fuerzas que se estaban reponiendo de combates, en proceso de reorganización y que avanzan por carreteras, bajo la lluvia, la nieve y los bombardeos.

Pese a lo que dice el mito, mi mito, nuestro mito, los internacionales no eran inmunes al desaliento; en los primeros días del 37 tres docenas de ellos se fueron a Francia. No tenían en España ni familia, ni cartas, ni nombre, ni retaguardia, ni hijos, ni pasado. Solo seudónimos y los recuerdos de una guerra terrible que ya no parecía tan romántica como en las primeras semanas.

El día 9 los refuerzos republicanos buscan el contacto en medio de un frío terrible, una nieve enfangada.

Lukács, al mando de los internacionales, ha tenido una extraña conversación con Aldo Barontini, que dirige provisionalmente el Batallón Garibaldi ante la ausencia de su jefe: ¿Combatirán contra italianos? Desde luego, estamos ansiosos de combatir contra los fascistas. ¿Respetarán a los prisioneros? Claro, es más, los recuperaremos y los uniremos al Garibaldi.

El encuentro se produce en la tarde del 9 en que la XI Brigada Internacional desarrolla pequeños ataques para frenar la velocidad del ataque italiano. Gustav Regler escribe: «Todas nuestras batallas habían comenzado de la misma manera, en el caos». La división fascista Fiamme Nere llega hasta el Palacio Ibarra, una serie de edificaciones en medio del bosque, restos de una posesión aristocrática y señorial. Bajo su presión los alemanes internacionales del Batallón Thaelman se repliegan. En la mañana del 10, en las afueras de Brihuega, los garibaldinos chocan contra la vanguardia de los italianos y hacen sus primeros prisioneros.

Está nevando nuevamente en la mañana del 11 de marzo. Por primera vez en la guerra la República tiene control en el aire, los campos de aviación de los fascistas están inutilizados por el barro, los republicanos que salen de las afueras de Madrid y de Alcalá de

Henares pueden despegar sus aviones y hostigar el avance de las columnas blindadas italianas. El ataque central entre Trijueque y Torija es detenido. El 12 lo intentan de nuevo y nuevamente son frenados por las tropas republicanas. Hans Beimler señalaba que «entre la derrota y el clima, los estamos desmoralizando.»

Herbert Mathews, el periodista norteamericano, había visto muchas guerras, y sin embargo no le sorprendió la forma italiana en que habían colocado los cadáveres de los soldados italianos, había un cierto respeto por la muerte en la manera como estaban apilados frente a la catedral del pueblo. Los obuses de mortero caían con una regularidad asombrosa, cada medio minuto, el oficial italiano que estaba dirigiendo esa batería era de una precisión pasmosa, cada treinta segundos. El primer contrataque republicano había sido un éxito. ¿Irían a explorarlo los mandos? En los siguientes días Mathew vio cómo se detenía la ofensiva, pensó que era un error, porque permitía a los desmoralizados italianos cavar trincheras y consolidar posiciones; luego se dio cuenta de que otras dos guerras se estaba desarrollando, una en la que por primera vez en España la República aprovechaba la superioridad aérea y descargaba sobre las cercanías de Brihuega ochocientas ochenta bombas de doscientos cincuenta kilos; y otra más extraña aun, una guerra de palabras.

## V

Creo recordar que, en aquellas tardes, sentados bajo los árboles del Sanatorio Español, Carranza me explicó qué estaba haciendo él en el frente de Guadalajara; era algo así como un enlace entre los batallones españoles de la XII Brigada y el Batallón Garibaldi, un enlace que también servía de guía porque de alguna manera conocía el terreno. Nunca supe muy bien por qué, recuerdo que Carranza no me parecía castellano sino más bien andaluz, pero el caso es que conocía el territorio y buscaba emplazamiento para una batería Skoda cuando vio por primera vez a Malaboca.

Era un italiano pequeño, que parecía una especie de gnomo, siempre con frío y que sabía mucho de futbol. Y, según Carranza, tenía un tremendo poder en la lengua, insultaba como nadie, era incapaz de decir media docena de buenas palabras sin una mala en medio. Tan es así, que sus compañeros lo llamaban Malaboca.

Creo recordar que en los recuerdos de Carranza el pequeño italiano era apodado Malaboca o Malalengua, quizá porque usó indistintamente los dos nombres. Intento un explicación: Malaboca por los italianos, Malalengua por los españoles. Creo recordar que en los recuerdos de Carranza el italiano se llamaba Piero, era veneciano (y lo sé porque Carranza me contó Venecia tal como habría de verla yo años más tarde, y tal como se la había contado Malaboca), era zapatero y era o había sido locutor de radio hasta que los fascistas lo echaron a patadas de una emisora. Pasó un tiempo en la cárcel y luego se escapó a Suiza donde vivió con una cantante de coro de ópera española, a la que odiaba profundamente.

¿Cómo sabía todas esas cosas Carranza de Malaboca, un hombre al que solo había de conocer durante los doce días de la batalla de Guadalajara? ¿Cómo sabía todas esas cosas y otras más que me contó y otras tantas que habrá olvidado o que yo he perdido en mi triste memoria?

Malaboca cantaba cuando dormía. Afortunadamente dormía poco y cantaba muy bajo. Fumaba unos puros horribles que se deshacían al mirarlos de tan secos, aunque la lluvia y la humedad inundaban el bosque. Malaboca comía con desesperación y se explicaba: «Come siempre como si fuera la última vez.»

Estaba sentado en un corro exterior mientras el comisario del batallón interrogaba a los primeros prisioneros fascistas. Ahí lo vio Carranza. Y luego juntos se movieron entre los prisioneros y Malaboca sacó de ellos todas las informaciones aparentemente inútiles que pudo: el nombre de la madre del capitán de la segunda compañía, la calle en que vivía el comandante...

Todo eso habría de usarlo en la guerra de palabras.

Detenida la primera ofensiva de las divisiones fascistas, con un clima imposible en marzo, pero que produjo varios muertos congelados en las guardias, entre el 13 y el 18, la dirección de las brigadas internacionales puso en marcha su maquinaria de propaganda. Luigi Gallo, Teresa Noce, auxiliados por el periodista y novelista ruso Ilya Ehrenburg y Camen (el periodista italiano

Giuliano Pajetta) comienza a producir folletos, que se imprimían en Madrid y Alcalá de Henares y que al principio eran arrojados por los aviones junto con las bombas.

Regler, que había colaborado en la propaganda, describía el cuadro cuando llegaron los primeros megáfonos. Alguien leía en italiano. Cae la nieve, el mensaje en el aire frío, los polacos a la izquierda del palacete de Ibarra instalando las ametralladoras, los fascistas dentro, a la izquierda los garibaldinos.

—El odio de España caerá sobre ustedes. Hermanos italianos, el pueblo de España lucha por su libertad. Deserten. Venid a nosotros, los recibiremos como a camaradas, nosotros, los hombres del Batallón Garibaldi.

Una bala sacó pedazos de la pared a unos metros de donde estaba Regler. «No está mal como respuesta», se dijo. Un brigadista francés propuso que se dejaran de historias y que se contestara el fuego. Varios italianos lo callaron, que siga la propaganda. Lo dicen con un cierto júbilo. Gustav Regler trata de entender este sentimiento. «Había lágrimas, pero de felicidad, el idioma de los exiliados retornaba, volvía a hablar con los que había querido oírlos años antes.»

Todo sirvió en aquellos primeros días: panfletos enrollados en torno a una piedra y arrojados como granadas de mano, magnavoces, bombardeos aéreos. Llegaron de Alcalá de Henares dos altavoces y un micrófono, por ellos se leían los comunicados, se reunían coros improvisados que entonaban *La Internacional* o *Fratelli nostri*.

Giuliano Pajetta, en España conocido como Camen, que terminó su largo periplo europeo en Mathausen y sobrevivió, era el encargado de los altavoces; pero esta era la voz oficial, que leía los comunicados enviados por la sede de las brigadas. Y entonces entró en acción Malaboca.

A mitad de la noche se habían acercado las bocinas en todo el frente y de repente, de súbito, comenzó a oírse la *Bandiera Rossa*. Desde Madrid había llegado una camioneta con dos grandes altoparlantes en el techo que antes se dedicaba a hacer propaganda de un circo, el coche venía con todo y el anunciante que conservaba el estilo… Diez magníficos elefantes, diez… Cuando le enseñó a los italianos a usar el sistema.

Malaboca se acercó al comisario y le pidió que lo dejara trabajar, que él había sido locutor de radio. Durante un rato leyó los comunicados. Luego, comenzó a improvisar.

—Ríndete Mariani. Tu mujer es un poro puta, y no te espera, ya te puso los cuernos con Alfredo el boticario... Leone, maricón, serás capitán, pero abusas de los reclutas... Soldados de la segunda compañía, si sentís frío no os preocupéis, el capitán Barone con gusto os meterá el dedo en el culo, ya lo hace en la retaguardia. Roselli, ¿estás ahí?, ¿sigues teniendo pesadillas? Ladrón, marrano, que en el pueblo pesabas de menos la carne. Fascista de mierda, nadie te quiere.

Y estaba desatado, parecía saber los nombres de todos los oficiales y soldados que estaban en las líneas enemigas, parecía conocer de cada uno una historia terrible. El comisario Barontini después de haber asistido divertido durante un cuarto de hora se acercó y sugirió con tono de orden:

—Malaboca, lee el comunicado, deja de insultarlos. Si sigues así vamos a tener que matarlos a todos antes de que se rindan.

Y Piero volverá durante unos minutos a ceñirse al texto, pero había algo más fuerte que él:

—Capitán Pierini, eres un guarro, no te lavas nunca. ¿Ese es el ejemplo que os pone Mussolini? Leoni, te llamas a ti mismo oficial y te sacas los mocos con el dedo enfrente de tus soldados. ¿Te llamas oficial, maricón, y corres cuando te bombardeamos?

La aparición de Barontini terminó con la fiesta. Mañana se probarían las defensas fascistas.

—Piero, vamos a dormir.

—Nosotros, los verdaderos italianos, los hombres del Batallón Garibaldi, nos despedimos por ahora. Dentro de un rato iremos a veros personalmente. Y recuerden, perros fascistas, el capitán Aldo se roba las latas de comida –dijo Malaboca, eso o algo así antes de permitir que un disco que alguien milagrosamente había conseguido con *La Internacional* cantada en italiano, inundara el aire helado del bosque.

Horas más tarde, un comisario político italiano, venido de otra sección del frente, le leyó la cartilla a Piero.

# VI

El 14, la XI Brigada conquistó Trijueque y obtuvo un enorme botín de guerra. Ese mismo día en la zona de Garibaldi se produjo el primer ataque al Palacio de Ibarra.

Regler, el comisario político de la XII Brigada, estaba preocupado; cuando las tropas iban a tomar posición en las líneas de arranque, uno de los abisinios del Batallón Garibaldi, le había hecho el gesto de la cabeza cortada, ese gesto universal de un dedo extendido que recorre lentamente la garganta. Regler habló con el hombre utilizando un intérprete:

—Hay que respetar a los heridos, a los prisioneros, nada de brutalidad. Nosotros no somos como ellos —el joven abisinio asistió.

Cuando empezaron a sonar los acordes de *La Internacional* en el camión de los altavoces, los polacos calaron la bayoneta Barontini se quejó de la teatralidad del asunto con su comisionario político: «¿Qué es esto, un asesinato con acompañamiento musical?» Regler medió en la discusión: «¿Por qué no vamos a combatir con himnos? Si vamos a morir que sea con música». Barontini sugirió que pusieran a Verdi. Regler le dijo que como comisario político estaba de acuerdo, pero que no tenía el disco.

El primer choque es terrible; primero se combate en el bosque, árbol tras árbol, avanzando por metros: los fascistas se van replegando lentamente, se llega hasta los edificios; los garibaldinos van acompañados de tanques. La primera ofensiva obliga a los camisas negras a refugiarse en las edificaciones del palacio.

En la noche un asturiano logra infiltrarse y arrojar dentro del palacio un paquete de cartucho que provoca una tremenda explosión.

Los ecos no ha acabado de disiparse cuando del interior del palacio surgen los tan oídos a lo largo de estos días acordes de *La Internacional*. No está nada claro, prosiguen los disparos pero el canto continúa. ¿Están cantando los fascistas? ¿Es una broma? La dirección del Garibaldi envía a una comisión a parlamentar encabezada por Nuncio Guerrini; cuando se encuentra a unos metros del palacio un oficial le arroja una granada y lo mata. El fascista trata de huir y lo caza la ametralladora del tanque que apoyaba a los comisionados. Los garibaldinos entran en el palacio: están cara a cara con los fascistas bajo una tremenda tensión. Los dedos en el gatillo, nadie baja las armas. Brignoli interviene, da órdenes a los garibaldinos de no disparar y a los fascistas de arrojar al suelo las armas. En ese instante la artillería republicana, que no sabe que sus tropas ya están dentro del Ibarra, sueltan una salva. Los cañonazos acaban con las indecisiones, los fascistas arrojan al suelo fusiles y ametralladoras y son llevados a la retaguardia, los encabeza el cadáver de Guerrini sobre una camilla.

Regler verá pasar a su abisinio, que trae tres prisioneros amarrados con una cuerda y se los muestra gozoso.

## VII

Entre los días 15 y 18, el frente de Guadalajara se estabilizó, se habían quemado brutalmente las primeras energías en la ofensiva y el contragolpe. El empate era una victoria para la República, para los internacionales y en particular para los garibaldinos.

Los medios de prensa de todo el mundo así lo destacaban. Un documento del alto mando fascista decía: «Hasta las mejores y más valientes tropas tienen algún cobarde entre ellos. Por lo tanto no debemos sorprendernos si hay también alguno entre nosotros. Pero nos libraremos de ellos.»

Roman Karmen, el cineasta soviético, captura con su cámara a los soldados del batallón Lister quitando las pintadas de «Viva Mussolini», de las paredes de la aldea de Brihuela. Los soldados españoles raspan cuidadosamente la cal de las paredes blancas.

Ese fue el momento clave de la guerra de palabras.

Y Malaboca leyó durante aquellos días comunicados oficiales, llamados a la rendición, ofertas de cien pesetas a cada desertor y la promesa de incorporarlo si quería al ejército republicano, llamados a la condición de clase de los soldados de las divisiones fascistas; pero cada vez que podía, su áspera lengua tomaba la ofensiva. La información de los prisioneros del Ibarra le resultó invaluable. Narró la historia de un capitán enemigo que se había cagado durante un bombardeo, las enfermedades venéreas de un oficial de sanitarios, los robos de intendencia, las intimidades de un teniente que no se lavaba los pies y tenía un pito de un centímetro, incluso las historias de un fascista genovés que había venido directamente al frente desde la cárcel, donde estaba detenido por ladrón. Lo suyo era la maledicencia, el chisme y el insulto. Y era potente. Carranza recordaba que una vez Malaboca logró armar un insulto de diez palabras, algo así como «hijo de tu rastrera, puta, sifilítica, triste y apenada pobre madre.»

Carranza creía recordar que en algún momento le prohibieron que siguiera usando el micrófono del camión del circo, o que en uno de los desplazamientos de la compañía garibaldina el camión se quedó atrás.

# VIII

El 18 de marzo se produce la ofensiva tan esperada. Es el aniversario de la Comuna de París, los batallones republicanos atacan en todo el frente a unos desmoralizados italianos. La toma de Brihuega por la Brigada del Campesino y el Batallón Comuna de París de los internacionales es el momento culminante de la contraofensiva. Doscientos italianos del ejército fascista son capturados.

Se prosigue en un ataque en todo el frente usando la carretera de Aragón como eje. Cuatro o cinco días más tarde el frente se estabilizará. La batalla de Guadalajara ha terminado con un triunfo para la República.

Mathews encuentra a un grupo de niños muy contentos en Brihuega cuando revisa las cosas que los italianos han abandonado, les pregunta que cómo están:

—Muy contentos, los aviones destruyeron la escuela.

Carranza contaba que después de la batalla su batallón se incorporó a las fuerzas de Mera y no volvió a ver a Piero.

# IX

¿Existía Malaboca, o era una de esas invenciones benévolas que el pasado del tiempo fragua en la cabeza del que escucha y el que narra? ¿El, Eusebio Carranza, creía recordarlo así y yo lo recuerdo como él lo recordaba. He contado varias veces esta historia y de andarla contando, mejorando, afinando, artes de narrador oral, recursos de historiador que reencuentra en lecturas elementos que van dando atmósfera, la historia se había armado tal como se contó unos párrafos antes.

En el 74 decidí buscar a Carranza y escribir la historia de Malaboca, pero Eusebio Carranza había desaparecido. No lo había vuelto a ver después del nacimiento de mi hermano. Creo que todo se reunió en la memoria, las ganas de contar y el deseo de encontrarlo, cuando se produjo el nacimiento de mi hija Marina y aproveché para hurgar en los archivos durante una maravillosa estancia en aquellos pabellones, cuando Paloma y yo íbamos todos los días a ver a nuestra hija a la sala de incubadoras. No fue tarea fácil a pesar de que yo mantenía buenas relaciones con el sindicato de trabajadores del Sanatorio, del que había sido colaborador. Carranza, Eusebio, no existía. No aparecía su nombre ni su fecha ni su enfermedad. Nadie sabía si había muerto, se había fugado, se había curado. Finalmente encontré un expediente en el archivo central, que parecía coincidir: un hombre llamado Arturo Carranza se había tratado de una tuberculosis profunda durante el 65, de junio a septiembre y no más. Ni siquiera estaba claro por qué lo habían dado de alta.

Años más tarde suponiendo que Carranza había sido comunista, pregunté por él a mi viejo amigo Juan Ambos. El mundo del exilio español en México es enorme y diminuto; una especie de familia de amores y de enconos, en la que todos saben las pequeñas y las grandes historias y casi todos se conocen aunque pretenden que no. Curiosamente Ambos no sabía nada. Me sugirió que preguntara a los anarquistas, que a lo mejor era un hombre de la brigada de Cipriano Mera. Seguí indagando de esa manera descuidada con que los libros se van haciendo camino. Nada.

En el 88, Silverio Cañada, que me quiere mucho, me mandó desde España la excelente obra de García Durán sobre las fuentes para el estudio de la Guerra Civil Española. Me abrió una serie de nuevas puertas.

El archivo del centro de estudios Piero Gobertti en Turín había estado realizando hacia mitad de los años setenta una serie de entrevistas con combatientes italianos de las brigadas, en particular garibaldinos, y con otros antifascistas que habían combatido en España dentro de formaciones anarquistas en batallones de línea republicanos. Mi padre recogió para mí un resumen de estas primeras entrevistas en el 76, cuando asistió en Italia a la Bienal de Venecia. Revisé cuidadosamente el material. Ni Malaboca, ni Malalengua, como lo llamaban los españoles, ni ningún Piero veneciano y zapatero.

Probé en el archivo histórico de Salamanca, pero no existía ninguna nómina del Batallón Garibaldi. Revisé la amplia bibliografía que existe sobre la batalla y encontré registros de la guerra de las bocinas y los megáfonos, pero nada respecto a la soez lengua de Piero. Renuncié durante un tiempo.

Años más tarde, durante una estancia en Roma me presenté en la Associazione Italiana Combatenti Volontari Antifascisti di Spagna, donde tienen un importante archivo de notas biográficas de combatientes. Revisé algunas con mi pobre italiano de turista turco sin resultado.

La única clave la encontré años más tarde en unos metros de película en el archivo Gaumont en París. Se trata de treinta y siete metros de material, enlistado erróneamente como *Sur le Front de Madrid* y que contiene un par de escenas de combates durante la ofensiva de Guadalajara. Hacia el final, se puede ver un camión con dos grandes altavoces en el techo, casi clavado en una trinchera. Un hombre de nariz afilada, pequeño, pelo escaso y rizado y sonrisa maligna, habla. Está vestido con una chaqueta forrada y tiene las perneras del pantalón envueltas en trapos, como si hubiera fabricado unas polainas. Hice que me pasaran el fragmento media docena de veces. Estaba seguro de que se trataba de Malaboca. Sostenía el micrófono como sin darle importancia, como si estuviera habituado a ello, y con la fuerza del que no sabe hacerlo y necesita de los gestos para el discurso, porque tiene que concentrarse para ver a sus supuestos oyentes. Era él.

Han pasado sesenta años desde que mi abuelo Adolfo Maojo murió en el mar y un poco más desde que se produjo la batalla de Guadalajara, y treinta y dos desde que Eusebio me contó por primera vez la historia de Piero Malaboca. Antes de ponerme a escribir dudo por encima de lo habitual, más allá de la duda de la costumbre. *Arcángeles* habrá de ser un libro de historias de la historia, y esta suena en exceso a fantasía. Sin embargo, me siento a la computadora y tecleo, reúno a Malochio y Malaboca, mis italianos fundacionales, los que me han heredado el amor por el contrabando y las malas palabras. Narro sus historias, que son las mías.

Lo que aquí se cuenta es muy bello para ser mentira.

El hombre de los lentes oscuros
que mira hacia el cielo
se llama Domingos y se llama Raúl

*Porque una revolución*
*es una enorme experiencia,*
*una aventura del corazón.*

RYSZARD KAPUSCINSKI

# I

Hay una imagen muy peculiar que ilustra casi todos los artículos
que he visto publicados en Cuba sobre Raúl Díaz Argüelles; una
fotografía que reúne un doble encanto: por un lado resulta fiel a
la dureza del personaje y de los tiempos que está viviendo, por
otro parece recoger un cierto candor en el rostro que, de manera
contradictoria, tiene rigurosamente cubiertos los ojos y las cejas
por unos lentes oscuros. El hombre se encuentra a medio camino
de estar retando el aire que respira y estar agradeciendo al destino
por encontrarse en ese lugar y en ese preciso momento. Pero su
gesto pareciera ir más allá del aeropuerto en el que lo sabemos,
para percibir los aromas de la selva, los olores de la guerra.

Existe una segunda versión de la fotografía, de la que la primera es solo una ampliación, en la que se descubren junto al coronel Díaz Argüelles otros dos oficiales del ejército cubano. Los
tres están armados con rifles automáticos, visten uniforme de ca-
muflaje y miran algo que se encuentra arriba y a la izquierda del
fotógrafo; parecen estar de buen humor, como si puntualmente
se estuviera cumpliendo una cita.

Yo, a mi vez, estoy tratando de iniciar una cita con ellos, especialmente con el hombre de los lentes oscuros, al que en vida
nunca conocí. Una cita que tiene que ver con la curiosidad, con
mis obsesiones por la historia, con una exploración sobre la cualidad de los héroes.

Durante treinta y un meses he estado persiguiendo a Raúl
Díaz Argüelles en recortes de artículos de periódico, en foto-
copias deslavadas, en escondrijos donde se ha ocultado dentro
de libros casi inconseguibles. Una historia como la suya debería dejar inevitablemente un rastro de papeles, un sendero de
letras impresas públicas; pero en este caso los velos de los mis-
terios de Estado, de la actividad clandestina, de los viajes con

pasaporte falso y destino cambiado, hacen que la huella de Día Argüelles se vuelva un reto para el mejor rastreador apache.

Es cierto, aparecen aquí y allá materiales donde se recogen pedazos de una aventura vital y política que lo llevó del seno de una familia acomodada que vivía en los alrededores de La Habana en la década de los años cincuenta, durante los días previos a la Revolución Cubana, a un camino en medio de la selva, a unos pocos kilómetros del poblado de Evo, en Angola, donde ahora se desangra con las piernas cortadas por las esquirlas metálicas que arrojó la explosión de una mina.

Seguir este camino no ha sido fácil. Obviamente no para él. Fácil hubiera sido terminar la carrera de ingeniero, entrar y salir todos los días del anonimato, vivir en Connecticut casado con una gringa. Para mí ha sido una pequeña e intrascendente carrera de obstáculos, en la que se me cruzaron: un despido de la revista que dirigía, una novela policiaca, la boda de un hermano, la respuesta popular ante el enésimo fraude electoral del PRI, una microguerra contra la burocracia universitaria, un viaje, centenares de dudas.

Ahora tengo sobre la mesa los datos más o menos escuetos con los que reconstruir una biografía: fechas, lugares, anécdotas sueltas, algunas fotos, referencias cruzadas contradictorias, nombres de amigos, compañeros, enemigos; historias chiquitas (chiquiticas, como dirían los cubanos) dentro de las grandes historias de los últimos treinta años; historias de su hija, recuerdos de otros, rumores recogidos por colegas, todo un arsenal que no puedo acabar de hacer mío.

Y me pongo a escribir bajo el embrujo de la foto del hombre de los lentes oscuros, convencido que no lograré arrancar al personaje del aire, del sutil aire del rumor y la leyenda popular en que se encuentra, para ponerlo en el papel.

La Revolución Cubana lanzó a los aires del siglo XX la tremenda novela sin ficción del Che Guevara, pero al lado del Che decenas de nuevos personajes recorrieron caminos similares, casi paralelos, buscando remodelar el planeta a ritmo de ametralladora. Raúl Díaz Argüelles, quien a lo largo de varios momentos de su historia se llamará Domingos da Silva, es uno de ellos, y esta historia que va a tratar de ser contada a través de un laberinto, pretende ser su historia.

# II

Se moría muy fácil en La Habana en 1956, los cuerpos quedaban en la calle tendidos, desgarrados; como muestra de lo que a los otros, a los supervivientes opositores clandestinos, les podía suceder. Ahí se quedaban eternamente atrapados en la fotografía los rostros desencajados, deshumanizados, endiabladamente jóvenes de los muertos; mirando a ninguna parte, con sus camisas de mangas cortas a cuadros perforadas, sus bigotes apenas esbozados manchados de sangre, los rostros desfigurados, la carne partida. La dictadura de Batista no solo asesinaba, quería dejar la huella, la señal de aviso en el cadáver arrojado al basurero, en el muerto aparecido en el malecón o en el parque; pero la sangre tenía una sorprendente capacidad de convocatoria. Los huecos de los jóvenes desaparecidos se rellenaban con otros muchachos aún más jóvenes. Mientras el Movimiento 26 de Julio cocinaba en el exilio la invasión, desde la Universidad de La Habana el Directorio Revolucionario estaba organizando una guerra urbana paralela contra la dictadura. Cuando se repasan las páginas de la mejor crónica de 1956, *Sucedió hace 20 años*, de Rolando Pérez Betancourt, las historias de los muchachos muertos se mezclan con las imágenes de las manifestaciones que salen de la universidad a encontrarse rostro a rostro con la policía; las historias que evocan el humo de las perseguidoras (las patrullas policiacas) ardiendo, se cruzan con las noticias de fraudes electorales; las crónicas de las agrias discusiones sobre lo ofensiva que resultaba para Cuba la película *Santiago* de la Warner Brothers, se mezclan con historias blancas de cantantes negros de boleros. Música de fondo para la guerra por venir.

Un año antes del desembarco del Granma y el inicio de la revolución declarada desde las montañas, un adolescente de cejas espesas y cara cuadrada, tez muy blanca y constitución robusta, se suma a los grupos estudiantiles que están haciendo la oposición callejera contra Batista. Se sabe que su familia tiene dinero y que antes de ingresar a la Universidad de La Habana estudió en Tennesse, en la Riverside Military Academy. Parece que poco daño pudo hacer en sus ideas la influencia de una formación militarista e imperial, contrapesada por las ideas de sus padres, Raúl y María, que estuvieron activos en la revolución antimachadista del 33. Pero posiblemente, mucho más que la influencia familiar, lo que pesa sobre el adolescente Raúl es el país. Y le pesa en el lado bueno de la espalda. La rebelión moral de la juventud contra el fraude, el cinismo, el abuso de poder, la corrupción.

A los dieciocho años, Raúl se vincula a un grupo de dirigentes estudiantiles encabezado por José Antonio Echeverría y Fructuoso Rodríguez, quienes son las figuras centrales de la rebelión juvenil. Valientes, osados; jóvenes de gestos sorprendentes que avanzan hacia los cercos policiacos caminando y con una corona de flores en las manos por toda arma, oradores trepidantes en la colina universitaria; jóvenes que muestran orgullosos sus heridas de bala (José Antonio Echeverría tres veces en un año, y aun así va el primero caminando en las manifestaciones) y responden con una retórica moral de cristianos primitivos. Raúl se contagia del aire mágico que rodea a los cuadros de la Federación Estudiantil Universitaria y se une a ellos. En agosto de 1955 interviene en la preparación de un frustrado ataque al Palacio Presidencial que culmina con el descubrimiento por la policía de un arsenal en Santa Marta y Lindero. Una aventura que afortunadamente no tiene consecuencias para él, aunque le cuesta sus primeros días de angustioso encierro clandestino a la espera de la orden de acción que no llega.

En los últimos días de noviembre y los primeros de diciembre de 1955, los dirigentes de la FEU dan nacimiento al Directorio Revolucionario. Raúl es uno de los miembros del grupo. Paralelamente se matricula en la universidad en la carrera de Ingeniería Civil. Forma parte de un grupo conocido en el ambiente universitario como Los Comecandelas. El 2 de diciembre participa en un tiroteo entre estudiantes y policías, tira plomo, pone bombas en el cuartel de la Lisa e incluso se dice que participa en un atentado frustrado contra Batista en avenida 31 y calle 30, en Marianao, del que apenas si hay noticias.

Raúl Díaz Argüelles llega al año mágico, 1956, con la inercia del combate callejero estudiantil, la rabia de los primeros compañeros muertos, la euforia de la calle, la tristeza de los entierros. Es hijo de una época caliente, ciudadano de una capital donde se muere fácilmente, joven.

La policía pronto identificará a este joven de diecinueve años (nacido el 14 de septiembre de 1936), al que detiene varias veces. En diciembre de 1956 se libra una orden de captura contra él acusándolo (falsamente, lástima, tan orgulloso que se hubiera sentido Raúl de ser cierta la acusación) de haber participado en el atentado en el que pierde la vida un coronel torturador de la policía llamado Blanco Rico.

Existe una ficha policiaca de junio de ese año en la que bajo el número 20 234 aparece un jovencito muy orejón, del que se dice mide un metro setenta y seis, de cejas muy pobladas, mirada apacible, ni siquiera retadora, solo tranquila. Esa es la maldición de los retratos de fines de los años cincuenta, pareciera que la revolución es un proyecto de jóvenes orejones. La moda, los cortes de pelo que no respetan patillas y que se elevan haciendo arco en la sien uniforman a los rebeldes, con esos rostros cándidos, persistentemente adolescentes. Pronto barbas y melenas serranas cambiarían la apariencia.

Una brevísima trayectoria de estudiante y de revolucionario se trunca. Bajo persecución de la policía, Raúl Díaz Argüelles se ve obligado a partir al exilio, en los mismos días en que el Granma haciendo el camino inverso desembarca en las costas de Oriente con ochenta y dos jóvenes dirigidos por un joven abogado llamado Fidel Castro y entre los que se encuentran un aprendiz de sastre llamado Camilo Cienfuegos y un joven médico argentino llamado Ernesto Guevara, y se inicia la etapa guerrillera de la revolución.

En aquellos meses, para todos estos jóvenes revolucionarios profesionales, el exilio en Estados Unidos es un breve momento de paso, en el que se malcomen hamburguesas de segunda, se duerme en el suelo en casas sobrepobladas de amigos y conocidos ocasionales, se medita en los parques en compañía de borrachos sin nombre, mientras realizan labores para la organización, levantando colectas, comprando armas, entrenando militarmente, reclutando nuevos militantes en las colonias cubanas de Nueva York, Tampa o Miami. Se duerme poco y se sueña mucho.

Las crónicas de años posteriores sitúan a Díaz Argüelles en Cuba a mediados del 57. Ya se han producido los combates del Uvero en la Sierra Maestra y la guerrilla de Fidel se consolida, el Directorio ha fracasado en el asalto a Palacio donde se pretendía ejecutar a Batista y ha perdido, en los combates y la represión posterior, a muchos de sus mejores cuadros (entre ellos a Echeverría y Fructuoso). El peso sobre la espalda crece para este muchacho que todavía no ha cumplido veintiún años. Se dice que él es el autor del atentado que reproduce en el canal cuatro de televisión en el mes de julio, cuando un joven penetra pistola en mano en los estudios y dispara contra el vocero batistiano Luis Martínez.

Otras narraciones cuentan la increíble hazaña del aterrizaje en la Vía Monumental de un avión cargado de armas procedente de Miami. Una historia que corre por La Habana movida por la mejor cadena informativa en época de censura, el rumor popular, y que dice que el joven Díaz Argüelles ha traído desde el extranjero un cargamento de fusiles y que al tener que aterrizar de emergencia, qué bárbaro, lo hizo en la carretera, qué salvaje, y al verse rodeado por la policía, se vio obligado a incendiar el avión para que no cayera en manos de la dictadura, pero que antes las armas habían sido repartidas entre los militantes del Directorio.

Tras el escándalo del aterrizaje, la policía enloquecida detiene a muchas personas. Díaz Argüelles no está entre los capturados. Nadie podrá contarme cómo se fugó; pero sé que primero se esconde en el poblado de Jamaica, y luego pasa un mes en la capital tratando de contactar infructuosamente con los restos de la organización. Al fin, desesperado, se da por vencido y embarca clandestinamente en el Veramar, un carguero, que lo conduce nuevamente a Estados Unidos.

En enero de 1958 el Directorio culmina un proceso de reorganización desde el exilio; el Movimiento 26 de Julio, a su vez, inicia la organización de su segundo frente guerrillero en la provincia de Oriente, la dictadura ha perdido la iniciativa militar. Raúl se encuentra en Miami colaborando en la preparación de una nueva expedición, esta vez por mar, en la que viajará un grupo de combatientes claves del DR (buena parte de su dirección nacional) y una importante cantidad de armas. El destino de los expedicionarios y su carga es doble: abrir un nuevo frente guerrillero en la Sierra del Escambray, en el centro de la isla, y fortalecer la organización clandestina en La Habana. En la última noche de enero del 58, dieciséis militantes del Directorio se arracimaron en el yate Scapade junto con una considerable cantidad de fusiles. Los acompañaban un marino que fungía de capitán y una muchacha que tendría que aparecer en la cubierta para simular un viaje de placer.

Con el timón averiado a las pocas horas de travesía, una parte de los expedicionarios enfermos y teniendo que dormir a la intemperie, el viaje se inició con malos augurios. Los combatientes del DR se encontraban angustiados por los registros que la policía norteamericana había hecho en los últimos días y en los que habían caído detenidos algunos compañeros y pensaban que los gringos podían haber advertido a la dictadura. En esas deplorables condiciones, los expedicionarios del Scapade llegaron a la Isla Andros, una posesión inglesa en el Caribe, donde trataron de conseguir combustible. Tras haber sufrido una inspección de funcionarios británicos que no descubrió las armas, partieron lo antes posible y pasaron días a la deriva hasta encontrar su supuesto puerto de cita en el Cayo Bacón, donde aparentemente no los estaban esperando. Agotados, sin comida y sin agua, pasaron un par de días hasta que mágicamente apareció en el cayo el enlace del DR, Gustavo Machín, un hombre cuyo destino habría de quedar emparentado desde entonces con el de Raúl Díaz Argüelles.

Machín llevó a los expedicionarios en la goleta San Rafael hasta el cayo de Ballenato Grande, donde nuevamente transbordaron, esta vez a un yate que portaba el premonitorio nombre de Ya lo Ven, que los llevó a la costa cubana para desembarcar en Nuevitas, donde los militantes del DR se separaron. Un grupo cruzó la isla y subió hacia el Escambray, el otro, en el que viajaba Raúl Díaz Argüelles con Alberto Mora y Julio García Oliveras, se dirigió con las armas hacia La Habana. Era el 8 de febrero de 1958.

# III

¿A qué velocidad puede envejecer un joven de veintiún años mientras sus amigos mueren a su lado? ¿Cómo se desarrolla la imaginación bajo la constante presencia del miedo? ¿Cuál es la frontera entre el valor y la locura? ¿Cómo se impide que la continua presencia de la muerte no se vuelva una invitación a acompañarla definitivamente? ¿Cómo puede estar uno enamorado de una ciudad que es al mismo tiempo tu cobijo y tu apoyo, tu hermana y compañera; pero que también es la trampa que se cierra en torno de tu cuello?

Durante esos meses del inicio de 1958 en que Raúl actúa en La Habana, se produce la derrota de la huelga general de abril y la gran contraofensiva batistiana contra la Sierra Maestra, que habrá de acabar en una debacle para el ejército de la dictadura. Raúl participa activamente en los combates callejeros de la huelga de abril; sorprendido en la calle Santa Catalina en uno de los días del movimiento huelguístico por fuerzas de la policía y del SIM, protagoniza un espectacular escape en un auto.

El costo de la lucha urbana en aquellos meses es muy alto para los cuadros del Movimiento 26 de julio y el Directorio Revolucionario, decenas de muertos y detenidos. Los que sobreviven sienten que les están pisando la sombra. El 23 de junio de 1958 Eduardo García Lavanderos, uno de los dirigentes del Directorio y jefe de las acciones en la capital, es descubierto en La Habana y cae muerto en una tintorería mientras combate contra agentes del Servicio de Inteligencia Militar. Raúl Díaz Argüelles es nombrado en su sustitución, jefe de acción del DR en la capital.

Un jefe de acción es un hombre que decide cómo y dónde se golpea al enemigo, alguien que pone el ejemplo en el combate callejero, que ordena que se dispare al policía o se pongan las bombas, se incendien los automóviles o se sabotee la instalación eléctrica; es un hombre que cree que lo que está haciendo justifica plenamente las viudas y los huérfanos que la lucha va creando, que es válido mandar al combate y, por lo tanto, a veces a la muerte, la cárcel o la tortura, a jóvenes como él en nombre de la sagrada causa que profesa. Bajo esas tres palabras, jefe de acción, se oculta no solo la obligación de apelar a los más recónditos recursos de arrojo escondidos en el fondo de su alma, sino también la necesidad de asimilar la tremenda responsabilidad de enviar a otros a morir. En aquellos días, en La Habana, se duerme poco, los sueños a veces se vuelven pesadillas.

Y es precisamente durante esos meses cuando se construye una amistad profunda entre Díaz Argüelles y Machín Hoed, quienes conviven estrechamente en las difíciles condiciones de la clandestinidad. El 13 de junio del 58, mientras se encuentra reunida la dirección del Directorio en las calles 19 y 24 del barrio de El Vedado, los jóvenes son informados de que el senador batistiano Santiago Rey, ex ministro del Interior de la dictadura, visitará pocas horas después un consultorio médico situado en L y 25. Sin pensarlo demasiado, Gustavo y Raúl abandonan la reunión y se van a la cacería, lo encuentran y abren fuego. Rey es alcanzado por las balas, pero tan solo queda herido.

Un pequeño éxito, pero los cuadros del Directorio en La Habana han sido atrapados en la vorágine del combate desesperanzado. Con la organización mermada por la represión, con buena parte de su base social desarticulada, se niega a replegarse. Hay un mucho de locura entre los cuadros del DR tras la derrota del asalto a Palacio, una buena dosis de pensamiento suicida, de imposibilidad de detenerse, porque sobre sus espaldas pesa la memoria de los amigos muertos.

Entre acción y acción suicida, interminables horas de encierro en casas prestadas, dependiendo de la fidelidad y la resistencia a la tortura de los contactos periféricos, los aliados casuales, los amigos. Ahí se viven todos los riesgos. No se tiene la guerra abierta que goza el guerrillero de la sierra, no se cuenta con los grandes espacios urbanos del dirigente de masas, ni la protección de los movimiento sociales. Hace falta una muy especial fibra humana para resistir la tensión. Raúl con sus veintidós años parece tenerla. Cuando los recursos ideológicos se acaban apela a «un sentido del humor muy negro». A través de la broma cuida de la moral de todo el grupo.

Siguen días de persecuciones, de casas a las que ya no se puede ir a dormir, porque sus habitantes han sido capturados y torturados, de solidaridad popular que salva en el último instante al combatiente en fuga, de noches sin descanso, de reuniones suspendidas abruptamente, de citas que a veces una de las partes no puede cumplir. De atentados fallidos por falta de infraestructura o preparación, como el que Gustavo y Raúl intentan contra el senador Amadeo López Castro.

En estas condiciones, ambos militantes son llamados por la dirección del DR-13 para que suban al Escambray. Por un lado están muy quemados, y las condiciones de la acción clandestina en La Habana son muy peligrosas para ambos, por otro el DR está reconstruyéndose en la sierra y tratando de superar el fraccionalismo de uno de sus sectores que se han subordinado a grupos politiqueros del exilio.

El 10 de julio Raúl Díaz Argüelles asiste a una cita en las calles 21 y B en el barrio de El Vedado. Va a entrevistarse con Pedro Martínez Brito y Tato Rodríguez. La policía tiene vigilada la zona. Para escaparse del cerco Raúl Díaz Argüelles tiene que lanzarse debe un tercer piso y se fractura un tobillo. Un policía le dispara desde arriba, se reincorpora y se escapa en medio de los balazos ante el asombro de los vecinos. En 19 y C toma un taxi y se escabulle. La casualidad es la condición de la supervivencia.

Imposible subir a la sierra en estas condiciones. Gustavo lo cuida y lo ayuda a refugiarse en la Embajada de Brasil, el 20 de julio, donde solicita temporalmente asilo. La herida de la pierna empeora. Se toma la decisión de operarlo. El doctor Willy Barrientos lo hace. La operación tiene que realizarse sin recursos técnicos, con la agravante de que la anestesia no actúa como debiera.

Díaz Argüelles obtendría de aquella experiencia dos cosas, una cojera permanente que lo acompañaría los restantes años de su vida y una novia, Mariana Ramírez Corría, hija de un neurocirujano y amiga de infancia de Machain Hoed, la que se suma en esos días al Directorio.

Los jóvenes abandonan la embajada y se hunden en la clandestinidad habanera. Mucho sudor helado en la espalda, muchos miedos terribles; mucha sangre fría para combatir en una ciudad enemiga, donde el coche que pasa puede esconder al torturador y el hombre que sonríe al delator; donde la vuelta a la esquina puede ser el prólogo de un viaje a la nada. El reducido grupo de acción del Directorio continúa hostigando a las fuerzas policiacas de la dictadura en la capital. Desde la Sierra Maestra se despliega la lucha armada, son ahora muchos los frentes guerrilleros y el ejército batistiano se encuentra a la defensiva. El dictador trata de legitimar su situación con las elecciones de noviembre, Radio Rebelde llama al boicot. Raúl y Gustavo, rebautizados como comando número 1 del DR en La Habana, preparan un ataque contra la estación de policía número 15, haciéndolo coincidir con las elecciones, pero tiene que aplazarlo porque los policías están acuartelados.

Armados con ametralladoras Thompson y desde un automóvil, el 7 de noviembre a las seis de la tarde atacan la estación. Al paso del coche, las ráfagas de la Thompson saliendo de la ventanilla ametrallan a los policías que se encuentran ante la puerta de la estación. Quedan siete policías muertos y cuatro heridos. Sobre los cadáveres Raúl y Gustavo arrojan un cartel firmado por el recién nacido a la sangre Comando Número 1; luego huyen peliculescamente por las calles de la Habana.

A escondidas, ese jovencito al que apenas le sale un bigote decente, le canta a Mariana una canción prohibida por la dictadura. Una inocente canción ranchera mexicana de Cuco Sánchez, *La cama de piedra*. Una canción que entre otras muchas cosas dice: «*El día en que a mí me maten que sea de cinco balazos, y estar cerquita de ti, para morir en tus brazos*». Y que dice: «*Por caja quiero un sarape, por cruz mis dobles cananas, y escriban sobre mi tumba, mi último adiós con mis balas*». Se moría mucho en aquellos días en La Habana, y los jóvenes revolucionarios se emparentaban con las viejas canciones mexicanas en el culto de la muerte sonriente.

La dirección del DR los invita nuevamente a subir a la sierra. A llegada de las fuerzas de la Columna 8 del ejército rebelde comandada por el Che Guevara al Escambray, parece abrir una coyuntura de aceleradas operaciones militares. Faure Chomón, al mando de las fuerzas del Directorio de la Sierra, quiere tener a sus mejores cuadros militares en las montañas. Raúl y Gustavo preparan una vía de ascenso a la base guerrillera del Escambray, viajan de La Habana al sanatorio de enfermos mentales de El Cotorro donde serían recogidos un día después para ser llevados a la sierra. La operación está diseñada de tal manera que uno de ellos tiene que hacerse pasar por loco.

Días Argüelles, en versión del periodista Reyes Trejo, cuenta su difícil paso por la locura:

> Lo del sanatorio estaba hablado ya y Tavo era el loquero mío. Pero allá entre los locos tuve problemas. La enfermera entra al cuarto en el que estoy y me pregunta mi nombre, pero yo no sabía el nombre que estaba usando, el que lo sabía era Tavo. Entonces ella comienza a hablarme y se acerca a una funda de violín que habíamos llevado

donde traíamos una ametralladora y dice: «Mira qué bueno que sabe tocar el violín y todo». Se tira a coger la caja aquella y yo doy un salto tremendo y me le interpongo. La enfermera pensó que yo estaba loco de verdad. Pero yo tuve problemas con los locos de verdad y le dije a Tavo: «Mira, yo no hago más de loco, ahora te toca a ti.»

Salen del sanatorio y se ven obligados a volver a La Habana donde se vuelve a montar la operación. Finalmente, disfrazados de choferes llegan hasta el Escambray.

## IV

El aire de las montañas no es como el de La Habana, aquí los frentes están relativamente definidos, la hamaca donde uno duerme se balancea en la brisa y aunque puede venir un avión a bombardear, hiriendo a una vaca, cubriendo de metralla las palmeras, perforando la olla en la que se estaba haciendo la comida o destrozándote una pierna con una bala explosiva, aun así hay una propiedad del territorio, un estar entre fusiles amigos, una sensación creciente de poder, que los callejones de La Habana vieja ya no ofrecen. Puede ser que se despierte en sobresalto, que las manos suden, que la piel se erice por el miedo, pero más tendrá que ver con la memoria, con los miedos de la lucha clandestina ocultos en la columna vertebral, con los permanentes temores a la captura, la tortura y la muerte.

Días Argüelles se encuentra una Sierra del Escambray en manos de los rebeldes. El último ataque batistiano a la zona liberada a principios de diciembre ha culminado en desastre para el ejército, el Che Guevara y sus aliados planean ahora la próxima ofensiva, coincidente con el ataque sobre la capital oriental que Fidel organiza desde la Sierra Maestra. La alianza entre las fuerzas del 26 de Julio y la guerrilla del Directorio ha culminado en el Pacto del Pedrero, un proyecto de acción conjunta que se respeta fielmente por ambas partes, y los rebeldes tienen los ánimos en el cielo y están dispuestos a comerse entera a la provincia de Las Villas.

El 10 de diciembre de 1958 las fuerzas del Directorio reciben del mando conjunto que ejerce el Che Guevara la orden de tomar la población de Báez en las estribaciones del Escambray, en una acción que forma parte del hostigamiento sobre la carretera central y las guarniciones que rodean la ciudad de Santa Clara. Este será el primer combate en que interviene Díaz Argüelles. El ataque no es sangriento, la guarnición se encierra en el cuartel mientras los rebeldes ocupan la ciudad.

Cinco días más tarde el Che inicia la ofensiva final sobre Santa Clara con el ataque a la ciudad de Fomento y sesenta y una horas después de la rendición de esa guarnición y ante la pasividad de los mandos batistianos, que no se atreven a combatir a los rebeldes al descubierto, ordena una doble acción sobre las poblaciones de Cabaiguán y Guayos, a un poco más de sesenta kilómetros al este de Santa Clara. Cinco de sus pelotones intervienen en el combate, entre ellos uno de las fuerzas del Directorio en que se encuentra Raúl Díaz Argüelles. En el combate de Cabaiguán el Che resulta herido al saltar de una azotea. El ejército sufre varias bajas y noventa soldados caen prisioneros. La velocidad de la ofensiva de los rebeldes es tremenda, ya no se opera como en las viejas condiciones de la sierra, en las que se atacaba al enemigo y la guerrilla se replegaba. El ejército rebelde desarrolla una guerra de veloces movimientos atacando las posiciones enemigas una por una y sin darles tiempo a reponerse. A pesar de la diferencia numérica, ampliamente favorable a las fuerzas batistianas, a razón de ocho a uno, son los rebeldes los que mantienen la ofensiva, deciden dónde y cuándo golpear, dominan el territorio. El principio del fin se encuentra cerca.

Dos horas después de la toma de Cabaiguán, las fuerzas del Che inician la guerra en la ciudad de Placetas, el último obstáculo sobre la carretera central que los separa de Santa Clara. En el ataque, que se realiza con pelotones de combatientes que no han tenido descanso en tres días, interviene la fuerza del Directorio que dirige Faure Chomón y en la que participa Díaz Argüelles. Unos ciento cincuenta soldados se encuentran acuartelados en la población, los rebeldes no son más de un centenar pero con un fuerte apoyo popular volcado en las calles. El enfrentamiento se inicia a las cuatro de la madrugada y horas más tarde la guarnición se rinde. Cinco días más tarde se inicia la batalla por Santa Clara. Díaz Argüelles no participa en ella. Se ha unido a una de las columnas del DR que simultáneamente al ataque sobre Santa Clara se ocupará de tomar la pequeña ciudad de Trinidad.

Setenta y ocho hombres tiene Faure Chomón para combatir a los trescientos veintinueve soldados que custodian Trinidad. Los rebeldes pelean a cuerpo descubierto y obligan a los soldados a replegarse a los cuarteles aunque a costa de perder a cuatro de sus combatientes. En horas, la ciudad está en manos de los revolucionarios.

El 2 de enero de 1959, Raúl Díaz Argüelles, estrenando el grado de capitán del ejército rebelde, marcha a la cabeza de una columna del DR que avanza sobre La Habana. La dictadura batistiana se ha desmoronado.


## V

¿Qué piensa este capitán de veintidós años mientras el júbilo popular lo desborda, lo zarandea, lo enloquece, lo persigue? ¿Hasta qué punto entiende los alcances de la revolución que él y otros como él han hecho y que ahora verdaderamente se está iniciando? ¿Con quién se encuentra comprometido? ¿Qué va más allá de los lazos de sangre que ha creado con su generación de estudiantes en la lucha contra Batista? ¿Dónde y cómo se ha formado su pensamiento social? ¿Qué imágenes se le han quedado para siempre en la retina? ¿Qué frases se le han grabado en la cabeza para nunca irse del pensamiento? ¿Sabe que la revolución apenas está empezando y que se aproximan meses de una tremenda guerra política, de desgarramientos internos, de agresiones norteamericanas, de penurias económicas? ¿Qué piensa este muchacho mientras la fiesta de la liberación lo emborracha y las mujeres lo besan, y los viejos le palmean la espalda y los niños rodean el *jeep* que avanza hacia La Habana?

Poco material escrito ha circulado sobre la biografía pública de Raúl Díaz Argüelles en los primeros años de la Revolución Cubana. Se sabe que trabajó como jefe del recién creado Departamento Técnico de Investigaciones de la Policía Nacional Revolucionaria desde muy temprano, en el año 1959. ¿Qué sabe él del trabajo policiaco? ¿Se encuentra listo para enfrentar una de las ciudades subterráneas más duras del mundo? ¿Un ambiente criminal que permanece prácticamente intocado por el proceso revolucionario? Millares de prostitutas, juego organizado, mafia de la droga, gangsterismo, bandas de ladrones... A la oficina donde trabaja y duerme llegan extraños personajes con trajes blancos de tres piezas y sobres con dinero, ofertas de cocaína, promesas de sobresueldos, mujeres gratis. El submundo habanero está acostumbrado a negociar con la policía, ¿por qué habría de dejar de hacerlo? ¿Quiénes son estos muchachos imberbes que rechazan coimas, no cobran salario porque aún su departamento no se ha organizado y le arrojan al gangstercillo el sobre con dinero a la cara? ¿De dónde han salido? El Departamento Técnico adquiere fama de impecable, desmonta organizaciones, detiene en redadas continuas a jugadores y dueños de burdeles, desmonta las redes de los narcotraficantes. Y esto lo hace un grupo de muchachos obligados a jornadas insomnes que parecían no tener fin, a enfrentamientos en absoluta desventaja, sin recursos técnicos ni humanos.

En diciembre del 59 Raúl Díaz Argüelles asiste al Congreso de la INTERPOL en Alemania Occidental. Extraño personaje debió resultar el joven de rala barba y veintitrés años, mezclado con tipos que más bien se parecían a los que lo habían perseguido con saña en La Habana un año antes.

A su regreso, pasa a colaborar en el Estado Mayor del ejército en Occidente. Un testimonio del general Chui Beltrán lo describe de la siguiente manera: «Era un pincho, siempre echaba palante, no había quien lo sorprendiera». Luego pasa al ejército central; y en 1961, según algunos testimonios, se encuentra participando en la lucha contra los alzados de la contrarrevolución en la provincia de Matanzas. En abril de 1961 órdenes superiores le impiden que se lance hacia Playa Girón, para combatir la invasión organizada por la CIA con emigrados cubanos, «por ser más útil en otras tareas». Trabaja en el desmonte de las redes de la contra en La Habana. En 1963 es nombrado jefe artillero del ejército y en 1966 se convierte en miembro del Estado Mayor del

Cuerpo de Ejército Independiente en Matanzas. Organiza por tanto la intervención militar en la zafra. Soldados cortando caña, organizando la enorme infraestructura del transporte, levantando escuelas, organizando talleres mecánicos.

Una biografía sin aparentes atractivos. Muchas horas de labor, mucho trabajo gris, y sin embargo hay abundancia del heroísmo de las historias cotidianas, del estilo igualitario ante las carencias, del esfuerzo más allá de la obligación, del ejemplo.

Los que lo conocen en aquellos años hablan de él como un hombre dicharachero, muy cubano, de sonrisa franca. Es un oficial de nuevo tipo, cuyas relaciones con los soldados están marcadas por su estilo, esa nueva cualidad de mando que surge de la experiencia serrana y que fuera de Cuba se identifica con el proyecto igualitario del Che. Me cuentan anécdotas por aquí y por allá: comía con la tropa, dormía en un catre al lado de los soldados; se quitaba los galones del uniforme para pasear sin despertar subordinación, sin obligar a la relación jerárquica. Durante los cortes de caña del 66, se corta con la mocha en una pierna, acude de emergencia a un hospital, le dan cinco puntos y antes de que terminen de curarlo ya se está poniendo el capote para marchar de nuevo al corte. No es la primera vez que visita el hospital, frecuentemente acude por dolores en el tobillo roto en La Habana ocho años antes. El recuerdo de aquel salto mortal huyendo de la policía del que milagrosamente aún sigue vivo.

En 1967 Raúl Díaz Argüelles conocerá junto con millones de compatriotas del destino del Che y de la guerrilla boliviana. Sabrá de la muerte del que fue su comandante durante el mes de la ofensiva en Las Villas. Junto al Che había caído muerto su mejor amigo, el comandante Gustavo Machín Hoed, conocido en Bolivia como Alejandro.

Una vieja fotografía queda por ahí, con Raúl y Gustavo reunidos para siempre por la fidelidad de la imagen. Ambos miran a la cámara, hace unos pocos días que el ejército rebelde ha entrado en La Habana, las barbas son incipientes, el bigote de Raúl florece más que el de Gustavo, pero la barba de este luce mejor. Tienen una terrible seriedad, y quizá un leve dejo de tristeza en las miradas. La vida se ha vuelto endiabladamente seria para estos dos jovencitos héroes populares escapados de la adolescencia y de la muerte.

Ahora, en 1967, Gustavo se ha ido. Y se ha ido, debe pensar Raúl, de la mejor manera posible. Tratando de llevar la revolución a otros países, a otras geografías, siguiendo el llamado del Che y su particular camino tumbador de fronteras; pero se ha ido también de la manera más cruel, más terrible, dejando un enorme hueco a su espalda; dejando a los supervivientes la carga de la inexistente culpa, la sensación de que se ha creado un vacío y una deuda; de que todos han disminuido en tamaño ante los muertos: Gustavo, San Luis, Carlos Coello, Vilo Acuña, Papi, Manuel Hernández, Olo Pantoja, Suárez Gayol, Pinares, el Che...

¿Dónde ir ahora que no lo persigan a uno los amigos muertos, los héroes muertos, los compañeros muertos? ¿Quién les dio permiso de morirse? ¿Vale uno menos que ellos? ¿Por qué el Che no me llevó a mí a Bolivia?

En el 71 el comandante Díaz Argüelles viaja a Chile acompañando a Fidel, quien ha sido invitado por Salvador Allende. En el 72 un nuevo viaje, esta vez dentro de la gira africana de Fidel. En esos momentos Día Argüelles trabaja en la UM14-15 Décima dirección del MINFAR, el aparato militar cubano que se encarga de la colaboración militar con otros países y fuerzas guerrilleras irregulares. Puede suponerse fácilmente su función dentro de la gira.

Sin embargo, Díaz Argüelles aún no sabe que su destino estará ligado al continente africano. Al poco tiempo de su regreso, muy pocos meses después de la gira africana y tan solo cuatro años más tarde de la muerte del Che, Raúl Díaz Argüelles, coronel del ejército revolucionario cubano, inicia su propio viaje hacia la revolución internacional, ese territorio donde los sueños y los viejos amigos se encuentran y la muerte ronda. Su destino es la colonia de Guinea-Bissau, y la guerra popular contra el ejército colonial portugués.

Poco ha sido hecho público de la intervención de Díaz Argüelles en la Revolución Guineana. Por ahí hay una foto que lo muestra sentado a la derecha de Amílcar Cabral durante una conferencia de prensa. El pelo corto, sin bigote, un cierto cansancio en el gesto y media sonrisa en la boca. Por ahí debe existir una condecoración, la orden nacional, otorgada por el gobierno de Guinea-Bissau tras la independencia de Portugal. Quizá lo más significativo es que, en alguno de los reportajes biográficos que se le han dedicado, se habla de las brillantes y terribles operaciones militares de Guillaje y Gadamas que dirigió comandando a la guerrilla del PAIGC. También se habla de la gran ofensiva que se produjo a la muerte de Amílcar Cabral contra fuerzas portuguesas muy superiores en medios y en número, cuando se tomaron varios cuarteles militares en la franja fronteriza con Senegal. Poco más que eso. Hasta 1974, la vida de Díaz Argüelles está vinculada a la Revolución Guineana y también al mito silencioso, a la historia que no se cuenta más que en susurros.


## VI

Hay viajes y hay regresos. Se tejen leyendas. Muchos años después, su hija trata de desentrañar la trama. Yo le pregunto en el *hall* de un hotel de La Habana: «¿Cuál de los dos era tu padre?» Y le enseño las dos fotos: una de ellas, la que inicia esta historia, la otra, una foto suave, que muestra a un hombre distendido, con una mirada sonriente, plácida incluso. Ella sin duda señala la foto más blanda. Me dice: «Una vez cuando él llegó de Guinea, llegaba como el otro, el de la otra foto, y le dije, papá, quítate el bigote o no te beso. Yo tenía catorce años.»

Habría que bordar finamente en torno a estas dos fotografías, a estos dos personajes que sin duda son el mismo. ¿Y por qué dos? Sin duda muchos más. No hay hombre que no esconda a muchos otros dentro de sí mismo.

Díaz Argüelles estaba en África, en Guinea. Pero sobre su persona avanza también la leyenda. Se dice que estuvo en Medio Oriente durante la guerra de los Seis Días, en las cumbres del Golán, comandando a una pequeña unidad cubana que nunca ha existido oficialmente, al lado del ejército sirio, y que él y sus tanquistas invisibles, que días antes habían desembarcado en Latakia, pararon a los supuestamente invencibles blindados israelíes.

¿De ahí salió el gorrito árabe que le trajo a su familia en uno de sus retornos de África?

¿Historias y leyendas no son parte de una misma fuente? La historia popular que hace y deshace con pedacitos de información un mito. Los rumores que hacen leyendas que algún día un periodista recoge y se vuelven historias.


## VII

El 25 de abril de 1974, de las entrañas de la dictadura portuguesa de Salazar surge la revolución. Las fotografías recorren el mundo llenando las primeras páginas de los periódicos de marineros barbudos con un clavel en el cañón del fusil. Las fuerzas guerrilleras independentistas que han estado actuando en Guinea, Angola y Mozambique asisten triunfantes al subsiguiente desplome de la estructura colonial. En enero del 75 los tratados de Alvor crean un gobierno provisional en Angola con la participación de las tres organizaciones guerrilleras que estaban actuando en el país y una representación de los portugueses. El gobierno se hace cargo del territorio quince días más tarde y fija el día 11 de noviembre como la fecha para la declaración de la independencia de Angola. La situación, sin embargo, es altamente inestable. Dos de estas organizaciones abanderan un proyecto descolonizador íntimamente vinculado con las potencias imperiales: el FNLA, dirigido por Holden Roberto, agente de la CIA desde años atrás, mantiene muy explicables relaciones de confianza con los norteamericanos y con el gobierno dictatorial de Zaire; y la UNITA, dirigida por Jonás Savimbi, sostiene sospechosas relaciones con los colonos blancos portugueses e incluso con los sudafricanos; además ambas organizaciones han desarrollado una base de apoyo sobre una política tribalista, que favorece el enfrentamiento interétnico. El MPLA, dirigido por Agostinho Neto, aparece como la única fuerza de izquierda y radical en el proyecto independiente. Los meses de transición hasta la declaración de independencia se prevén como tormentosos. En marzo, tropas regulares de Zaire apoyando un gobierno fantasma de Holden Roberto creado en la ciudad de Carmona, invaden Angola, y en agosto el ejército de la racista Sudáfrica invade el país desde el Sur con el pretexto de proteger las presas de Caucana. El MPLA controla la capital después de una semana de sangrientos combates en los que ha derrotado a los mercenarios y a las tropas del FNLA que habían tratado de destruir a las milicias y los sindicatos afines a la izquierda.

En la primera semana de agosto de 1975 llega a Luanda un militar cubano cumpliendo una misión personal de Fidel Castro ante Agostinho Neto. Con él viene una muy concreta oferta de solidaridad y los mecanismos de enlace entre las fuerzas revolucionarias angoleñas y la Revolución Cubana. El coronel cubano adopta el seudónimo portugués de Domingos da Silva. No es ajeno a los revolucionarios angoleños. Ha entrenado a muchos de ellos en Guinea-Bissau y conoce a varios de sus cuadros de mando por sus frecuentes visitas al África occidental. Masculla palabras en portugués, conoce bien a los soldados coloniales. Cojea un poco. No le molesta el calor. Se mueve por la selva con la habilidad del habituado; es un hombre de guerra, no de escritorio. La oferta de solidaridad de los cubanos es muy concreta: hombres y armas, cuadros y fusiles; entrenamiento y experiencia de combate. Lopo de Nascimento, comisario del MPLA, relatará este primer contacto con el cubano de nombre portugués, hablará de la emoción que les causa la oferta. Es el oxígeno al moribundo.

¿Cómo ve Raúl Díaz Argüelles, conocido en Angola como Domingos da Silva, ese nuevo destino? ¿Cómo pasea por las calles de Luanda, una ciudad fantasma maravillosamente retratada por Ryszard Kapuscinski como llena de maletas, arcones, baúles, cajas de embalar donde los colonos portugueses empaquetan sus pertenencias para embarcarlas en los días siguientes? ¿Cómo percibe las sensaciones de ciudad provisional, cercada, llena aún de soldados coloniales, cuyos habitantes tienen un promedio de vida de treinta y cinco años y son un noventa por ciento analfabetas? África no puede desconcertarlo, en los últimos años ha estado muy cerca de sus brutales realidades, pero la sensación de inestabilidad de la Revolución Angoleña, su fragilidad, sus debilidades militares ante la potencia de la alianza que han creado sus enemigos, debe angustiarlo. El MPLA cuenta con amplios recursos políticos, pero la lucha se ha colocado ya en el terreno militar, y no precisamente en un terreno guerrillero. Ya no se trata de hostigar un ejército de ocupación mientras se construyen zonas liberadas; la Revolución Angoleña se encuentra ante ejércitos profesionales y fuerzas guerrilleras apoyadas técnicamente por norteamericanos, sudafricanos, mercenarios portugueses, mercenarios británicos, los soldados zaireños de Mobutu y los chinos. ¿Qué siente Díaz Argüelles ante la tarea imposible?

El 8 de agosto Díaz Argüelles regresa a Cuba a informar. La situación en esos momentos es muy difícil para el MPLA: en el Norte las fuerzas de Holden Roberto, apoyadas por mercenarios portugueses y por soldados regulares de Zaire, preparan la ofensiva; en el Sur el ejército sudafricano ha realizado nuevas penetraciones en el territorio angoleño y está operando una alianza entre los militares y las fuerzas de Savimbi. El MPLA controla la capital, y ha logrado crear una cierta estructura política que amplía sus bases, pero no ha podido convertir sus fuerzas guerrilleras en un ejército regular capaz de enfrentar la amenaza. Agostinho Neto había solicitado, respondiendo a la oferta cubana y a través de Díaz Argüelles, el envío de un grupo de especialistas que colaborasen en el entrenamiento del ejército popular.

Díaz Argüelles vuelve con el sí de Fidel hacia fines de agosto. Un testimonio anónimo dice que en aquellos días andaba en todas partes al mismo tiempo: Cabina, Quifandongo, Kimbala, Luanda. Lo vieron en un mismo día en más de dos lugares diferentes. El rumor fábrica al cubano fantasma, el «questáentodoslados», el que todo lo mira, el que apunta sin rifle. Viajaba en una avioneta Piper Azteca, en *jeep*; se deslizaba en la selva…

La respuesta no se hace esperar, entre el 4 y el 7 de octubre arriban a Puerto Amboim dos barcos cubanos, el Vietnam Heroico y el Coral Island, cuatro días más tarde llega a Punta Negra otro más, el carguero La Plata. A bordo se encuentran cuatrocientos ochenta especialistas militares cubanos y una brigada médica, quienes tienen la misión de organizar en los próximos seis meses dieciséis batallones de infantería de la República Popular de Angola. El coronel Domingos da Silva está al mando de la operación que se ha montado en la más sigilosa clandestinidad, para evitar una campaña de prensa internacional que diera cobertura política a la intervención en Angola de Sudáfrica y Zaire que ya se encuentra en marcha. Se acondicionan cuatro escuelas para los nuevos reclutas, una en Dalantado, a trescientos kilómetros al este de Luanda; una segunda cerca del puerto de Benguela en el centro del país; la tercera en el enclave norteño de Cabina, donde la intervención de mercenarios franceses y colonos portugueses racistas hace peligrar la situación; y una cuarta en Taurino, al oriente del país.

Los instructores cubanos no tienen tiempo para organizar las mínimas condiciones de sus bases. El 23 de octubre la agresión se convierte en guerra abierta: una brigada mecanizada sudafricana entra en Angoa desde Namibia y ocupa Sa da Bandeira y Mocamedes. En una semana los sudafricanos acompañados por fuerzas de la UNITA avanzan seiscientos kilómetros de Sur a Norte en el interior del territorio angoleño, masacrando a la población civil. Ese mismo día atacan las fuerzas de Holden Roberto abastecidas y con la retaguardia cubierta por el ejército de Zaire. Se trata de una operación combinada para atenazar la Revolución Angoleña.

No hay estrategia posible a mediano plazo. Tan solo conservar la capital liberada hasta la declaración de independencia, si acaso preserva territorio, ganar tiempo, hacer imposibles. Detener la doble invasión mientras se construye un ejército popular y la ayuda cubana fluya. Díaz Argüelles se multiplica entre los asesores cubanos; pocas consignas, ideas muy precisas: «Al enemigo había que combatirlo en todas las formas, enfrentándolo cara a cara y combatiéndolo en su retaguardia, agotarlo, vencerlo de día y de noche, dominar todos los medios, utilizar todos los recursos». ¿En concreto? Pegarle para detenerlo. Frenarlo. Romper la idea que le han metido en la cabeza a sus soldados de que la guerra es un paseo triunfal que termina en Luanda.

En Quifandongo un pequeño grupo de guerrilleros de las fuerzas armadas del MPLA y los asesores cubanos dirigidos por Díaz Argüelles detienen con artillería improvisada a las tropas del FNLA, que vienen acompañadas de mercenarios portugueses y más de un millar de soldados del ejército regular de Zaire. Los combates se producen a tan solo treinta kilómetros de la capital. Holden Roberto ha prometido a sus patrones y a sus hombres que declarará la independencia de Angola desde el hotel Trópico en el centro de Luanda el día 11 de noviembre. Incluso en los bolsillos de algunos de los caídos hay invitaciones formales para el acto. Por ahora no habrá recepción en ese hotel, han sido frenados.

Durante los últimos días de octubre la tensión en la capital es tremenda. Ni los más optimistas estrategas en la capital apuestan por la supervivencia de la Revolución Angoleña. El periodista polaco Ryszard Kapuscinski, uno de los más agudos observadores del fenómeno, agotado, desconcertado, anota:

> En el frente Norte reina la calma. Esperan a que los del Sur se acerquen más. Entonces golpearán desde ambos lados a la vez. Puede ser esta semana, tal vez mañana[...] 9 la ciudad está cercada, nadie puede llegar a ella ni por mar ni por aire[...] ¿Quién entra primero, los del Sur o el FNLA? Los del FNLA son un ejército feroz, son caníbales. No lo creía. Pero hace una semana fui con un grupo de periodistas locales a Lucala, a cuatrocientos kilómetros al este de Luanda[...] El FNLA retirándose destruía en el camino cualquier rastro de vida. Cabezas de mujeres tiradas en la hierba, al lado de la carretera. Los cadáveres con el corazón y el hígado arrancados.

En los primeros días de noviembre, los alumnos de la escuela de Benguela con sus instructores cubanos al frente, dirigidos por Díaz Argüelles, se enfrentan a los sudafricanos.

El mayor Faceiras, uno de los guerrilleros históricos del MPLA que durante años ha combatido a los portugueses, cuenta que Díaz Argüelles llegó al frente Sur durante los días en que el enemigo avanzaba desde Benguela-Lobito hacia Zumbe y personalmente decidió la voladura de los puentes entre Puerto Amboim y Zumbe. Buscaba crear una línea defensiva natural para obligar al enemigo a utilizar una dirección de ataque diferente. Los blindados sudafricanos abandonando la costa, perdían apoyo logístico. «Si logramos esto –dijo –hemos ganado la guerra.»

Y lo logró. Las incursiones guerrilleras, la voladura de los puentes, la resistencia suicida, gana un tiempo de respiro para la revolución, pero cuesta la vida del oficial cubano Balsinde Arteaaga y de varios guerrilleros del MPLA.

Dos días después el CC del PC cubano decide el apoyo incondicional a la Revolución Angoleña y se instrumentan operaciones de emergencia. El 7 de noviembre se produce un nuevo encuentro en Quifandongo. La artillería lleva la iniciativa, el ruido de los cañones se escucha perfectamente en la capital. Nuevamente son detenidas las fuerzas del FNLA y los regulares de Zaire. Se han ganado nuevas horas de respiro.

Al día siguiente, 8 de noviembre, faltando tres días para la declaración de independencia y la retirada de los soldados portugueses, el comandante del MPLA, negocia con el alto comisionado portugués el permiso para que un par de aviones de origen desconocido aterricen en el aeropuerto de Luanda, aún bajo control de las tropas coloniales. Lo consigue. A primeras horas de la noche, bajo la llovizna, desembarca de un Britania de Cubana de Aviación el primer contingente de tropas especiales del Ministerio del Interior cubano, las tropas de élite de la revolución, ochenta y dos hombres (simbólicamente el mismo número de los invasores del Granma un poco menos de veinte años antes) encabezados por el comandante Martínez Gil. Este se abraza a Díaz Argüelles, ahora el coronel Domingos da Silva, que lo recibe en la escalerilla del avión. Los hombres traen las ametralladoras en los portafolios. Del departamento de equipaje salen tres cañones de 75 milímetros y tres morteros. Poco después un segundo avión aterriza. Los militares cubanos van directamente del aeropuerto hacia los frentes de combate.

El mítico Domingos da Silva se encuentra en su mejor momento, antes imposible, y se da el lujo de recordar a los vivos y a los muertos. Al Che le hubiera gustado estar aquí. La deuda está saldada. Uno de sus amigos me cuenta: «En medio del calor terrible, había dejado de sudar, no desperdiciaba ni una gota de agua.»

El día 10 las fuerzas de Holden Roberto avanzan sobre Luanda con más de dos docenas de blindados Panhard y AML 90 al frente. Los cubanos los están esperando con cinco lanzacohetes BM-21 que han desembarcado clandestinamente el día anterior en Luanda; sus operadores arribaron en avión el mismo día desde La Habana; junto a ellos los morteros de 120 y las ametralladoras AK en manos de guerrilleros angoleños y combatientes de las tropas especiales cubanas. Díaz Argüelles se encuentra allí. Al recibir a una compañía del batallón de tropas especiales ha tenido el desplante de decirles: primero les pegamos «a estos del FNLA y luego vamos al Sur a fajarnos con los sudafricanos.»

El combate dura algunas horas, el rugido de los lanzacohetes hace vibrar la selva. Las fuerzas de Holden Roberto huyen en estampida. En la huida masacran a cincuenta habitantes de una aldea. Dejan tras de sí blindados destrozados, trescientos cuarenta y cinco muertos, uniformes y armas.

Pocas horas después de la batalla, sin tiempo para celebrar la victoria, Díaz Argüelles parte rumbo al Sur con la primera compañía de las tropas especiales para frenar a los sudafricanos. Van a tratar de detener los blindados y obligar a la ofensiva enemiga a abandonar la carretera de la costa y girar hacia el Este, haciendo más lento su avance y obligando a un mayor desgaste de recursos. La Revolución Angoleña combate también contra el tiempo.

Mientras el coronel Domingos da Silva avanza hacia Benguela, encabezando una pequeña columna de combatientes cubanos (que habían descendido del avión cuatro horas antes) y guerrilleros de las FAPLA, Agostinho Nero proclama la independencia de Angola en un discurso público. Un discurso escueto pronunciado apenas se inicia el día 11, en la noche, bajo escasas luces, porque se teme que se pueda bombardear a la concentración civil. Tras los aplausos del eco de los tiros al aire de los pocos soldados que se encuentran en la guarnición de la capital.

El 13 de noviembre por la tarde, el escritor angoleño Pepe Tela y Casano, comisario político del MPLA, se encuentra en Zumbe tratando de frenar a los sudafricanos, resistiendo una fuerte presión. «No podíamos abandonar a la población, porque habíamos dicho que no retrocederíamos». Armados con rifles automáticos, los dos cuadros deciden quedarse ahí para dejarse matar. En esos momentos aparece un oficial cubano en *jeep*. Les ordena retirarse, los angoleños no le hacen caso. Zumban las granadas de mortero a su alrededor y los tres personajes se lían en una discusión sobre el romanticismo y el realismo, la teoría de la eficacia: cómo a veces hay que saber irse para volver; cómo las revoluciones tienen más héroes muertos de los que necesitan y cómo constantemente están exiguas de combatientes vivos. Años después Tela recordaría aquellos cinco minutos con Raúl Díaz Argüelles. El cubano los convence. Qué lejos se encuentra de sus días de locura habanera. Ahora piensa en salvar una revolución, no en morir en una «cama de piedra». Tela sobrevivirá tras ser atendido en un hospital de Luanda, Casano muere al día siguiente en combate.

El 13 de noviembre Díaz Argüelles se encuentra en Puerto Amboim. Agotado, tenso, pero victorioso. Se han producido combates en Novo Redondo y Lobito. La velocidad de la ofensiva sudafricana ha descendido. Actúan junto a los cubanos las guerrillas del comandante de las FAPLA, Faseiras. Se producen continuas infiltraciones en el frente enemigo, se siembra de minas antitanques los caminos, se hostiga con emboscadas a las vanguardias.

El 20 de noviembre los sudafricanos y las fuerzas de la UNITA se ven obligados a dejar la costa y a tratar de penetrar por el interior hacia el Norte. El objeto estratégico de la resistencia se ha logrado. Díaz Argüelles manda personalmente una de las columnas del frente. A las siete de la mañana del 23 de noviembre, en la misma fecha que Díaz Argüelles había previsto, se inicia la batalla de Evo en la dirección en la que se encuentran sus fuerzas. Ya no se trata de escaramuzas o combates aislados, los sudafricanos lanzan a sus blindados frontalmente contra las débiles defensas de las FAPLA y los cubanos, que cuentan tan solo con dos compañías mixtas y una de las escuadras de asesores para detener el golpe principal. Los defensores hacen milagros para frenar la ofensiva de los blindados sudafricanos. La cohetería juega un papel esencial. Al cabo del día los sudafricanos se retiran dejando sobre el campo de combate diez blindados MN90 destruidos y decenas de muertos. En su retirada recogen los cadáveres de los soldados blancos, pero no los de los hombres de la UNITA. El racismo no reconoce alianzas temporales. En materia de muertos el racismo pervive. No todos los cadáveres son iguales.

Domingos da Silva ha estado en todos lados. Dirigiendo el combate, disparando, corriendo por las trincheras repartiendo municiones a los combatientes. Al día siguiente dirige el fuego contra un avión de reconocimiento, que se desploma detrás de la línea de contención. Los sudafricanos pierden a dos altos oficiales.

Las crónicas coinciden en señalar que la revolución se salvó en los combates de Evo.

El 27 de noviembre comienzan a llegar a Angola por barco los refuerzos regulares del ejército cubano: un regimiento de artillería, un batallón de tropas mecanizadas. Un par de semanas más tarde las FAPLA y los cubanos pasan a la ofensiva en todos los frentes. En el Sur, los sudafricanos han sufrido varias derrotas en sus intentos de penetrar la línea defensiva. Díaz Argüelles, en esos momentos el legendario coronel Domingos da Silva, dirige la Columna 26 de julio, una de las tres agrupaciones de la ofensiva revolucionaria, que parte el 9 de diciembre al contraataque. Los sudafricanos resisten, frenan el avance del flanco izquierdo utilizando su artillería; Argüelles decide utilizar su columna para envolverlos. El día 10 en la noche, se movilizan dos pelotones hacia el pueblo de Galengo. El oficial de Tropas especiales, Estevanell, quien también moriría en Angola, recibe la orden de avanzar.

El periodista Julio Martí describe la madrugada de aquel 11 de diciembre de 1975:

> [Díaz Argüelles] fue el primero en ponerse de pie en su puesto de mando en Hengo. Había un silencio interrumpido solo por el lejano rugir de alguna fiera hambrienta, el largo chillido de advertencia de los elefantes y los aullidos de alarma de los monos; pero era un amanecer gélido con una niebla que invitaba al sueño y se extendía por la llanura hasta más allá de los morros distantes[...] un oficial del Estado Mayor tuvo la ocurrencia de decir acurrucado desde debajo de su manta: *con esta niebla el día no está para combates.* Entonces se levantó la voz de Domingos da Silva para recordar que estaba en guerra.

Nada de bromas. Las bromas tan solo para abrir la puerta de la guerra, no para salirse al jardín a pasear.

La pequeña columna de blindados debería avanzar desde el campamento de Hengo hacia la aldea de Galengo para tratar de atacar a los sudafricanos desde el flanco. Al llegar a esta descubrieron que el enemigo se había replegado. La columna continuó su avance hasta encontrarse con territorio minado. Díaz Argüelles viajaba en el cuarto blindado. Casualmente los tres anteriores habían pasado sobre una mina antitanque sin hacerla explotar. En el momento de reiniciar la marcha, el artefacto hizo explosión dañando a los oficiales que ocupaban el vehículo. Las esquirlas metálicas hicieron en ambas piernas y cortaron la femoral de Díaz Argüelles. La columna se puso a la defensiva y se inició una desesperada operación para tratar de salvar a los heridos.

## VIII

El registro de las palabras de los moribundos suele ser terreno fácil para la elaboración fraudulenta, para la heromanía barata, porque se ignora que el héroe es, en esos momentos, un hombre que se encuentra dándose brutalmente un beso con la muerte. Desconfío habitualmente de estas frases que vienen recorriendo los tortuosos caminos de registros imprecisos, artículos escritos años más tarde, memorias retocadas por el tiempo. Pero en este caso, el instinto me dice que es cierto que Raúl Díaz Argüelles, coronel cubano de treinta y nueve años, conocido en esas tierras como Domingos da Silva, mientras recorre la carretera en medio de la selva, sostenido por los brazos de sus compañeros sobre la parte delantera de un transporte militar y desangrándose, pidió a sus camaradas: «Cuenten lo que hemos hecho». Sabía que en esos días había formado parte de una historia imposible, no quería que fuera olvidada.

Díaz Argüelles, a pesar de los esfuerzos de sus compañeros, falleció en una pequeña carretera rural al sur de Puerto Amboim cuando trataba de llevarlo a un hospital de campaña.

Se cuenta que el rumor de su muerte recorrió el frente y que en varias zonas de combate los oficiales se vieron obligados a frenar a las tropas que querían salir a vengar al legendario coronel muerto. En su mochila había una biografía de Maceo, un libro ensangrentado que llegó dando media vuelta al mundo, semanas más tarde, hasta su casa en La Habana. Esa sería la única herencia material, tangible, que volvió desde Angola.

Todo se encuentra demasiado cerca; la historia cuando se aproxima demasiado al historiador, trae una carga de emociones que bailan vertiginosas en las teclas de la máquina; los héroes son como nosotros y sin embargo inatrapables; hacerles justicia es una forma de deshumanizarlos, de hacerles injusticia, de recordar el momento clave que aparecerá en los artículos, los recuerdos y los libros y de olvidar cómo tomaban un café cubriendo la taza y dejando salir el humo entre los dedos; o las dificultades que tenían para hacerse el nudo de la corbata (por cierto, nunca vi una foto de Díaz Argüelles con corbata), la forma como acariciaban a su mujer o la novela que los fascinaba en la lectura nocturna: las ocultas pasiones por los caballitos de la feria, el amor por los paseos nocturnos en el malecón habanero…

Los historiadores no tenemos posibilidad de contar historias como estas, es cosa sabida que son cuentos que nos desbordan, que les quitamos la vida al narrarlas, que el único lugar preciso, exacto, el reducto que les pertenece, es esa vaga cosa que no podemos definir, pero que todos sabemos que existe y a la que llamamos la memoria colectiva de los pueblos. Ese es su lugar, a él pertenecen.

# Notas finales

## 1. Sobre las fuentes y agradecimientos a los informadores y amigos

### Escudero

El periodista mexicano Mario Gil fue el primero en descubrir la historia del escuderismo en los tiempos modernos y publicó un largo artículo titulado «Los Escuderos de Acapulco», que reescribió más tarde como «El Movimiento Escuderista en Acapulco», Rogelio Vizcaíno y yo pudimos ver muchos de los documentos originales y consultar sus notas en su archivo personal gracias a la generosa colaboración de su hermosa compañera Benita Galeana. Gol volvió sobre el tema en el libro *México y la Revolución de Octubre*.

El otro estudio contemporáneo de valor es el de Renato Ravelo: *Juan R. Escudero, biografía política*. Renato compartió con nosotros varios de sus archivos.

Hay algún otro material interesante en la biografía de Alejandro Martínez Carvajal: *Juan Escudero y Amadeo Vidales*, y en el libro de Gómez Maganda: *Acapulco en mi vida y en el tiempo*.

Los documentos esenciales se encuentran en la colección de *Regeneración*, así como en la documentación que se encuentra en el Archivo Municipal de Acapulco (un fondo del que se decía frecuentemente en los medios de la historia regional guerrerense que había desaparecido y cuyo acceso nos abrió Marisela Ruiz Massieu), en particular en las actas de cabildo del periodo; en los reportes consulares norteamericanos al Departamento de Estado, localizable en los Archivos Nacionales de Washington y en el Archivo General de la Nación, ramo presidentes, Obregón/Calles en particular en los expedientes: 811-E-7, 202-A-82, 701-A-5, 241-G-D-26, 428-A-6, 707-A-16, 701-G-4, 818-A-88 y 826-E-20.

Hay otras informaciones menores en los libros de Castellblanch: *Memorias de un delahuertista*, y en la antología de Ricardo Flores Magón: *Epistolario revolucionario e íntimo*.

La prensa mexicana de la época apenas si recoge las historias del escuderismo, a lo más unos cuantos artículos en el que era el periódico más conservador de la capital, *El Universal*.


## ADLER

El propio Friedrich Adler en su defensa (*J'acuse*), aclara muy bien los motivos del atentado; el texto fue publicado en Nueva York en 1917, donde lo encontré editado por la Socialist Public Society, en él está el origen de mi interés por la historia. Mis amigos alemanes me hicieron llegar dos trabajos muy importantes, el de Julios Braunthal; *Victor und Friedrich Adler, zwei Generationen arbeiter bewegun*, editado en Viena en el 65, y la antología de Benedikt: *Geschichte der Republik Oesterreichs*, editada en Munich en 1954, que me tradujo en sesiones muy divertidas don Guillermo Pohorrille, aportando además sus recuerdos personales sobre la Viena de la primera guerra.

El contexto está muy narrado en la *Historia del pensamiento socialista* de G.D.H. Cole, y los ecos del atentado en el *Lenin* de Schub, las memorias de Leo Lania, *Todos somos hermanos*, y el artículo «Federico Adler» de Joan Salvat en *Humo de fábrica*.


## LOS MURALISTAS

La historia del nacimiento del muralismo mexicano se encuentra fundamentalmente narrada en las memorias de los protagonistas, pero de una manera caótica, de tal forma que se pierde la secuencia de los acontecimientos. Para rearmar esta secuencia, el autor utilizó la prensa de la época (*El Universal, El Heraldo, El Demócrata, Excélsior*) junto con los textos del Partido Comuista (Memorias del III Congreso, Constitución electoral del partido, colección de *El Machete* que se encuentra en el archivo de la ENAH). Fueron además materiales de apoyo los estudios de Margarita Nelken, Raquel Tibol y Luis Cardoza y Aragón, así como cronologías y libros de reproducciones, en particular la excelente muestra de la pintura de Rivera en los patios de la SEP, editada en 1980 por la SEP, el catálogo de la retrospectiva de Rivera editado por el Museo Reina Sofía y el catálogo de la muestra antológica de Fermín Revueltas.

Respecto a los materiales testimoniales citados, he encontrado particularmente útiles los referidos a Siqueiros (su autobiografía: *Me llamaban el coronelazo* y *La piel y la entraña* de Julio Scherer), Rivera (*Confesiones de Diego Rivera*, de Luis Suárez; *Arte y política. Mi arte y mi vida* con Cladys March; *Memorias y razón de Diego Rivera* de Loló de la Torriente), Orozco (*Autobiografía*), Bertram Wolfe (*Diego Rivera* y *A Life in two Centuries*) y Jean Charlot (*The mexican Mural Renaissance*).

Fueron también utilizados los artículos de Xavier Guerrero, Bertram Wolfe y Frederic Leighton aparecidos en la prensa radical mexicana y norteamericana.

Habría que añadir que la mayor parte de los murales de los que aquí se habla (salvo los que fueron repintados o destruidos), se encuentran en San Ildefonso 43 (local de la antigua preparatoria) y en el edificio central de la Secretaría de Educación Pública en la calle de Argentina, en el centro de la Ciudad de México. Y que sigo pensando que es maravilloso pasear entre ellos.


## LARISA

Los escritos de Larisa Reisner han sido publicados en español en dos antologías, la de Cenit en Madrid en 1929 (*Hombres y máquinas*) y la de Era en México en 1977 (*Hamburgo en las barricadas*); hay además fragmentos traducidos de *En el frente* en diferentes antologías editadas en español en la primitiva URSS.

No conozco una biografía dedicada al personaje, pero sí en cambio una excelente dedicada a Rádek, la de Warren Lerner; *Karl Radek, the last Internationalist*, y un texto del propio Rádek sobre Larisa: «Portraits and Pamphlets», así como el artículo que escribió sobre Larisa después de su muerte para la enciclopedia Granar, reproducido en *Los bolcheviques* de Marie y Haupr, libro del que también usé las autobiografías de Víctor Sklovski;

*Viaje sentimental*; Elizabeth K. Poretski: *Nuestra propia gente*; Werner T. Angress: *Stillborn Revolution*; Julio Álvarez del Vayo: *La senda roja*; las *Memorias de un bolchevique leninista*, editadas en Samizdat y los libros de Trostki, en particular *Mi vida*, la *Historia de la Revolución Rusa y sus Escritos militares* (en la edición de dos tomos de Ruedo Ibérico), así como el texto de Víctor Serge: *Vida y muerte de León Trostski*.

## SAN VICENTE

Los materiales para la primera versión de la nota biográfica sobre Sebastián San Vicente formaban parte de una investigación sobre los orígenes de la izquierda mexicana después de la revolución, que recogí en un amplio volumen titulado *Bolsheviquis*. Remito a los interesados a la lista de fuentes informativas y biografía de esta última obra.

Resultan particularmente interesantes los documentos del State Department norteamericano, las memorias de José C. Valdés y la gran colección de prensa ácrata mexicana que pude consultar en el Instituto de Investigaciones Sociales de Ámsterdam.

*De paso* publicado como novela en 1986.

## IOFFÉ

La autobiografía de Ioffé fue escrita para la enciclopedia Granar y recogida en el libro de Marie y Hauot: *Los bolcheviques*; la historia de un suicidio y entierro se encuentra minuciosamente narrada en las memorias de Trotski: *Mi vida*, y Serge; *Memorias de un revolucionario*, y en *El profeta desarmado* de Isaac Deutscher. La última carta de Iofeé ha sido recogida en la antología *La oposición de izquierda en la URSS*. Han sido muy útiles los *Selected Writings on the Oposition in the URSS*, de Racovski; las *Memorias de un bolchevique leninista* publicadas en Samizdat; y *Men and politics* de L. Fisher.

## Durruti en México

La mejor narración sobre el paso de Durruti y Ascaso por México se encuentra en el excelente libro de Abel Paz, *Durruti, el proletariado en armas*, José C. Valadés dedica un capítulo de su biografía *Memorias de un joven rebelde* a estos acontecimientos, y hay algunas informaciones sueltas en el órgano de la CGT, *Nuestra Palabra*.

La versión del cronista policial es una reconstrucción a partir de los reportajes que se publicaron en marzo-abril de 1925 en *El Demócrata*, *Excélsior* y *El Universal*, diarios de la Ciudad de México.


## Librado

La biografía «desconocida» de Librado Rivera puede ser reconstruida a partir esencialmente de las colecciones de los periódicos anarquistas en los que colaboró. He podido reunir colecciones completas de estos diarios combinando las existentes en el archivo del IIES en Amsterdam, el archivo privado de José C. Valadés y algunos ejemplares sueltos del archivo que comparto con Rogelio Vizcaíno y Paloma Saiz. Leyendo apasionadamente las colecciones de *Sagitario, Avante y Paso!* Pueden trazarse a grandes rasgos los actos de Rivera en esos años. Este material fue complementado con colecciones de otros periódicos anarcosindicalistas, como *Horizonte Libertario, Verbo Rojo, Nuestra Palabra y Alba Anárquica*. Donde la prensa anarquista dejaba huecos fui a las colecciones de diarios tradicionales de la Hemeroteca Nacional de México.

La segunda fuente en importancia fue el propio archivo de Librado Rivera, consistente en un par de centenares de cartas y notas. Este archivo pasó de manos de Nicolás T. Bernal al archivo de José C. Valadés, donde lo localicé. Tengo que agradecer a su hijo Diego el acceso ilimitado a estos fondos.

En el Archivo General de la Nación se encuentran escasos aunque interesantes materiales en el ramo Presidentes, tanto en los correspondientes a Obregón/Calles como en el de Portes Gil.

Solo dos libros fueron utilizados en este trabajo: la autobiografía de Nicolás T. Bernal (escrita en colaboración con José Esteves), de la que usé el manuscrito original y no la versión más reciente sumida que publicó el CEHSMO, y la excelente antología de relatos periodísticos de Librado realizada por Chantal López y Omar Cortés y editada por Ediciones Antorcha en 1980 (¡*Viva tierra y libertad!*).

## HÖLZ

La investigación se inició en 1981 a partir de una nota de pie de página encontrada accidentalmente en *Hammer or Anvil*, el libro de Evelyn Anderson sobre la Revolución Alemana, editado en Londres en 1945, y pudo proseguir cuando un año más tarde localicé la autobiografía de Hölz: *From white Cross to red Flag* (J. Cape, Londres, 1930) en la biblioteca pública de Nueva York. A partir de ese momento, solo pude desarrollar el trabajo gracias a la colaboración desinteresada de media docena de amigos y colegas. Gerardo Baumruker me consiguió el excelente trabajo de Rudolf Phillip: *Max Hölz, der Letzte deutsche Revolutionär* (Zurcí, 1936) en la biblioteca pública de Munich. Un año más tarde localicé y fotocopié en Nueva York y Berlín una serie de folletos claves para este trabajo; los de Erich Mühsam: *Gerechtigkeit für Max Hoelz*, Berlín, 1926; Egon Edwin Kisch: *Sieben Jahre Justizskandal*, Berlín, 1928, y del mismo periodista checo: *Max Hoelz, Briefe aus dem Zuchthaus*, Berlín, 1927, y un folleto anónimo más: *Hoelz's Anglagerede gegen die bürgerliche Gesellschaft*, Leipzig, 1921. El material básico lo completé cuando en ua librería anarquista en Alemania localicé el folleto biográfico *Max Hölz* de Ludwig Bergmann. No habría podido avanzar si no hubiera sido por la enorme ayuda que me dieron Guillermo Pohorrille y Carlos Maya traduciendo los textos del alemán, idioma que desconozco. Tres trabajos pusieron en perspectiva las acciones de Hölz: *Stillborn Revolution* de Werner T. Angress (cuya fotocopia me consiguió Leo Durañona de la biblioteca de la Hofstra University), *La izquierda comunista en Alemania* de

Jean Barrot y Denis Authier (que me regaló Chema Cimadevilla en Gijón), y los artículos de Hermann Remmele, «The Proletarian Struggle for Power in Germany», editados en las nuevas series de *Communist Internacional*, números 2 y 3. En 1983, en plena cacería de la historia de Hölz, encontré en la Biblioteca del Congreso de Washington el capítulo que le dedica J. Bool en su libro *Furstar och Rebeller* (Estocolmo, 1930), pero de poco me hubiera servido sin la ayuda de Raquel Settels, quien me lo tradujo del sueco. Tres libros fueron útiles para proporcionar pequeños detalles: la *Historia de la Alemania contemporánea* de Gilbert Badia, el tomo I de la *Revolución en Alemania* de Pierre Broué, y la *Historia del Komintern* de Margarette Buber-Neumann. Por último, la declaración sobre Hölz de la IC se encuentra en las actas del III Congreso, reproducidas en *Los cuatro primeros congresos de la IC* (Pasado y presente).

La historia de la estatua desaparecida me la contó Malte.

Como puede verse, si hubo alguna virtud en este trabajo, estaba inspirada en la enseñanza del estilo Hölz: mucha terquedad y muy buenos amigos.

## P'ENG P'AI

La historia de P'eng P'ai tiene su origen en el descubrimiento de sus notas autobiográficas, cuando rastreaba otras historias de la izquierda radical de los años treinta, en *The living Age* de abril del 33. Es curioso que las fuentes chinas en plena etapa posrevolucionaria no le hayan dado demasiada importancia, como si no quisieran que su figura se enfrentara a la de Mao; encontré muy poco material interesante, quizá lo mejor del artículo de Pel-pang Ypung: «P'eng P'ai, from Landlord to Revolutionary», en *Modern China* de julio de 1975. Un trabajo en el boletín de la *Imprecor* de junio de 1927 resultó enormemente útil: Ting Sia: «The Peasant Movement in China», *Imprecor*, número 36, 23 junio de 1927. Algunos otros libros y artículos claves: Jean Chesnaux: *Movimientos campesinos en China* (1840-1949), Tse-Tsung Chow: *The May 4th Movement*, Anne Clark y Donald Klein: *Biographical Dictionary of Chinese Communism*; Shinkichi Eto: «Hai-lu-feng. The first chinese soviet Government», en el *China Quarterly* de octubre-diciembre 1961 y enero-marzo 1962. Desde el 84, en que comencé a trabajar en estas notas, localicé algunos libros y tesis universitarias apasionantes escritas por académicos norteamericanos: la biografía escrita por Fernando Galbiatti: *P'eng P'ai and the Hai-Lu feng soviet*; Roy Hofheinz: *The broken Wave*, Donald Holoch: *Seed of a Peasant Revolution: Report on the Haifeng Peasant Movement*. Además se puede apelar a los trabajos de Harold Isaacs: *The Tragedy of the Chinese Revolution*; Martin Wilbur y Julie How Lien-Ying: *Documents on Communism, Nationalist and soviet Advisers in China: 1918-1927*. Referencias generales en los trabajos de Víctor Serge: *La Revolución China. 1926-1928*; Agnes Smedley: *The grear Road. The Life and Times of Chu Teb*, y Edgar Show: *Red Star over China*.

Para la elaboración de una «biografía apócrifa» utilicé cuando pude los textos del propio P'eng, sobre todo para la etapa que llega hasta 1923 y reconstruí con absoluta libertad el resto.

La figura del personaje narrado fue duramente enfrentada en el proceso de la llamada «Revolución Cultural» en China, básicamente en un intento de revisión de la historia tendiente a dejar a Mao en solitario como la figura agrarista única, se suprimieron de la circulación textos, se cambiaron prólogos y desaparecieron los nombres de calles dedicadas a P'eng en Hailufeng.


## Batalla de Guadalajara

Para la reconstrucción de la batalla usé las memorias de Gustav Regler: *The owl of Minerva*; las de Pietro Nenni: *La guerra de España*; las de Herbert Mathews: *Two Wars and more to come*; las de A. Rodintsve: *Bajo el cielo de España*; las de Luigi Longo: *Las brigadas internacionales de España*, el *No pasarán*, de Roma Karmen; el *Diario de la guerra de España*, de Mijail Koltsov; la autobiografía de Ignacio Hidalgo de Cisneros, *Cambio de rumbo*; la biografía de Cipriano Mera escrita por Joan Larch; el ensayo de Vicente Rojo: *Así fue la defensa de Madrid*; y dos excelentes estudios sobre las brigadas internacionales, el de Jacques Delperrie y el de A. Castells.

Años más tarde de mis conversaciones con Carranza, leí el texto *Polémica con el enemigo* del cubano Pablo de la Torriente, que confirma cómo las guerras son, también, guerras de palabras, de gritos a través de las trincheras.


## Díaz Argüelles

Tras haber trabajado una primera versión de esta historia sobre fuentes periodísticas, y después de su primera edición en la revista *Bohemia* de La Habana, pude conectarme con la hija del personaje, Natasha Díaz Argüelles, quien de una manera absolutamente desinteresada compartió las notas y recuerdos que había reunido para la realización de una biografía de su padre. Todo mi agradecimiento resulta insuficiente. También recibí tres cartas proporcionándome nuevos datos, una de ellas del doctor Humberto Ballesteros, otra del militar e historiador Santiago Gutié-rrez Oceguera y la última de Mariana Ramírez Corría, viuda de Díaz Argüelles, que me estimuló tremendamente. Estas informaciones y nuevos artículos periodísticos y rumores recogidos en conversaciones con amigos y colegas, se añadieron a la presente versión.

Una reseña muy sintética de las fuentes utilizadas, que excluyeran historias generales sobre Cuba contemporánea, incluiría los siguientes elementos: tres artículos que recogen de manera resumida la biografía de Raúl Díaz Argüelles, el de Julio A. Martí: «Réquiem para un soldado», el de Pedro Prada: «Cuenten lo que hemos hecho», y el de Ángel Rodríguez Álvarez: «De Díaz Argüelles a Domingos da Silva». Para la historia previa a la actuación en Angola, los libros y artículos de Julio García Oliveras: *José Antonio*, Enrique Sanz Fals: «La expedición de Nuevitas»; Alfredo Reyes Trejo: «Gustavo Machín Hoed»; y Enrique Rodríguez Loeches: *Bajando del Escambray*.

La etapa angoleña en: Pedro Pablo Aguilera: «Argüelles, el comandante da Silva, una leyenda que pierde en fantasía y gana en realidad»; Gabriel García Márquez: «Cuba en Angola. Operación Carlota»; Hugo Rius: *Angola, crónicas de la esperanza y la victoria*; Eloy Concepción: «Por qué somos internacionalistas»; Ryszard Kapuscinski: *La guerra de Angola*, José María Ortiz García: Angola: un abril como Girón; Arnoldo Tauler: *La sangre derramada*, y Juan Carlos Rodríguez: *Ellos merecen la victoria*.

## 2. SOBRE EL ORIGEN DE LOS TEXTOS

Primeras versiones de algunos de estos trabajos fueron publicadas con anterioridad en revistas. La historia de Ioffé en el suplemento de la revista *Siempre!* (antes de que me despidieran en 1988 junto con todo el equipo que lo manufacturaba); la de Díaz Argüelles en las revistas *Bohemia* de La Habana, y como folletín en *El Universal* de la Ciudad de México, luego salió editada en un minilibro por la Editora Política en La Habana. Una primera versión de la historia de San Vicente apareció en el suplemento «Sábado» del *UnomásUno*, y fue recogida en un volumen escrito en coautoría con Rogelio Vizcaíno titulado *Memoria roja*.

La nueva versión de la historia de Juan R. Escudero es la tercera, las dos primeras las realicé con Rogelio Vizcaíno y se publicaron como pequeños libros bajo los títulos *El socialismo en un solo puerto* y *Las dos muertes de Juan R. Escudero*. Apenas si hay nuevas fuentes respecto a aquellas ediciones y el texto tiene la lógica de ser una canibalización de las versiones anteriores.

Una primera versión de «Las penurias de Librado Rivera» apareció en la revista *Brecha*, la de Max Hölz en el suplemento cultural de *Siempre!*, la de Durrti en el suplemento cultural del *UnomásUno* y la del Sindicato de Pintores en la revista *Información obrera*. Las cuatro historias fueron recogidas en un pequeño volumen titulado igual que este, tuvo una apacible vida, se agotó al pasar un par de años y no fue reeditado.

Las restantes historias se publican aquí por primera vez. Todas las redacciones originales han sido retocadas.

# Índice